Bibliografía fundamental de la literatura española

Siglo XVIII

FRANCISCO AGUILAR PIÑAL

BIBLIOGRAFIA FUNDAMENTAL DE LA LITERATURA ESPAÑOLA

SIGLO XVIII

Colección «TEMAS»

SOCIEDAD GENERAL ESPAÑOLA DE LIBRERIA, S. A.
Evaristo San Miguel, 9
MADRID - 8

Colección «Temas», n.º 7
dirigida por Luciano García Lorenzo

ISBN 84-7143-100-9
Depósito legal: M. 31020-1976
Printed in Spain - Impreso en España por
Selecciones Gráficas, Carretera de Irún, km. 11,500. Madrid, 1976

SUMARIO

Págs.

Introducción ... 7

La Europa de las Luces ... 13

España ... 18

I.—Historia general ... 18
II.—Historia social ... 22
III.—Historia cultural ... 25

Literatura española ... 32

I.—Bibliografía ... 32
II.—Historias generales ... 32
III.—Monografías ... 34
IV.—Géneros literarios ... 38
V.—Textos y antologías ... 57
VI.—Relaciones con otras literaturas ... 61
VII.—Autores ... 75

Indice de siglas utilizadas ... 275

Indice onomástico ... 289

INTRODUCCION

En 1913 comenzó en Francia la publicación de la *Revue du dix-huitième siècle,* cauce de expresión para los especialistas en el siglo XVIII, que murió pocos años después, como una consecuencia más de la primera guerra mundial. Hubo de pasar casi medio siglo hasta que la idea volvió a la vida, en 1964, gracias al entusiasmo y actividad del profesor René Pomeau, redactor de una carta circular que dio origen al nacimiento de la *Société française d'Etude du XVIIIe siècle.* Según sus estatutos, la Sociedad se proponía «suscitar, favorecer y coordinar todos los estudios e investigaciones relativos al siglo XVIII... servir, en el plano nacional, de órgano de información y de unión entre los diferentes investigadores, así como entre los diversos centros o institutos de estudios del siglo XVIII existentes con anterioridad o que se pudiesen crear en las Universidades francesas».

Del centenar de asociados en el primer año de su creación ha pasado la Sociedad a contar con más de dos mil, entre numerarios y adheridos, en octubre de 1974. Este espectacular desarrollo sólo es explicable por el enorme interés que suscita en la actualidad la Europa de las Luces, a cuyo estudio se entregan con verdadero apasionamiento miles de intelectuales en casi todos los centros de estudios superiores del mundo civilizado. En Estados Unidos funciona, igualmente, la *American Society for Eighteenth-Century Studies,* que cuenta con la revista trimestral *Eighteenth-Century Studies.* También la Universidad de Illinois, por su parte, edita desde 1970 otra publicación trimestral, *Enlightenment Essays*. Semejantes agrupaciones de especialistas del siglo XVIII trabajan en Bélgica, Inglaterra, Australia, Polonia, Japón y otros países, que integran la *Sociedad Internacional de estudios del siglo XVIII,* la cual ha celebrado congresos periódicos en Ginebra (1963), St. Andrews (1967), Nancy (1971), Yale (1975) y que, por medio de la entidad gala, ha lanzado ya dos ediciones del *Annuaire Internationale des Dix-Huitémistes* (1971 y 1974).

La Sociedad francesa, además, publica desde 1969 una revista anual, titulada *Dix-Huitème Siècle,* con la ayuda económica del C.N.R.S. y un *Bulletin* trimestral (núm. 1 en julio de 1971), como órganos de expresión y comunicación entre todos sus miembros. Es de destacar la constante labor de Universidades como Lyon, Aix-en-Provence, Clermont-Ferrand, Rennes, Lille y otras, que organizan seminarios y coloquios anuales para el estudio y discusión de temas específicos del siglo XVIII francés.

En España, el interés por nuestro siglo XVIII ha sido escaso hasta hace bien poco. La condición de siglo «heterodoxo», denostado por Menéndez Pelayo, fuente y guía de la crítica literaria posterior, ha hecho de él un objeto de estudio poco atractivo para quienes enfocaban la historia de la cultura hispana desde el exclusivo punto de vista de nuestra grandeza imperial. Añádase a esto el marchamo de «afrancesada» con que simplistamente se ha motejado a la centuria, y se comprenderá el olvido y desdén en que se ha tenido tradicionalmente en España al Siglo de la Ilustración.

No sería justo, por otra parte, silenciar la mediocre calidad de muchas de las obras literarias de nuestro setecientos, que, en general, ofrece una exigua galería de primeras figuras, pero aun éstas han sufrido las consecuencias de los criterios restrictivos que han venido configurando las tareas críticas de nuestros mayores. Basta, para confirmarlo, repasar los diferentes planes de estudios universitarios, en los que la literatura del siglo XVIII es un mero puente —cruzado casi siempre con prisas, menosprecio del paisaje y desconfianza de su fortaleza— entre los esplendores del Siglo de Oro y la apasionada eclosión del Romanticismo liberal.

Cierto que, en la Europa de las Luces, Francia y sus

hombres de letras ejercen un liderazgo cultural que ensombrece la producción literaria de los demás países de su órbita cultural. Cierto que, en muchos aspectos, España puede resultar un simple reflejo de cuanto acontece en el país vecino. Pero no menos cierto es que en el conjunto de nuestra historia, el siglo XVIII es pieza clave sin la cual resulta poco menos que imposible explicar los fenómenos posteriores. Si el Nuevo Régimen nace como reacción frente al Antiguo, el uno no se puede comprender sin el otro; ni el «dolor» romántico sin la frívola «alegría» neoclásica o la seriedad «filosófica» de la Ilustración. Pero, aun cuando así no fuera, día a día van descubriéndose nuevos motivos de atención, nuevas facetas mal estudiadas de la gran conmoción espiritual que sacudió nuestro suelo en aquellos años, como prólogo indispensable de la modernidad que se vislumbraba ya en el horizonte.

Es precisamente este aspecto conflictivo, reflejado en innumerables polémicas, el que da sentido al reciente interés por el siglo XVIII, al margen de calidades poéticas o autonomía del pensamiento hispano. España, después de varias generaciones de aislamiento cultural, se acerca a Europa, quiere salir de su encorsetado sistema de valores filosóficos y pone en marcha una serie de reformas en todos los órdenes de la vida para afrontar el atraso económico, ideológico y cultural que sus mejores hombres denuncian sin cesar desde muchos años atrás.

La literatura, por otra parte, adquiere un valor universal y enciclopédico, que se sale de los estrechos moldes de los géneros aristotélicos para ensanchar sus fronteras, admitiendo en su seno tanto a las ciencias especulativas como a las históricas o de la naturaleza. Literato es todo el que escribe, sin ceñirse a las obras de pura imaginación creadora. Es decir, el término «literatura» se confunde con el genérico de «cultura» para los hombres de aquella época, y a este concepto hemos de ajustar nuestro criterio de selección bibliográfica, dándole un sentido amplio y un tanto heterogéneo. Amplitud que viene justificada, de otra parte, por el enfoque sociológico con que, entre otros, la crítica actual analiza la obra puramente literaria.

Consciente de los valores del Siglo Ilustrado y con intención de rendir homenaje perpetuo a un ilustre hombre de letras, profesor eximio de su Universidad, el Ayuntamiento de Oviedo creó, en 1954, la «Cátedra Feijoo» para —según especifican sus estatutos— «honrar la memoria de este sabio e investigar y difundir sus enseñanzas... estudiar los precedentes y las consecuencias de su pensamiento y el entorno cultural y científico en que surgió su obra». Diez años más tarde se celebró el primer «Simposio sobre el P. Feijoo y su siglo», que congregó en Oviedo a especialistas nacionales y extranjeros, cuyas comunicaciones fueron publicadas poco después en tres volúmenes.

Era el primer paso importante en la coordinación de esfuerzos para impulsar los estudios sobre la Ilustración española. Puede decirse, pues, que la Universidad ovetense toma así la iniciativa del dieciochismo en los estudios superiores de nuestra patria. Iniciativa que, lejos de quedar paralizada, se refuerza en 1970 con la creación de un «Seminario de investigación» sobre el siglo XVIII y dos años después con el «Centro de Estudios del siglo XVIII», cuyos estatutos fueron aprobados por la Junta de Gobierno de dicha Universidad.

El Centro se propone como fines primordiales la creación de una biblioteca especializada en el siglo XVIII, la organización de un seminario de investigación, cursillos, conferencias y congresos, la promoción de la investigación sobre temas dieciochescos y la agrupación de especialistas en la materia, en forma de asociación cultural. Entre sus realizaciones materiales, a los cuatro años de su fundación, cabe destacar la publicación de un *Boletín,* del que van editados tres números y que ha tenido excelente acogida entre los casi doscientos miembros con que cuenta en la actualidad, tanto de España como del extranjero. Aparte de los trabajos en curso, el Centro se ocupa con notable éxito de la formación de la «Biblioteca Feijoniana», que suma ya un centenar de manuscritos y varios miles de impresos, a disposición de los investigadores.

A corto plazo, el Centro tiene ya anunciado el segundo «Simposio», con motivo del III Centenario del nacimiento del P. Feijoo, a celebrar en Oviedo el próximo mes de octubre. Además, está en marcha un ambicioso proyecto de publicaciones, que incluye una *Colección de Autores Españoles del si-*

glo XVIII, con ediciones críticas a cargo de los mejores especialistas, que se pretende sea una defintiva aportación al mejor conocimiento de nuestros «ilustrados» y al acervo de la cultura nacional.

Nada de esto hubiera sido posible sin el entusiasmo y dedicación del Excmo. Sr. D. José Caso González, actual Rector de la Universidad de Oviedo y Director del Centro, eminente conocedor de Jovellanos, el gran pensador asturiano, figura cumbre de la Ilustración española. Es de esperar que esta entrega ilusionada, que ha fructificado en tan espléndidas realidades, continúe en aumento y sirva para estimular a otros centros, profesores e intelectuales hacia el estudio de nuestro mal conocido y peor enjuiciado siglo XVIII.

No es otro el propósito de esta *Bibliografía fundamental,* dirigida a fomentar las investigaciones sobre dicha centuria, a suscitar nuevas vocaciones de dieciochistas y a ofrecer una inestimable ayuda a cuantos estudiantes, doctorandos, opositores y especialistas necesiten una información actualizada de temas y autores de la época. Quiero resaltar aquí la utilidad del *Manual de bibliografía de la literatura española,* de D. José Simón Díaz (con suplementos hasta 1970) al que tanto debe esta obra, y que puede servir de orientación complementaria en algunos aspectos, sobre todo en ediciones del siglo XVIII.

En la actualidad estoy trabajando en una *Bibliografía general del siglo XVIII* que pretende recoger todo lo editado en aquel siglo, pero cuya publicación se ve dificultada por la escasez presupuestaria del Consejo Superior de Investigaciones Científicas, a cuya plantilla de investigadores pertenezco. Esta *Bibliografía fundamental,* limitada a los estudios sobre temas y autores, se presenta, pues, como una primicia selectiva, desgajada del tronco del repertorio general, a la espera de que cambien las circunstancias económicas y puedan ver la luz los volúmenes anunciados, continuación de la *Bibliografía de la literatura hispánica* de D. José Simón Díaz.

Como toda obra de consulta, este repertorio bibliográfico no pasa de ser una ordenada acumulación de material erudito, puesto a disposición del crítico y del estudioso en general, sin pretensiones de obra completa y definitiva. A pesar de las muchas horas de trabajo en él empleadas, resultará inevitable el hallazgo de lagunas, errores y erratas que, de hecho, pueden desvirtuar su propósito utilitario. Ruego, pues, a cuantos localicen alguno de estos fallos que se apresuren a comunicármelo, a fin de mejorar las posteriores ediciones, con la seguridad de que sus observaciones serán amablemente recibidas y contarán con el agradecimiento de cuantos hayan de manejar este manual en lo sucesivo.

Madrid, mayo de 1976

FRANCISCO AGUILAR PIÑAL.

Duque de Medinaceli, 4
Madrid-14

LA EUROPA DE LAS LUCES

1
Adam, A.: *Le mouvement philosophique dans la première moitié du XVIIIe siècle.* Paris, SEDES, 1967, 285 pp.

Sumario. Las condiciones políticas y sociales.—La Filosofía del espíritu.—La Filosofía de la naturaleza.—La Filosofía moral.—El problema religioso.—El pensamiento político.—Montesquieu.—Voltaire antes de 1750.

2
Anderson, M. S.: *Europa en el siglo XVIII.* [Madrid] Ed. Aguilar [1964], 338 pp. (Trad. del inglés por J. García Puente. 1.ª ed. inglesa, 1961.)

Sumario. Introducción.—Las fuentes.—Estructura de la sociedad.—Vida económica.—Gobierno y administración.—Monarcas y déspotas.—Ejércitos y flotas.—Diplomacia y relaciones internacionales.—La expansión de Rusia, Polonia, el Báltico y el Próximo Oriente.—Los Estados germanos y la elevación de Prusia.—España, Italia y el Mediterráneo.—La lucha anglo-francesa por el Imperio.—Europa y el mundo exterior.—Educación, ideas y vida intelectual.—La Religión y las Iglesias.—Conclusión.—Bibliografía, cronología, mapas.

3
Atkinson, G.: *Les relations du voyages du XVIIIe siècle et l'evolution des idées: contribution à l'étude de la formation de l'esprit du XVIIIe siècle.* Paris, 1924, 220 pp.

4
Bluche, F.: *Le Despotisme éclairé.* Paris, Ed. Fayard, 1968, 380 pp.

5
Cassirer, E.: *Filosofía de la Ilustración.* México, Fondo de Cultura Económica [1943], 343 pp. (Versión española de E. Imaz. 1.ª ed. alemana, Tubingen, 1932.)

Sumario. La forma de pensamiento de la época de la Ilustración.—La Naturaleza y su conocimiento en la Filosofía de la Ilustración.—Psicología y teoría del conocimiento.—La idea de la Religión.—La conquista del mundo histórico.—Derecho, estado, sociedad.—Los problemas fundamentales de la estética.

6

COBBAN, A.: *El siglo XVIII. Europa en la época de la Ilustración.* Barcelona, Ed. Labor [1972], 362 pp. (Trad. del inglés por J. M. Balil Giró.) [Excelentes ilustraciones a todo color.]

Sumario. La forma de gobierno.—El marco arquitectónico.—El imperativo tecnológico.—El campo y la industria.—Europa en ultramar.—El arte de la guerra y sus progresos.—Buen gusto y mecenazgo.—La Ilustración.—Los horizontes del pueblo.—Reforma y revolución.

7

DENIS, M. y NOËL BLAYAU: *Le XVIIIe siècle.* Paris, Armand Colin, 1970, 351 pp.

Sumario. El mundo hacia 1700.—Economías y sociedades europeas en el siglo XVIII.—El movimiento de las ideas y la vida artística en el siglo XVIII.—Los progresos científicos y técnicos en el siglo XVIII.—Inglaterra en el siglo XVIII.—Francia de 1715 a 1757.—Los Estados de la Europa continental hasta mediados del siglo XVIII.—La política europea hasta mediados del siglo XVIII.—El despotismo ilustrado.—Francia de 1757 a 1781.—La política europea en la segunda mitad del siglo XVIII.—Las rivalidades coloniales en el siglo XVIII.—La independencia de los Estados Unidos de América.

8

DEVÈZE, M.: *L'Europe et le monde à la fin du XVIIIe siècle.* [Paris] Ed. Albin Michel [1970], 695 pp.

Sumario. La influencia de Europa sobre Asia.—Los europeos en el Pacífico.—La explotación de Africa por los europeos.—El impacto europeo sobre América.—La influencia del mundo sobre Europa.

9

FORD, F.: *Europa desde 1780 hasta 1830.* Madrid, Ed. Aguilar [1973], 456 pp. (Trad. del inglés por J. García Puente. 1.ª ed. inglesa, 1970.)

Sumario. Sociedad y cultura en 1780.—El sistema estatal europeo.—Política interior en la década de 1780.—La convulsión en Francia.—La revolución fuera de Francia.—Napoleón en el poder.

10

FAURE-SOULET, J. F.: *Economía política y progreso en el Siglo de las Luces.* [Madrid] Ed. de la Revista de Trabajo [1974], 428 pp.

Sumario. Progreso y producción: la armonía formal de los intercambios individuales.—II. Obstáculos al progreso y a la distribución: los conflictos del formalismo individual y del realismo social.

11

GAY, P.: *The Enlightenment: An Interpretation.* London, Weindenfeld and Nicholson [1966-1970], 2 vols.

Sumario. Vol. I: El crecimiento del Paganismo moderno.—Vol. II: La ciencia de la Libertad.

12

GODECHOT, J.: *Las revoluciones: 1770-1799.* Barcelona, Ed. Labor, 1969, 367 pp. (Trad. de P. Jofre. Col. «Nueva Clio», p. 36.)

Sumario. Estado actual de nuestros conocimientos.—Debates entre historiadores y directrices para la investigación.—Documentación.

13

GOETZ, W.: *La época del absolutismo (1660-1780).* Madrid, Ed. Espasa-Calpe, 1934. (Trad. del alemán de M. García Morente. Vol. VI de la col. «Historia Universal». En 1972 apareció la 8.ª ed.)

Interesan, sobre todo, los capítulos de F. Schnabel (El siglo XVIII en Europa) y el de O. Walzel (La Ilustración europea).

14

GOULEMONT, J. M. y M. LAUNAY: *El Siglo de las Luces.* Madrid, Ed. Guadarrama [1969], 347 pp. (Trad. de G. Torrente Malvido. 1.ª ed. francesa, 1968.)

Sumario. ¿Ilumina el Siglo de las Luces el siglo XX?—El sórdido crepúsculo del Rey Sol.—Naturaleza de las leyes y leyes de la naturaleza: Montesquieu y Buffon.—La Religión y la sensibilidad de Voltaire.—Colores, formas y canciones del siglo XVIII.—Diderot y la Enciclopedia.—Cosmopolitismo y despotismo ilustrado en la Europa de las Luces.—Rousseau, ciudadano de Ginebra.—¿Exotismo o colonialismo?—Nobles y burgueses frente al desarrollo del capitalismo.—Males que padecemos, dicha que soñamos.

15

GRIMBERG, C.: *El siglo de la Ilustración. El despotismo ilustrado y los enciclopedistas.* Madrid, Ed. Daimon [1968], 448 pp. (Hay otra ed. más reciente —Madrid, Círculo de Amigos de la Historia, 1970— en trad. de E. Rodríguez y L. J. Llopis.)

Sumario. La Francia de Luis XV.—El despotismo ilustrado y los enciclopedistas.—Los Hannover, en Inglaterra.—Sociedad y cultura inglesas.—La España del siglo XVIII.—La Europa central y oriental.—El reino de Prusia.—María Teresa y la guerra de Sucesión austríaca.—Federico II de Prusia.—El despotismo ilustrado de Prusia y Austria.—Enciclopedismo y estilo rococó en Francia.—Ingleses y franceses en América y Asia.

16

GROETHUYSEN, B.: *La formación de la conciencia burguesa en Francia durante el siglo XVIII.* México, Fondo de Cultura Económica [1943], 647 pp. (Trad. de J. Gaos. 1.ª ed. alemana, 1927.)

Sumario. La Iglesia y la formación de la conciencia burguesa.—La muerte, Dios y el pecado.—Las doctrinas sociales de la Iglesia Católica y la burguesía.

17

HAZARD, P.: *La crisis de la conciencia europea (1680-1715)*. Madrid, Ed. Pegaso, 1941, 394 pp. (Trad. de J. Marías. 1.ª ed. francesa, 1935.)

Sumario. Los grandes cambios psicológicos.—Contra las creencias tradicionales.—Intento de reconstrucción.—Los valores imaginativos y sensibles.

18

HAZARD, P.: *El pensamiento europeo en el siglo XVIII*. Madrid, Rev. de Occidente [1946], 454 pp. (Trad. de J. Marías. 1.ª ed. francesa, 1946. Hay 2.ª ed. española: Madrid, Ed. Guadarrama, 1958.)

Sumario. El proceso del cristianismo.—La ciudad de los hombres.—Disgregaciones.

19

HATZFELD, H.: *The Rococo: Eroticism, Wit and Elegance in European Literature*. New York, Ed. Pegasus, 1972, XIII+270 pp.

20

LAUNAY, M. y G. MAILHOS: *Introduction a la vie littéraire du XVIIIe siècle*. Paris-Montreal, Bordas [1968], 176 pp.

Sumario. La crisis de la conciencia europea.—Definición de la filosofía.—Espíritu filosófico y religión.—Política y literatura.—Espíritu filosófico y movimiento científico.—Rehabilitación de las pasiones humanas.—A la búsqueda de la estética.—El agotamiento de la novela.

21

MANTOUX, P.: *La revolución industrial en el siglo XVIII*. Madrid, Ed. Aguilar, 1962, XXVIII+526 pp. (Trad. de J. Martín. 1.ª ed. inglesa, 1928.)

Sumario. Los antecedentes.—Grandes inventos y grandes empresas.—Las consecuencias inmediatas.—Mapas y figuras.

22

MAUZI, R.: *L'idée du Bonheur dans la littérature et la pensée françaises au XVIIIe siècle*. Paris, Armand Colin, 1960, 725 pp.

Sumario. La felicidad y sus condiciones.—La felicidad y las formas de la existencia.

23

MOUSNIER, R. y E. LABROUSSE: *El siglo XVIII. Revolución intelectual, técnica y política (1715-1815)*. Barcelona, Ed. Destino [1958], 629 pp. (Vol. V de la «Historia general de las civilizaciones», que dirige M. Crouzet. La versión española de este vol. es de D. Romano, adaptada y revisada por J. Reglá. La ed. francesa es de 1953.)

Sumario. Los progresos de la revolución intelectual.—La revolución técnica.—La imposible Nación europea.—Asia, Africa, Oceanía.—América de 1713 a 1789.—La Revolución francesa y las consolidaciones napoleónicas.—El mundo ante la Revolución francesa.—La civilización restaurada de 1815.

24

NICOLSON, H.: *La Era de la Razón. El siglo XVIII.* Barcelona, Ed. Plaza-Janés [1962], 445 pp. (Trad. de J. Ferrer Aleu.)

El autor califica su libro de «galería de retratos», y por sus páginas desfilan los más brillantes personajes del siglo XVIII: Saint-Simón, Bayle, Luis XIV, Pedro el Grande, Voltaire, Federico de Prusia, Catalina de Rusia, Addison, Swift, Franklin, Walpole, Cagliostro, Rousseau, etc.

25

OGG, D.: *La Europa del Antiguo Régimen. 1715-1789.* Madrid, Ed. Siglo XXI [1974], 393 pp. (1.ª ed. en inglés, 1965.)

Sumario. Algunos aspectos del Antiguo Régimen.—Los impactos continentales. Las monarquías. Las repúblicas.—Las colonias y el comercio ultramarino.—La agricultura y la industria.—La diplomacia: el equilibrio del poder.—La guerra de Sucesión de Austria y la guerra de los Siete Años.—Los países escandinavos y Rusia.—Austria, Prusia y Alemania.—Portugal, España e Italia.—Francia.—La ciencia, las artes plásticas.—La música.—La Ilustración.

26

PIRENNE, J.: *Las grandes corrientes de la Historia.* Barcelona, Ed. Exito, 1963, 10 vols.

El vol. IV trata de «El siglo XVIII liberal y capitalista» y el vol. V de «La revolución francesa».

27

PLEBE, A.: *Qué es verdaderamente la Ilustración.* [Madrid] Ed. Doncel [1971], 166 pp. (Trad. de D. Fonseca. 1.ª ed. italiana, 1971.)

Sumario. Quiénes son los ilustrados.—Las batallas de la Ilustración.—Las interpretaciones de la Ilustración.

28

PRECLIN, E.: *Le XVIIIe siècle.* Paris, Presses Universitaires de France, 1952. 2 vols. (Col. «Clio», Intr. aux Etudes Historiques, VII, 2 y 3.)

Sumario. La France et le monde de 1715 a 1789.—Les forces internationales.

29
REAU, L.: *La Europa francesa en el Siglo de las Luces.* México, UTEHA, 1961, 328 pp. (Col. «Evolución de la Humanidad», p. 102. Trad. por F. Sevillano. 1.ª ed. francesa, 1938.)

Sumario. El afrancesamiento de Europa.—Causas de la hegemonía francesa.—La reacción antifrancesa.

30
RUDÉ, G.: *Europe in the Eighteenth Century. Aristocracy and the Bourgeois challenge.* London, Weindenfeld and Nicolson [1972], 291 pp.

Sumario. People and Society.—Government and Ideology.—Conflict.

31
VALJAVEC, F.: *Historia de la Ilustración en Occidente.* Madrid, Ed. Rialp, 1964, 359 pp.

Sumario. Introducción.—Los fundamentos históricos.—La Ilustración.—Fin de la época ilustrada y supervivencia de la Ilustración.

32
WIESE, B.: *La cultura de la Ilustración.* Madrid, Instituto de Estudios Políticos, 1954, 79 pp. (Trad. y prólogo de E. Tierno Galván.)

33
WILLIAMS, E. N.: *The Ancien Régime in Europe. Government and Society in the Major States. 1648-1789.* Toronto, The Bodley Head [1970], 599 pp.

Trata de España en pp. 58-133.

ESPAÑA

I.—HISTORIA GENERAL

34
ALTAMIRA Y CREVEA, R.: *España en el siglo XVIII.* Barcelona, Suc. de Juan Gili [s. a.], 638 pp.

35
ANES, G.: *El antiguo régimen: los Borbones.* [Madrid] Alianza Editorial-Alfaguara [1975], 513 pp.

36
BEDARIDA, H.: *Les premiers Bourbons de Parme et l'Espagne (1731-1802).* París, H. Champion, 1928, 216 pp.

37
Coxe, W.: *España bajo el reinado de la Casa de Borbón, desde 1700, en que subió al trono Felipe V, hasta la muerte de Carlos III, acaecida en 1788. Escrita en inglés por Guillermo Coxe y traducida al español, con notas observaciones y un apéndice por Don Jacinto de Salas y Quiroga.* Madrid, F. de P. Mellado, Editor, 1846-1847, 4 vols.

38
Martínez de Campos y Serrano, C.: *España bélica. El siglo XVIII.* [Madrid] Ed. Aguilar [1965], 314 pp.

39
Salcedo Ruiz, A.: *La época de Goya. Historia de España e Hispanoamérica desde el advenimiento de Felipe V hasta la guerra de la Independencia.* Madrid, 1924, 434 pp.

40
Ulloa Cisneros, L.: *De Felipe V a Carlos IV.* (En *Historia de España.* Dirigida por L. Pericot García. Tomo V. Barcelona, Inst. Gallach, 1943, pp. 3-222.)

41
Viollet, A.: *Histoire des Bourbons d'Espagne.* Paris, Lacour et Maistrasse, 1843, 412 pp.

42
Zabala y Lera, P.: *España bajo los Borbones.* Barcelona, Ed. Labor [1926], 472 pp.

43
Zorrilla y González de Mendoza, F. J.: *Genealogía de la Casa de Borbón de España.* Madrid, Ed. Nacional, 1971, 242 pp. con láms. y árboles genealógicos.

Felipe V

44
Avilés Fernández, M. y otros: *La instauración borbónica.* Madrid, Ed. Edaf [1973], 267 pp. (Col. «Nueva Historia de España», p. 12.)

45
Bacallar y Sanna, V.: *Comentarios de la Guerra de España e historia de su Rey Felipe V, el Animoso, desde principio de su reinado hasta la paz general del año 1725.* Madrid, Ed. Atlas, 1957. Pról. de Carlos Seco Serrano. (1.ª ed. Génova, 1725.)

46
BETHENCOURT MASSIEU, A.: *Patiño en la política internacional de Felipe V.* Valladolid, Universidad, 1954, 104 pp.

47
KAMEN, H.: *La guerra de Sucesión en España. 1700-1715.* Barcelona, Ed. Grijalbo, 1974, 458 pp. (Trad. de E. de Obregón. 1.ª ed. inglesa, 1969.)

48
MALDONADO MACANAZ, J.: *Historia del reinado de Felipe V.* Madrid [s. a.], 518 pp.

49
TAXONERA, L.: *Felipe V, fundador de una dinastía y dos veces rey de España.* Barcelona, Ed. Juventud, 1943, 307 pp.

Ver, además, núm. 237.

Luis I

50
DANVILA, A.: *El reinado relámpago. Luis I y Luisa Isabel de Orleáns (1707-1742).* Madrid, Espasa-Calpe, 1952, 458 pp.

Fernando VI

51
DANVILA, A.: *Estudios españoles del siglo XVIII. Fernando VI y Doña Bárbara de Braganza (1713-1748).* Madrid, 1905, 292 pp.

52
ESPADAS BURGOS, M.: *Fernando VI o el reformismo pacifista.* (En AIEM, III, 1968, pp. 319-330.)

53
PÉREZ BUSTAMANTE, C.: *El reinado de Fernando VI en el reformismo español del siglo XVIII.* (En RUM, III, 1954, pp. 491-514.)

Carlos III

54
AVILÉS FERNÁNDEZ, M. y otros: *Carlos III y el fin del Antiguo Régimen.* Madrid, Ed. Edaf [1973], 277 pp. (Col. «Nueva Historia de España», p. 13.)

55
BECCATINI, F.: *Vida de Carlos III de Borbón, Rey Católico de España y de las Indias.* Madrid, J. Doblado, 1790, 2 vols.

56
DANVILA Y COLLADO, M.: *Reinado de Carlos III.* Madrid, 1891-1896, 6 vols.

57
FERRER DEL RÍO, A.: *Historia del reinado de Carlos III de España.* Madrid, Imp. de Matute y Compagni, 1856, 4 vols.

58
[GUTIÉRREZ DE LOS RÍOS, C.] Conde de Fernán Núñez: *Vida de Carlos III.* Madrid, 1892, 2 tomos.

59
[GUTIÉRREZ DE LOS RÍOS, C.] Conde de Fernán Núñez: *Compendio de la vida del Rey D. Carlos III de España.* Madrid, Ed. Atlas, 1943, 192 pp. (Col. «Cisneros», p. 49.)

60
PETRIE, SIR CH.: *King Charles III of Spain. An Enlightened Despot.* London, Constable, 1971, 241 pp.

61
RODRÍGUEZ CASADO, V.: *La política y los políticos en el reinado de Carlos III.* Madrid, Ed. Rialp, 1962, 267 pp.

62
ROUSSEAU, F.: *Règne de Charles III d'Espagne (1759-1788).* Paris, 1907, 2 vols.

63
TAPIA OZCÁRIZ, E.: *Carlos III y su época. Biografía del siglo XVIII.* [Madrid] Ed. Aguilar [1962], 418 pp.

64
VOLTES BOU, P.: *Carlos III y su tiempo.* Barcelona, Ed. Juventud [1964], 263 pp.

Carlos IV

65
CORONA, C.: *Revolución y reacción en el reinado de Carlos IV.* Madrid, Ed. Rialp, 1957, 434 pp.

66
[GODOY, M.] Príncipe de la Paz: *Memorias.* Madrid, Ed. Atlas, 1965, 2 vols. Edic. y estudio preliminar de C. Seco Serrano. (Col. «Biblioteca de Autores Españoles», 88 y 89.)

67
MADOL, H. R.: *Godoy*. Madrid, Alianza Editorial [1966], 282 pp.

68
MURIEL, A.: *Historia de Carlos IV*. Madrid, Ed. Atlas, 1959, 2 vols. Edic. y estudio preliminar de C. Seco Serrano. (Col. «Biblioteca de Autores Españoles», 114 y 115.)

II.—HISTORIA SOCIAL

69
ARTOLA, M.: *Los orígenes de la España contemporánea*. Madrid, Inst. de Estudios Políticos, 1959, vol. I, 746 pp. (2.ª ed. 1975).

70
DESDEVISES DU DEZERT, G.: *La société espagnole au XVIIIe siècle*. (En RHi, LXIV, 1925, pp. 225-656.)

71
DÍAZ-PLAJA, F.: *La vida española en el siglo XVIII*. Barcelona [1946], 270 pp.

Sumario. El Rey.—La Iglesia.—La Nobleza.—Ejército y Marina.—Educación y cultura.—Madrid.—El trato social.—La huida de lo natural.—El transporte.—El traje.—El teatro.—Diversiones varias.—El hogar.

72
DOMÍNGUEZ ORTIZ, A.: *La sociedad española en el siglo XVIII*. Madrid, C.S.I.C., 1955, 396 pp.

Sumario. Estructura de la sociedad.—Interacción del Estado y la sociedad.

73
DOMÍNGUEZ ORTIZ, A.: *Hechos y figuras del siglo XVIII español*. [Madrid] Ed. Siglo XXI [1973], 268 pp.

Sumario. El ocaso del régimen señorial en la España del siglo XVIII.—La villa y el monasterio de Sahagún en el siglo XVIII.—Una visión crítica del Madrid del siglo XVIII.—Aspectos de la España de Feijoo.—Dos médicos procesados por la Inquisición.—D. Leandro F. de Moratín y la sociedad española de su tiempo.—Reflexiones sobre las «dos Españas».

74
EGIDO LÓPEZ, T.: *Opinión pública y oposición al poder en la España del siglo XVIII (1713-1759)*. Valladolid, Universidad, 1971, 354 pp.

75
ELORZA, A.: *Liberalismo económico y sociedad estamental a fines del siglo XVIII*. (En MyC, núm. 110, sept. 1969, pp. 91-111.)

76
FERRER BENIMELI, J. A.: *La masonería española en el siglo XVIII.* [Madrid] Ed. Siglo XXI [1974], 507 pp.

77
GARCÍA PÉREZ, G.: *La economía y los reaccionarios al surgir la España contemporánea. Denuncia a la Inquisición de la primera cátedra española de Economía.* Madrid, Cuadernos para el diálogo, 1974, 410 pp.

78
GÓMEZ ARBOLEYA, E.: *Historia de la estructura y del pensamiento social hasta finales del siglo XVIII.* Madrid, Inst. de Estudios Políticos, 1957, 606 pp.

79
GÓMEZ DE LA SERNA, G.: *Goya y su España.* Madrid, Alianza Editorial [1969], 290 pp.

80
HAMILTON, A.: *A study of Spanish Manners, 1750-1800, from the plays of Ramón de la Cruz.* (En UISLL, XI, 1926, pp. 363-426.)

81
HERRERO, J.: *Los orígenes del pensamiento reaccionario español.* Madrid, Edicusa, 1971, 409 pp.

82
KANY, C. E.: *Life and Manners in Madrid, 1750-1800.* Berkeley, California, 1932, 438 pp. (2.ª ed. New York, AMS Press, 1970).

83
MARTÍN GAITE, C.: *Usos amorosos del dieciocho en España.* [Madrid] Ed. Siglo XXI [1972], 273 pp.

84
MARTÍNEZ ALBIACH, A.: *Religiosidad hispana y sociedad borbónica.* Burgos, Facultad Teológica del Norte, 1969, 675 pp.

85
MERCADER, J. y DOMÍNGUEZ ORTIZ, A.: *La época del Despotismo ilustrado.* (En *Historia social y económica de España y América,* dirigida por J. Vicens Vives. Tomo IV. Barcelona, 1958. En 1971 apareció una 2.ª ed. revisada y ampliada, que se convirtió en ed. de bolsillo en 1972.)

86

Palacio Atard, V.: *Los españoles de la Ilustración.* Madrid, Ed. Guadarrama [1964], 333 pp.

Sumario. Los españoles de la Ilustración.—Estilo de vida aristocrático y mentalidad burguesa.—Obreros protestantes en Cataluña en 1773.—La casta y la cátedra.—Olavide, el afrancesado arquetípico.—Los alemanes en las «Nuevas Poblaciones» andaluzas.—Del sarao a la tertulia.—La educación de la mujer en Moratín.—La reforma del Estado en el pensamiento de Floridablanca.—Notas acerca de la historia de la alimentación.—Atlántico y Mediterráneo en la política internacional de Carlos III.

87

Palacio Atard, V.: *Fin de la sociedad española del Antiguo Régimen.* Madrid, Ed. Nacional, 1962, 29 pp.

88

Peset, M. y J. L.: *Muerte en España. (Política y sociedad entre la peste y el cólera.)* [Madrid] Seminarios y Ediciones, S. A. [1972], 256 pp.

89

Puy, F.: *El pensamiento tradicional en la España del siglo XVIII (1700-1760).* Madrid, Inst. de Estudios Políticos, 1966, 315 pp.

90

Rodríguez Casado, V.: *Conversaciones de Historia de España.* Tomo II. Barcelona, Ed. Planeta [1965], pp. 1-99.

Sumario. I. La etapa inicial de la «revolución burguesa» en España y América».—II. La nueva sociedad burguesa del siglo XVIII español.—III. El segundo momento de la secularización.

91

Tomsich, M. G.: *El jansenismo en España. Estudio sobre las ideas religiosas en la segunda mitad del siglo XVIII.* [Madrid] Ed. Siglo XXI [1972], 207 pp.

91 bis

Saugnieux, J.: *Le jansénisme espagnol du XVIIIe siècle: ses composantes et ses sources.* Oviedo, Universidad, 1975, 306 pp. (Col. «Textos y estudios del siglo XVIII», núm. 6.)

92

Vilar, P.: *Structures de la société espagnole vers 1750.* (En MMJS. Paris, 1966, II, pp. 425-447.)

III.—HISTORIA CULTURAL

93
CALABRO, G.: *Una lettera inedita sulle Querelle intorno alla cultura spagnola nel'700.* (En SLS, 1966, pp. 191-203.)

94
DESDEVISES DU DEZERT, G.: *La richesse et la civilisation espagnoles au XVIIIe siècle.* (En RHi, LXXIII, 1928, pp. 1-488.)

95
DI PINTO, M.: *Studi sulla cultura spagnola nel Sttecento.* Napoli, Ed. Scientif, Ital., 1964, 205 pp.

96
PINTA LLORENTE, M.: *El sentido de la cultura española en el siglo XVIII.* (En REP, 1953, pp. 79-114.)

97
PINTA LLORENTE, M.: *Notas eruditas en torno al proceso de la decadencia intelectual en la España del siglo XVIII.* (En CSAC, Oxford, 1965, pp. 373-382.)

98
REGLA, J. y ALDECOA, S.: *Historia de la cultura española: el siglo XVIII.* Barcelona, Ed. Seix y Barral, 1957, 442 pp.

99
SARRAILH, J.: *La notion de l'utile dans la culture espagnole à la fin du XVIIIe siècle.* (En BHi, L, 1948, pp. 495-509. Rep. en MMGC, 1949, pp. 225-249.)

100
VALERA, J.: *De lo castizo de nuestra cultura en el siglo XVIII y en el presente.* (En *Crítica literaria.* Tomo XXIII de las Obras completas, 1909, pp. 239-258.)

La Universidad

101
AGUILAR PIÑAL, F.: *Los comienzos de la crisis universitaria en España. Antología de textos del siglo XVIII.* Madrid, Ed. Magisterio, 1967, 232 pp. (Col. «Novelas y Cuentos», 9.)

102
AGUILAR PIÑAL, F.: *La Universidad de Sevilla en el siglo XVIII. Estudio sobre la primera reforma universitaria moderna.* Sevilla, Universidad [1969], 562 pp.

103
AGUILAR PIÑAL, F.: *Planificación de la enseñanza universitaria en el siglo XVIII español.* (En CHa, núm. 268, 1972, pp. 26-47.)

104
AGUILAR PIÑAL, F.: *La encuesta universitaria de 1789.* (En Hisp, XXXII, 1972, pp. 165-207.)

105
ALVAREZ DE MORALES, A.: *La Ilustración y la reforma de la Universidad en la España del siglo XVIII.* Madrid, Inst. de Estudios Administrativos, 1971, 209 pp.

106
CABRE MONSERRAT, D.: *Problemas de la enseñanza en la época de Feijoo.* (En CCF, núm. 18, III, 487-498.)

106 bis
DESDEVISES DU DEZERT, G.: *L'enseignement public en Espagne au XVIIIe siècle.* (En RAuv, 1901, 49 pp.)

107
FUENTE, V. DE LA: *Historia de las Universidades, Colegios y demás establecimientos de enseñanza en España.* Madrid, 1884-1889, 4 vols.

108
GALINO CARRILLO, M. A.: *Tres hombres y un problema. Feijoo, Sarmiento y Jovellanos ante la educación moderna.* Madrid, C.S.I.C., 1953, 423 pp.

109
GIL Y ZARATE, A.: *De la instrucción pública en España.* Madrid, 1855, 3 vols.

110
PESET, M. y J. L.: *La Universidad española (siglos XVIII y XIX). Despotismo ilustrado y revolución liberal.* [Madrid] Ed. Taurus [1974], 807 pp.

111
SALA BALUST, L.: *Visitas y reforma de los Colegios Mayores de Salamanca en el reinado de Carlos III.* Valladolid, Universidad, 1958, 453 pp.

Las Academias

112
AGUILAR PIÑAL, F.: *La Real Academia Sevillana de Buenas Letras en el siglo XVIII.* Madrid, C.S.I.C., 1966, 392 pp.

113
COTARELO VALLEDOR, A.: *Bosquejo histórico de la Real Academia Española.* (En *Sesión conmemorativa del centenario del Rey Don Felipe V.* Madrid, Inst. de España, 1947, pp. 7-75.)

114
FARAUDO, L.: *La historia literaria en la Real Academia de Buenas Letras.* (En BABL, Barcelona, XXV, 1953, pp. 391-420.)

115
LLORÉNS, V.: *Una Academia literaria juvenil.* (En StLa, II, 1974, pp. 281-295.)

116
MARÍN LÓPEZ, N.: *La Academia del Trípode.* (En RJ, XIII, 1962, pp. 313-328.)

117
RIQUER, M.: *Breve historia de la Real Academia de Buenas Letras de Barcelona.* (En BABL, XXV, 1953, pp. 275-304.)

118
RUIZ VEINTEMILLA, J.: *La primera acción literaria de la Academia de la Historia.* (En BBMP, XLVI, 1970, pp. 71-107.)

Las Sociedades Económicas

119
DEMERSON, P. y J., y AGUILAR PIÑAL, F.: *Las Sociedades Económicas de Amigos del País en el siglo XVIII. Guía del investigador.* San Sebastián, C.S.I.C., 1974, 410 pp.

La Prensa

120
BUCHANAM, M. A.: *Some aspects of Spanish Journalism before 1800.* (En RHi, LXXXI, 1933, pp. 29-45.)

121
CASTAÑÓN DÍAZ, J.: *El «Diario de los literatos de España». Juicios críticos e ideas literarias.* (En Estud, 1958, pp. 33-101, 321-372 y 553-586.)

122
CASTAÑÓN DÍAZ, J.: *Ideas eruditas en el «Diario de los literatos»*. (En Burg, núm. 31, 1971, pp. 193-264.)

123
CASTAÑÓN DÍAZ, J.: *La crítica literaria en la prensa española del siglo XVIII (1700-1750)*. Madrid, Ed. Taurus, 1973, 319 pp.

124
EGIDO LÓPEZ, T.: *Prensa clandestina española del siglo XVIII: «El duende crítico»*. Valladolid, Universidad, 1968, 196 pp.

125
ENCISO RECIO, L. M.: *Nipho y el periodismo español del siglo XVIII*. Valladolid, Universidad, 1956, 430 pp.

126
GÓMEZ APARICIO, P.: *Historia del periodismo español. Desde la «Gaceta de Madrid» (1661) hasta el destronamiento de Isabel II*. Madrid, Editora Nacional, 1967, 638 pp. (Sólo trata del siglo XVIII en la Introducción, pp. 9-58.)

127
GUINARD, P.: *La Presse espagnole de 1737 à 1791. Formation et signification d'un genre*. Paris, Institut d'Etudes Hispaniques [1973], 572 pp.

128
GUINARD, P.: *Remarques sur una grande revue espagnole du XVIIIe siècle: «El Censor» (1781-1787)*. (En LNL, núm. 212, 1975, pp. 90-105.)

129
KRAUSS, W.: *Motivrepertoire einer spanischen Zeitschrift des 18 Jahrhunderts*. (En IR, núm. 1, 1969, pp. 73-80.)

130
HAMILTON, A.: *The Journals of the Eighteenth Century in Spain*. (En HispCal, XXI, 1938, pp. 161-172.)

Ver, además, núm. 449.

Censura de libros

131
DEFOURNEAUX, M.: *Inquisición y censura de libros en la España del siglo XVIII*. [Madrid] Ed. Taurus [1973], 268 pp. (Trad. de J. I. Tellechea Idígoras. 1.ª ed. francesa, 1963.)

132
RUMEU DE ARMAS, A.: *Historia de la censura literaria gubernativa en España.* Madrid, Ed. Aguilar, 1940, 228 pp.

133
RUSKER, U.: *Inquisition und Zensur in Spanien in ihren Folgen für die Literatur um 1800.* (En AKG, 1956, pp. 218-243.)

134
SERRANO Y SANZ, M.: *El Consejo de Castilla y la censura de libros en el siglo XVIII.* (En RABM, 1906, pp. 28-46, 243-259, 387-402, y 1907, pp. 108-116 y 206-218.)

135
SIERRA CORELLA, A.: *La censura de libros y papeles en España y los índices y catálogos españoles de libros prohibidos.* Madrid, 1947, 362 pp.

El pensamiento ilustrado

136
ALDEA, Q.: *La Ilustración en España.* (En MiscCo, XLIII, 1965, pp. 329-341.)

137
ANES ALVAREZ, G.: *Economía e Ilustración en la España del siglo XVIII.* Barcelona, Ed. Ariel [1969], 215 pp.

138
CIDADE, H.: *Uma revoluçao na vida mental da Peninsula no século XVIII.* (En BUSC, 1933, núm. 17, pp. 447-65 y 1934, núm. 20, pp. 2-23.)

139
ELORZA, A.: *La ideología liberal en la Ilustración española.* Madrid, Ed. Tecnos [1970], 309 pp.

Sumario. Introducción.—La ideología del Despotismo ilustrado.—La nueva economía y la crítica de los privilegios.—La recepción de Montesquieu.—Orden y libertad: el sector liberal de la Magistratura.—La difusión de la ideología ilustrada.—Capitalismo y reforma política en Cabarrús.—El pensamiento económico liberal.—La prensa crítica; el Censor.—El liberalismo democrático en torno a 1789.—Notas sobre la oposición ideológica a la monarquía absoluta en los años finales del siglo XVIII.—La conspiración de Picornell.

140
GÓMEZ DE LA SERNA, G.: *Los viajeros de la Ilustración.* Madrid, Alianza Editorial [1974], 183 pp.

141
HERR, R.: *The Twentieth Century Spaniard views the Spanish Enlightenment.* (En HispW, XLV, 1962, pp. 183-193.)

142
HERR, R.: *España y la revolución del siglo XVIII.* [Madrid] Ed. Aguilar [1964], 417 pp. (Trad. de Elena Fernández Mel, de la 1.ª ed. inglesa, 1958.)

143
KRAUSS, W.: *Die Aufklärung in Spanien, Portugal und Lateinamerica.* München, Wilhem Fink, 1973, 251 pp.

144
KRAUSS, W.: *Sobre el concepto de decadencia en el siglo ilustrado.* (En CHa, núm. 215, 1967, pp. 297-312.)

145
LAPESA, R.: *Ideas y palabras: del vocabulario de la Ilustración al de los primeros liberales.* (En Asc, XVIII-XIX, núm. 1, pp. 66-67 y 189-218.)

146
LÓPEZ, F.: *La historia de las ideas en el siglo XVIII: concepciones antiguas y revisiones necesarias.* (En BOCES XVIII, núm. 3, 1975, pp. 3-18.)

147
MARAÑÓN, G.: *Más sobre nuestro siglo XVIII.* (En ROcc, XLVIII, 1935, pp. 278-312.)

148
MARAVALL, J. A.: *La Ilustración en España.* (En Arb, XXXI, 1955, pp. 345-350.)

149
MARAVALL, J. A.: *La idea de felicidad en el programa de la Ilustración.* (En MVA, I, pp. 425-462.)

150
MARÍAS, J.: *La España posible en tiempo de Carlos III.* Madrid, Sociedad de Estudios y publicaciones, 1963, 233 pp.

151
PALACIO ATARD, V.: *El despotismo ilustrado español.* (En Arb, VIII, 1947, 27-52 pp.)

152
PEÑUELAS, M.: *El siglo XVIII y la crisis de la conciencia española.* (En CA, núm. 2, 1960, pp. 148-179.)

153
RICARD, R.: *De Campomanes à Jovellanos. Les courants d'Idées dans l'Espagne du XVIIIe siècle.* (En LR, XI, 1957, pp. 31-52.)

154
RINCÓN, C.: *Sobre la noción de Ilustración en el siglo XVIII español.* (En RF, LXXXIII, 1971, pp. 528-554.)

155
RINCÓN, C.: *Sobre la Ilustración española.* (En CHa, núm. 261, 1972, pp. 553-576.)

156
RODRÍGUEZ CASADO, V.: *El intento español de Ilustración cristiana.* (En EAm, IX, núm. 42, 1955, pp. 141-169.)

157
RUIZ LAGOS, M.: *Ilustrados y reformadores en la Baja Andalucía.* Madrid, Editora Nacional [1974], 358 pp.

158
SÁNCHEZ AGESTA, L.: *El pensamiento político del Despotismo ilustrado.* Madrid, Instituto de Estudios políticos, 1953, 317 pp.

159
SÁNCHEZ DIANA, J. M.: *Ensayo sobre el siglo XVIII español.* (En Theo, núms. 5-6, 1953, pp. 62-76.)

160
SARRAILH, J.: *La España ilustrada de la segunda mitad del siglo XVIII.* México, Fondo de Cultura Económica [1957], 783 pp. (Trad. de A. Alatorre, de la 1.ª ed. francesa, 1954.)

Sumario. La masa y la minoría.—Los principios y las armas de la cruzada.—Panorama del pensamiento nuevo.

LITERATURA ESPAÑOLA

I.—BIBLIOGRAFIA

161
DEMERSON, P.: *Esbozo de Biblioteca de la juventud «ilustrada» (1740-1808)*. Oviedo, Universidad, Cátedra Feijoo, 1976, 140 pp.

162
SEMPERE Y GUARINOS, J.: *Ensayo de una Biblioteca española de los mejores escritores del Reinado de Carlos III*. Madrid, Imp. Real, 1785-1799, 6 tomos. (Hay edición facsímil: Madrid, Ed. Gredos, 1969, 3 vols.)

163
SIMÓN DÍAZ, J.: *Manual de Bibliografía de la Literatura española*. 2.ª ed., ampliada con unas adiciones, 1962-1964 y 1965-1970. Barcelona, Ed. Gustavo Gili [1971], 603+100+198 pp.

II.—HISTORIAS GENERALES

164
ALBORG, J. L.: *Historia de la Literatura española. Siglo XVIII*. Madrid, Ed. Gredos [1972], 979 pp.

Obra fundamental, que recoge todos los aspectos culturales, del siglo, basándose en la más reciente bibliografía.

165
ALCALÁ GALIANO, A.: *Historia de la Literatura española, francesa, inglesa e italiana en el siglo XVIII. Lecciones pronunciadas en el Ateneo de Madrid*. Madrid, 1845, 467 pp.

166
ANGELES, J.: *Introducción a la Literatura española: historia y antología. Siglos XVIII-XX*. New York, McGraw-Hill Book Co., 1970, IX+606 pp.

167
BARJA, C.: *Literatura española. Libros y autores modernos*. New York, G. E. Stechert and Co. [1924], 644 pp. (2.ª ed. revisada: New York, 1964).

Trata del siglo XVIII en los siete primeros capítulos.

168

Di Pinto, M.: *La letteratura spagnola dal Settecento a oggi.* [Firenze-Milano] Ed. Sansoni-Accademia [1974], 521 pp. (Col. «Le letterature del mondo», p. 7.)

Parte prima: «Il settecento» (pp. 5-270).

169

Díaz-Plaja, G.: *Historia general de las Literaturas hispánicas. Publicada bajo la dirección de... Tomo IV. Siglos XVIII y XIX. Primera y segunda parte.* Barcelona, Ed. Barna [1956-1957], 2 vols.

Sumario. Vol. I: 1. «Las instituciones literarias del siglo XVIII», por A. Papell.—2. «La literatura hispano-italiana del setecientos», por M. Batllori.—3. «La poesía lírica en España durante el siglo XVIII», por F. Lázaro.—4. «La tragedia y la comedia neoclásicas», por A. del Saz.—5. «Jovellanos», por A. del Río.—6. «El P. M. Feijoo», por V. Risco.—7. «El costumbrismo en el siglo XVIII», por E. Correa Calderón.—8. «Géneros musicales de tradición popular y otros géneros novísimos», por J. Subirá.—9. «La poesía tradicional de Hispanoamérica», por J. A. Carrizo.—10. «La literatura quechua», por J. Lara.—11. «Poesía indígena mexicana», por F. Monterde.—12. «La literatura mexicana», por F. Monterde.—13. «El teatro en Sudamérica española hasta 1800», por G. Lohman Villena.—14. «Poesía gauchesca argentina», por A. R. Cortázar.—15. «República dominicana», por Max Henríquez Ureña.—16. «La literatura del siglo XVIII en Galicia», por B. Varela Jácome.—17. «Literatura catalana», por J. Rubió Balaguer.—Vol. II: «La prosa literaria, del neoclasicismo al romanticismo», por A. Papell.

170

Díez Borque, J. M.: *Historia de la literatura española. Planeada y coordinada por... Vol. II: Siglos XVII y XVIII.* [Madrid] Ed. Guadiana [1975], 517 pp.

Sumario. «Características generales del siglo XVIII», por E. Catena.—«La prosa en el siglo XVIII», por J. Caso González.—«La poesía en el siglo XVIII», por J. Arce.—«El teatro en el siglo XVIII», por R. Andioc.

171

Glendinning, N.: *A literary History of Spain. The Eighteenth Century.* London, Ernest Benn Litd. New York, Barnes and Noble inc. [1972], XV+160 pp.

172

González López, E.: *Historia de la Literatura española: La Edad Moderna (Siglos XVIII y XIX).* Nueva York, Las Américas Pub, 1965, 857 pp.

173

Río, A. del: *Historia de la Literatura española. Edición revisada. Tomo II: Desde 1700 hasta nuestros días.* New York, Holt Rinehart and Winston [1963], 446 pp.

174
PATT, B. y NOZICK, M.: *Spanish Literature: 1700-1900.* New York, Dodd Meade and Co., 1965, 463 pp.

175
VIAN, C.: *La Letteratura spagnola del secolo diciottessimo.* Milan, La Goliardica, 1958, 200 pp.

III.—MONOGRAFIAS

176
BORGHINI, V.: *Problemi di estetica e di cultura nel Settecento spagnolo (Feijoo, Luzán, Arteaga).* Genova, Tip. Opera SS. di Pompei, 1958.

177
CASTRO, A.: *Algunos aspectos del siglo XVIII. Introducción metódica.* (En *Lengua, enseñanza y literatura,* 1924. Rep. en *Españoles al margen.* Madrid, Ed. Júcar, 1973, pp. 43-71.)

178
CHIARENO, O.: *Scrittori spagnuoli del Settecento.* Genova, Tolozzi, 1962, 66 pp.

Sumario. Spagna e Antispagna, drama di un dualismo.—Sulla Spagna del Settecento.—Il poligrafo P. Feijoo.—Cadalso, moralista.—Ritratto di Jovellanos.—Il pensiero di Jovellanos.—I Diari di Jovellanos.—Uno stravagante scrittore: Diego de Torres Villarroel.—Esteti ed eruditi.—La satira del P. Isla.—Una vittima dell,Inquisizione: Pablo de Olavide.—Moratin in Italia.

179
ENTRAMBASAGUAS, J.: *El ambiente literario del Madrid de Carlos III.* (En *El Madrid de Carlos III.* Madrid, 1961, pp. 31-49.)

180
GAOS, V.: *Perfil del siglo XVIII español.* (En *Claves de literatura española.* Madrid, Ed. Guadarrama, 1971, pp. 317-359.)

181
GONZÁLEZ PALENCIA, A.: *La Fonda de San Sebastián.* (En RBAM, 1925, II, pp. 549-553.)

182
GONZÁLEZ PALENCIA, A.: *Entre dos siglos (XVIII-XIX). Estudios literarios. Segunda serie.* Madrid, C.S.I.C., 1943, VIII, 376 pp.

Sumario. D. José M. Vaca de Guzman, el primer poeta premiado por la Real Academia Española.—Ideas de Campomanes acerca del teatro.—Para la historia de «La Fontana de Oro».—La Fonda de San Sebastián.—

Tonadilla mandada recoger por Jovellanos.—Pedro Montengón y su novela «El Eusebio.—Meléndez Valdés y la literatura de cordel.—Una ofuscación de Moratín.—La traducción de los salmos de D. Tomás González Carvajal.

183
HELMAN, E.: *Trasmundo de Goya.* Madrid, Rev. de Occidente [1963], 261 pp.

Sumario. El rostro y las máscaras de Goya.—Propósito satírico-moral de los «Caprichos» y su trasfondo literario.—Perspectiva de la Ilustración: Jovellanos y Goya.—La intención artística de Goya, pintor de capricho.

184
LÁZARO CARRETER, F.: *Las ideas lingüísticas en España durante el siglo XVIII.* Madrid, C.S.I.C., 1949, 287 pp.

185
MARÍN, N.: *La reforma tradicionalista en el siglo XVIII.* (En Ins, núm. 198, mayo de 1963, p. 7.)

186
MARÍN, N.: *La defensa de la libertad y la tradición literarias en un texto de 1750.* (En RIE, XXV, 1967, núm. 98, pp. 169-180.)

187
PAGEAUX, D. H.: *L'Espagne des Lumières et la leçon des temps médiévaux.* (En *Actes du VII Congrès de la SFLC.* Poitiers, 1965 [1967], pp. 123-141.)

188
PALACÍN IGLESIAS, G. B.: *Nueva valoración de la literatura española del siglo XVIII.* Madrid, Ed. Leira, 1967, 139 pp.

189
PALACÍN IGLESIAS, G. B.: *La literatura española del siglo XVIII y la Compañía de Jesús.* (En LD, núm. 5, 1973, pp. 145-157.)

190
SORRENTO, L.: *La vita intellettuale e letteraria spagnola del sec. XVIII.* (En *Francia e Spagna nel settecento,* pp. 81-88.)

191
ZAVALA, I. M.: *Clandestinidad y literatura en el Setecientos.* (En NRFH, XXIV, núm. 2, 1975, pp. 398-418.)

Movimientos literarios

192
ARMAS AYALA, A.: *Algunas notas sobre el prerromanticismo español.* (En MCan, XXI, 1960, pp. 79-92.)

193
BENÍTEZ CLAROS, R.: *Variaciones sobre el sentimentalismo neoclásico.* (En *Visión de la literatura española.* Madrid, 1963, pp. 199-208.)

194
CASO GONZÁLEZ, J. y otros: *Los conceptos de rococó, neoclasicismo y prerromanticismo en la literatura española del siglo XVIII.* Oviedo, Facultad de Filosofía y Letras, Cátedra Feijoo, 1970, 71 pp.

195
DEROZIER, A.: *L'Evolution irreversible de la littérature espagnole entre 1789 et 1823. (Comment l'histoire modifie la littérature, pour lui permettre de porter un message explicite.)* (En *La revision des valeurs sociales dans la littérature europeenne à la lumière des idées de la révolution française.* Annales litteraires de l'Université de Besançon, 1970, pp. 163-190.)

196
HATZFELD, H.: *Gibt es ein literarisches Rokoko in Spanien?* (En IR, I, 1969, pp. 59-72.)

197
JURETSCHKE, H.: *El neoclasicismo y el romanticismo en España: su visión del mundo, su estética y su poética.* (En Arb, LXXIV, 1969, pp. 5-20.)

198
KRÖMER, W.: *Zur Weltanschauung, Aesthetik und Poetik des Neoklassizismus und der Romantik in Spanien.* Münster, Aschendorff, 1968, 253 pp.

199
MCCLELLAND, I. L.: *The Origins of the Romantic Movement in Spain.* Liverpool, Inst. of Hispanic Studies, 1937, 402 pp.

Trata exclusivamente del siglo XVIII.

200
MACRI, O.: *La storiografia del barocco letterario spagnuolo: Manierismo, Barocco, Rococó. Concetti e termini.* (En ANL, núm. 2, 1962, pp. 149-198.)

201
NERLICH, M.: *Untersuchungen zur Theorie des klassistischen Epos in Spanien, 1700-1850.* Genève, Droz, 1963, 299 pp.

202
PELLISSIER, R. E.: *The Neo-Classic Movement in Spain during the XVIII Century.* California, Standford University, 1918. 187 pp.

203
ROGERS, P. P.: *A Note on the Neo-Classical Controversy in Spain.* (En PhQ, XI, 1932, pp. 85-87.)

204
SEBOLD, R. P.: *Sobre el nombre español del «dolor romántico».* (En Ins, núm. 264, 1968.)

205
SEBOLD, R. P.: *Contra los mitos antineoclásicos españoles.* (En PSA, núm. 103, 1964, pp. 83-114. Rep. en *El rapto de la mente.* Madrid, Prensa Española, 1970, pp. 29-56.)

206
SEBOLD, R. P.: *Enlightenment Philosophy and the Emergence of Spanish Romanticism.* (En *The Ibero-American Enlightenment,* Urbana University of Illinois Press, 1971, pp. 111-140.)

207
WELLEK, R.: *El concepto del barroco en la investigación literaria.* (En AUCh, CXX, núm. 125, 1962, pp. 124-154.)

Ver, además, núm. 221.

Temática

208
CARRASCO, M. S.: *The Moor of Granada in Spanish Literature of Eighteenth and Nineteenth Centuries.* Columbia, 1954. (En DA, XV, p. 263.)

209
GUASTAVINO GALLENT, G.: *Los bombardeos de Argel en 1783 y 1784 y su repercusión literaria.* Madrid, Inst. de Estudios Africanos, 1950, 173 pp.

210
HERRÁN, L.: *La Inmaculada en la literatura de los siglos XVIII-XX.* (En EM, XVI, 1955, pp. 358-408.)

211
KRAUSS, W.: *Le Moyen Age au temps de l'Aufklärung.* (En MMJS, I, 1966, pp. 463-470.)

212
RANDOLPH, D. A.: *Pervivencia de algunos temas del siglo XVIII en la literatura española.* (En BBMP, 1971, pp. 321-333.)

213
SIMÓN DÍAZ, J.: *Las ferias de Madrid en la literatura.* (En AIEM, II, 1967, pp. 249-274.)

214
SUBIRÁ, J.: *«Petimetría» y «majismo» en la literatura.* (En RLit, núm. 8, 1953, pp. 267-285.)

Ver, además, núms. 222, 236, 251, 270, 287, 317, 318, 503.

IV.—GENEROS LITERARIOS

Poesía

215
AGUILAR PIÑAL, F.: *Romancero popular del siglo XVIII.* Madrid, C.S.I.C., 1972, 313 pp. (Col. «Cuadernos Bibliográficos», 27.)

216
AGUILAR PIÑAL, F.: *Poesía y Teatro del siglo XVIII.* [Madrid] Ed. La Muralla [1974], 58 pp.+60 diapositivas. (Col. «Literatura española en imágenes», 20.)

217
ALMANDOZ, N.: *Los villancicos de la catedral de Sevilla en el siglo XVIII.* (En AHisp, núms. 25-26, 1947, pp. 367-378.)

218
ALVAR, M.: *Villancicos dieciochescos. (La colección malagueña de 1734 a 1790.)* Málaga, Ayuntamiento, 1973, 66 pp.+16 pliegos facsimilares.

219
ALVAR, M.: *Romances en pliegos de cordel (Siglo XVIII).* Málaga, Ayuntamiento, 1974, 472 pp.

220
ALVAREZ BLÁZQUEZ, J. M.: *Villancicos asturianos cantados en la catedral compostelana. 1749-1763.* (En BIEA, núm. 63, 1968, pp. 111-129.)

221
ARCE FERNÁNDEZ, J.: *Rococó, neoclasicismo y prerromanticismo en la poesía española del siglo XVIII.* (En CCF, núm. 18, II, pp. 447-477.)

222
ARCE FERNÁNDEZ, J.: *Diversidad temática y lingüística en la lírica dieciochesca.* (En CCF, núm. 22, 1970, pp. 31-51.)

223
ARMISTEAD, S. y SILVERMAN, J. H.: *El cancionero judeo-español de Marruecos en el siglo XVIII.* (En NRFH, XXII, 1973, pp. 280-290.)

224
BATLLE, J. B.: *Los goigs a Catalunya en lo segle XVIII.* Barcelona, 1925, 156 pp.

225
CANO, J. L.: *Una «poética» desconocida del siglo XVIII. Las «Reflexiones sobre la poesía» de N. Philoaletheias. 1787.* (En BHi, LXIII, 1961, pp. 62-87. Rep. en *Heterodoxos y prerrománticos.* Madrid, Ed. Júcar, 1975, pp. 229-279.)

226
CARO BAROJA, J.: *Ensayo sobre la literatura de cordel.* Madrid, Rev. de Occidente, 1969, 442 pp.

227
CARRERES, F.: *Las fiestas valencianas y su expresión poética. Siglos XVI-XVIII.* Madrid, 1949, 495 pp.

228
CLARKE, D. C.: *Some observations on castilian versification of the Neoclassic period.* (En HR, XX, 1952, pp. 223-239.)

229
CONTRERAS CARRIÓN, M.: *Los poetas extremeños desde el siglo XVIII hasta la época presente.* Sevilla, 1927, 68 pp.

230
CORTINES MURUBE, F.: *Colegiales poetas en Salamanca. Estudio de un manuscrito literario.* (En BUG, XVI 1944, pp. 3-110.)

231
CUETO, L. A.: *Bosquejo histórico-crítico de la poesía castellana en el siglo XVIII.* (En *Poetas líricos del siglo XVIII.* Madrid, Ed. Ri-

vadeneira, 1893. Reed. por Ed. Atlas, 1952. Col. «Biblioteca de Autores Españoles», 61, pp. V-CCXXXVII.)

232
DOMÍNGUEZ CAPARRÓS, J.: *Contribución a la historia de las teorías métricas en los siglos XVIII y XIX.* Madrid, C.S.I.C., 1975, XII+ +544 pp.

232 bis
GIES, D. T.: *Evolution / Revolution: Spanish Poetry, 1770-1820.* (En Neo, III, 1975, pp. 321-329.)

233
GÓMEZ HERMOSILLA, J.: *Juicio crítico de los principales poetas españoles de la última era.* Valencia, 1840, 2 tomos.
Trata de Moratín, M. Valdés, Jovellanos y Cienfuegos.

234
GUILLAUT, J.: *La poésie religieuse espagnole au XVIIIe siècle.* Paris, Fac. des Lettres, 1962, 150 pp. (Memoria para el «Diploma de Estudios Superiores». Hay ejemplar mecanografiado en el Inst. d'Etudes Hispaniques, de Paris.)

235
GUINARD, P. J.: *Dialogue de Perico et Marica sur «La Bella Union» (1778). Essai d'analyse et d'interpretation d'une satire clandestine de la noblesse.* (En ANCHF. Dijon, Université, 1973, pp. 96-115.)

236
HIEBLOT, M.: *La reconquête d'Oran dans la poésie espagnole du XVIIIe siècle.* Paris, Fac. des Lettres, 1960, 86 pp. (Memoria para el «Diploma de Estudios Superiores». Hay ejemplar mecanografiado en el Inst. d'Etudes Hispaniques de Paris.)

237
HUARTE, A.: *Papeles festivos del reinado de Felipe V.* (En RABM, XXXIV, 1930, pp. 75-88, 141-157 y 441-460; XXXV, 1931, pp. 83-100 y 361-390.)

238
LASSO DE LA VEGA Y ARGÜELLES, A.: *Historia y juicio crítico de la escuela poética sevillana en los siglos XVIII y XIX.* Madrid, 1876, 288 pp.

239
LLORÉNS, V.: *De la elegía a la sátira patriótica.* (En StF, II, 1961, pp. 413-422.)

240
MARÍN, N.: *Poesía y poetas del Setecientos.* Granada, Universidad, 1971, 267 pp.

Sumario. La reforma tradicionalista en la cultura española del siglo XVIII.—Poesía y compromiso: Vida de Torrepalma.—La obra poética del Conde de Torrepalma.—La defensa de la libertad y la tralición literaria en un texto de 1750.—La Academia del Trípode.—El Caballero de la Luenga Andanza.—Adiciones de Parnaso: D. Pedro Veluti.—Una fábula inédita de Píramo y Tisbe.

241
MOLAS, J.: *Poesia neoclassica i prerromantica.* Barcelona, Edicions 62, 1968, 117 pp.

242
NOWICKI, J.: *Die Epigrammtheorie in Spanien von 16 bis 18 Jahrhundert.* Wiesbaden, Franz Steiner Verlag, 1974, 143 pp.

243
PESCADOR DEL HOYO, M. C.: *Prosa y poesía burlesca del siglo XVIII: una muestra.* (En RLit, núms. 73-74, 1970, pp. 131-133.)

244
PIERCE, F.: *The «canto épico» of the Seventeenth and Eighteenth Centuries.* (En HR, XV, 1947, pp. 1-48.)

245
REAL DE LA RIVA, C.: *La escuela poética salmantina del siglo XVIII.* (En BBMP, XXIV, 1948, pp. 321-364.)

246
SALILLAS, R.: *Poesía matonesca.* (En RHi, XV, 1906, pp. 387-452.)

247
SEBOLD, R. P.: *El rapto de la mente. Poética y poesía dieciochescas.* Madrid, Ed. Prensa Española, 1970, 263 pp.

248
SILVERMAN, J. H.: *El cancionero judeo-español de Marruecos en el siglo XVIII.* (En NRFH, XXII, 1973, pp. 280-290.)

249
VALERA, J.: *Poetas líricos españoles del siglo XVIII.* (En *Crítica literaria.* Tomo XXIII de las Obras completas, 1909, pp. 93-130.)

250
VALLEJO, I.: *Los agustinos dentro del «Parnaso salmantino» dieciochesco.* (En EA, VIII, 1973, pp. 136-146.)

251
ZAVALA, I. M.: *Francia en la poesía del siglo XVIII español.* (En BHi, LXVIII, 1966, pp. 49-68.)

252
ZULETA, E.: *La literatura nacional en las «Poéticas» españolas.* (En Fil, XIII, 1968-1969, pp. 397-426.)

Comentarios sobre Luzán, Masdeu, Sánchez Barbero, Gómez Hermosilla y Martínez de la Rosa.

Ver, además, núms. 169, 170, 397, 401, 499, 500, 501, 502, 549.

Teatro

253
ADAMS, N. B.: *Sidelights on the Spanish theaters of the Eighteen-thirties.* (En HispCal, IX, 1926, pp. 1-12.)

254
AZPITARTE ALMAGRO, J. M.: *La «ilusión» escénica en el siglo XVIII.* (En CHa, núm. 303, 1975, pp. 657-675.)

Con especial referencia a Moratín.

255
BENÍTEZ CLAROS, R.: *Notas a la tragedia neoclásica española.* (En HFK, 1952, pp. 431-464.)

256
BENÍTEZ CLAROS, R.: *La tragedia neoclásica española.* (En *Visión de la literatura española.* Madrid, Rialp, 1963, pp. 155-198.)

257
BRÜGGEMANN, W.: *Apologie der spanischen Kultur und Kritische Rückbesinnug auf das traditionelle Theater im spanischen Schriftum des 18 Jahrhunderts.* (En HJV, II, 1962, pp. 675-712.)

258
CAMBRONERO, C.: *El «género chico» a fines del siglo XVIII.* (En EMod, CCXXIII, 1907, pp. 5-39.)

259
CAMPOS, J.: *Teatro y sociedad en España (1780-1820).* Madrid, Ed. Moneda y Crédito, 1969, 215 pp.

260
CARO BAROJA, J.: *Teatro popular y magia.* Madrid, Rev. de Occidente [1974], 280 pp.

261
CASALDUERO, J.: *El reló y la ley de las tres unidades (Jovellanos y Moratín)*. (En CA, núm. 4, 1968, pp. 167-180.)

262
CASO GONZÁLEZ, J.: *El comienzo de la reconquista en tres obras dramáticas. (Ensayo sobre estilos de la segunda mitad del siglo XVIII)*. (En CCF, núm. 18, III, pp. 499-509.)

263
CASO GONZÁLEZ, J.: *Rococó, Prerromanticismo y Neoclasicismo en el teatro español del siglo XVIII.* (En CCF, núm. 22, 1970, pp. 7-29.)

264
CID DE SIRGADO, I. M.: *Afrancesados y neoclásicos. Su deslinde en el teatro español del siglo XVIII.* Madrid, Ed. Cultura Hispánica, 1973, 311 pp.

264 bis
COE, A. M.: *Catálogo bibliográfico y crítico de las comedias anunciadas en los periódicos de Madrid desde 1661 hasta 1819.* Baltimore, The Johns Hopkins Press, 1935, XII+270 pp.

265
COOK, J. A.: *Neo-classic Drama in Spain. Theory and Practice.* Dallas, Southern Methodist University Press, 1959, 576 pp.

266
COUGHLIN, E. V.: *Neo-Classical «Refundiciones» of Golden Age «comedias» (1772-1831)*. Michigan, 1965. (En DA, XXVI, número 2746.)

267
DÍAZ DE ESCOVAR, N.: *Anales de la escena española desde 1701 a 1750.* Madrid, 1917, 84 pp.

268
ESQUER TORRES, R.: *Las prohibiciones de comedias y autos sacramentales en el siglo XVIII.* (En Seg, I, 1965, pp. 187-226.)

269
FIGUEIREDO, F.: *Una pequeña controversia sobre teatro. 1730-1748.* (En RFE, III, 1916, pp. 413-419.)

270
HEITNER, R. R.: *The Ifigenia in Tauris theme in Drama of the Eighteenth Century.* (En CL, XVI, 1964, pp. 289-309.)

271
JIMÉNEZ, C. y PRAT, I.: *Una representación dieciochesca de «Fieras afemina amor» de Calderón.* (En BBMP, XLIX, 1973, pp. 303-318.)

272
MCCLELLAND, I.: *Tirso de Molina and the XVIII Century.* (En BHS, XVIII, 1941, pp. 182-204.)

273
MCCLELLAND, I.: *Concerning the Dramatic approach to the XVIII Century.* (En BHS, XXVII, 1950, pp. 72-87.)

274
MCCLELLAND, I. L.: *The 18th Century Conception of the Stage and Histrionic Technique.* (En EH, 1952, pp. 393-425.)

275
MCCLELLAND, I. L.: *Comentario sobre «La disputa del teatro», sainete anónimo de 1776.* (En HVP, pp. 81-88.)

276
MCCLELLAND, I. L.: *Spanish Drama of Pathos. 1750-1808.* Liverpool University Press, 1970, 2 vols.

277
MANCINI, G.: *El teatro del siglo XVIII entre razón y realidad.* (En *El Teatro y su crítica.* Reunión de Málaga de 1973. Málaga, Dip. Provincial, 1975, pp. 109-138.)

278
MARISCAL DE GANTE, J.: *Los autos sacramentales, desde su origen hasta mediados del siglo XVIII.* Barcelona, Ed. Renacimiento, 1911, 425 pp.

279
MARIUTTI DE SÁNCHEZ RIVERO, A.: *Il drammaturgo del Settecento.* (En *Quatro spagnoli in Venezia.* Venecia, 1956, pp. 17-51.)

280
MASSANES, N.: *Auditorio, pueblo, vulgo: el espectador en la crítica dramática del siglo XVIII español.* (En EE, núm. 19, 1975, pp. 83-102.)

281
MAZZEO, G. E.: *Contrastes entre el teatro neoclásico y romántico.* (En HispW, XLIX, 1966, pp. 414-420.)

282
MERIMÉE, P.: *L'art dramatique en Espagne dans la première moitié du dix-huitième siècle. La comedia. Les théoriciens.* Tesis doctoral, inédita. Toulouse, 1955. (Hay ejemplar mecanografiado en el Inst. d'Etudes Hispaniques, de Paris.)

283
MERIMÉE, P.: *Les mémoires sur le Theâtre espagnole d'Armona.* (En MMJS, II, 1966, pp. 161-176.)

284
MESONERO ROMANOS, R.: *Rápida ojeada sobre el teatro español. Tercera época* [siglo XVIII]. (En RMad, IV, 1842, pp. 162-172.)

285
MORALES DE SETIEN, F.: *El hato de las compañías cómicas a fines del siglo XVIII.* (En RABM, I, 1924, pp. 106-108.)

286
NICHOLSON, H. S.: *An Eighteenth Century «entremés de costumbres».* (En HR, VII, 1939, pp. 295-309.)

287
PAGEAUX, D. H.: *Le Thème de la résistence asturienne dans la tragédie néo-classique espagnole.* (En MMJS, 1966, pp. 235-242.)

288
PLACE, E. B.: *Notes on the grotesque: the «comedia de figurón» at home and abroad.* (En PMLA, núm. 2, 1939, pp. 412-421.)

289
RODRÍGUEZ, J. C.: *«Estado árbitro», «escena árbitro». Notas sobre el desarrollo del teatro desde el siglo XVIII a nuestros días.* (En *El Teatro y su crítica.* Reunión de Málaga de 1973. Málaga, Dip. Provincial, 1975, pp. 49-108.)

290
ROGERS, P.: *The Drama of Pre-Romantic Spain.* (En RR, XXI, 1930, pp. 315-324.)

291
SILVELA, M.: *Disertación acerca de la influencia ejercida en el idioma y en el teatro por la escuela clásica que floreció desde mediados del siglo pasado.* (En AyL, 1890, pp. 483-536.)

292
SUBIRÁ, J.: *Un villancico teatral: «Los tres sacristanes».* (En RBAM, 1926, pp. 246-249.)

293
SUBIRÁ, J.: *La Junta de reforma de teatros. Sus antecedentes, actividades y consecuencias.* (En RBAM, IX, 1932, pp. 19-45.)

294
SUBIRÁ, J.: *El idioma como elemento satírico en la literatura tonadillesca.* (En RBAM, IX, 1932, pp. 449-453.)

295
SUBIRÁ, J.: *Un fondo desconocido de tonadillas escénicas.* (En RBAM, XI, 1934, pp. 338-342.)

296
SUBIRÁ, J.: *Loas escénicas desde mediados del siglo XVIII.* (En Seg, núms. 7-8, 1968, pp. 73-94.)

297
TUNIE, D. A.: *«La suerte» in the Neo-Classic Drama of Spain.* Pittsburg, 1958. (En DA, XIX, 1369.)

298
VAREY, J. E.: *Representación de títeres en teatros públicos y palaciegos. 1211-1760.* (En RFE, XXXVIII, 1954, pp. 170-211.)

299
VAREY, J. E.: *Historia de los títeres en España. Desde sus orígenes hasta mediados del siglo XVIII.* Madrid, Rev. de Occidente, 1957, 472 pp.

Ver, además, núms. 71, 169, 170, 216, 450, 464, 465, 480, 494, 497, 503, 516, 784, 1069, 1100, 1105, 1138, 1145, 1653.

Barcelona

300
CASTELLS I ALTIRRIBA, J.: *Materials relatius al teatre catalá profá dels segles XVIII i XIX.* (En EE, núm. 19, 1975, pp. 13-46.)

301
CURET, F.: *Teatres particulars a Barcelona en el segle XVIII.* Barcelona, Institut del Teatre, 1935, 138 pp.

302
PAR, A.: *Representaciones teatrales en Barcelona durante el siglo XVIII.* (En BRAE, XVI, 1929, pp. 326-345, 492-513 y 594-614.)

303
VIRELLA Y CASSAÑES, F.: *La ópera en Barcelona.* Barcelona, 1888, 386 pp.

Cádiz

304
OZANAM, D.: *Le Theâtre français de Cadiz au XVIIIe siècle. 1769-1779.* (En MCV, X, 1974, pp. 203-232.)

Córdoba

305
RAMÍREZ DE ARELLANO, R.: *Nuevos datos para la historia del teatro español. El teatro en Córdoba.* Ciudad Real, 1912, 214 pp.

Cuenca

306
DEMERSON, P.: *Un escándalo en Cuenca.* (En BRAE, XLIX, 1969, pp. 217-328.)

Sobre representaciones teatrales en 1802.

Jerez de la Frontera

307
RUIZ LAGOS, M.: *Controversias en torno a la licitud de las comedias en la ciudad de Jerez de la Frontera (1550-1825).* Jerez de la Frontera, Centro de Estudios Jerezanos, 1964, 106 pp.

Madrid

308
ALVAREZ SOLER-QUINTES, N.: *Contradanzas en el teatro de los Caños del Peral de Madrid.* (En AMu, XX, 1965, pp. 75-104.)

309
ALVAREZ SOLER-QUINTES, N.: *Contratiempos lírico-teatrales madrileños.* (En AIEM, I, 1966, pp. 297-308.)

310
ANDIOC, R.: *Teatro y público en la época de «El sí de las niñas».* (En *Creación y público en la literatura española.* Madrid, Ed. Castalia, 1974, pp. 93-111.)

311
COE, A. M.: *Entertainements in the little theatres of Madrid (1759-1819).* New York, Hispanic Institute, 1947, 144 pp.

312
KANY, C. E.: *Plan de reforma de los teatros de Madrid, aprobado en 1799.* (En RBAM, 1929, VI, pp. 245-284.)

313
KANY, C. E.: *Theatrical Jurisdiction of the «Juez protector» in XVIIIth-Century Madrid.* (En RHi, LXXXI, 1933, pp. 382-393.)

314
SAINZ DE ROBLES, F. C.: *Los antiguos teatros de Madrid.* Madrid, 1952, 48 pp.

315
SEPÚLVEDA, R.: *El Corral de la Pacheca. Apuntes para la historia del Teatro Español.* Madrid, 1888, 667 pp.

316
SHERGOLD, N. D. y VAREY, J. E.: *Datos históricos de los primeros teatros de Madrid: contratos de arriendo, 1641-1719.* (En BBMP, XXXIX, 1963, pp. 95-179.)

317
SUBIRÁ, J.: *Estampas madrileñas en el teatro tonadillesco.* (En RBAM, X, 1933, pp. 255-259.)

318
SUBIRÁ, J.: *Madrid y su provincia en la tonadilla escénica.* (En AIEM, V, 1970, pp. 163-178.)

319
VAREY, J. E.: *Tres dibujos inéditos de los antiguos corrales de comedias de Madrid.* (En RBAM, XX, 1951, pp. 319-320.)

320
VAREY, J. E.: *Los títeres y otras diversiones populares de Madrid: 1758-1840.* London, Ed. Tamesis Book, 1972, 290 pp.

Ver, además, núms. 336, 339, 340, 342, 345, 347, 353, 354, 359, 360, 365, 385, 389.

Mallorca

321
FERNÁNDEZ Y GONZÁLEZ, A. R.: *Aportación al estudio del teatro en Mallorca.* Palma de Mallorca, Estudio General Luliano, 1972, 80 pp.

Murcia

322
BARCELÓ JIMÉNEZ, J.: *Historia del teatro en Murcia.* Murcia, 1958, 214 pp.

Pamplona

323
D'ORS, M.: *Representaciones dramáticas en la Pamplona del siglo XVIII.* (En PV, núms. 134-135, 1974, pp. 281-315.)

324
D'ORS, M.: *Autores y actores teatrales en la Pamplona del siglo XVIII.* Pamplona, Diputación de Navarra, 1976, 36 pp.

Sevilla

325
AGUILAR PIÑAL, F.: *Sevilla y el teatro en el siglo XVIII.* Oviedo, Cátedra Feijoo, 1974, 339 pp.+40 láms. (Col. «Textos y estudios del siglo XVIII», 4.)

326
CORTINES MURUBE, F.: *Una defensa del teatro y su contestación. Las comedias en Sevilla.* (En AHisp, núm. 74, 1955, pp. 205-213.)

Toledo

327
MONTERO DE LA PUENTE, L.: *El teatro en Toledo durante el siglo XVIII. 1762-1776.* (En RFE, XXVI, 1942, pp. 411-468.)

Valencia

328
CASTAÑEDA, V.: *Un curioso bando sobre representación de comedias en Valencia en el siglo XVIII.* (En HMP, I, 1925, pp. 577-582.)

329
JULIA MARTÍNEZ, E.: *Preferencias teatrales del público valenciano en el siglo XVIII.* (En RFE, XX, 1933, pp. 113-159.)

330
LAMARCA, L.: *El teatro de Valencia desde su origen hasta nuestros días.* Valencia, J. Ferrer de Orga, 1840.

331
ZABALA, A.: *La ópera en la vida teatral valenciana del siglo XVIII.* Valencia, Instituto de Literatura y Estudios Filológicos, 1960, 330 pp.

332
ZABALA, A.: *Representaciones teatrales en Valencia durante los años 1705, 1706 y 1707.* Valencia, Centro de Cultura Valenciana, 1966, 44 pp.

333
ZABALA, A.: *Representaciones teatrales en Valencia durante el siglo XVIII.* (En RVF, II, 1952, p. 169.)

Valladolid

334
ALMUIÑA FERNÁNDEZ, C.: *Teatro y cultura en el Valladolid de la Ilustración. Los medios de difusión en la segunda mitad del siglo XVIII.* Valladolid, Ayuntamiento, 1974, 245 pp.

Zaragoza

335
ALFARO LAPUERTA, E.: *El teatro en Zaragoza durante el siglo XVIII. El P. Antonio Garcés. Antonia Vallejo Fernández, «la Caramba». Fray Diego José de Cádiz.* Zaragoza, 1951, 23 pp.

Musicales

336
CARMENA MILLÁN, L.: *Crónica de la ópera italiana en Madrid desde el año 1738 hasta nuestros días, con un prólogo histórico de D. Francisco Asenjo Barbieri.* Madrid, 1878, LX+451 pp.

337
COTARELO Y MORI, E.: *Orígenes y establecimiento de la ópera en España hasta 1800.* Madrid, 1917, 458 pp.

338
COTARELO Y MORI, E.: *Historia de la zarzuela, o sea el drama lírico en España desde su origen a fines del siglo XIX.* Madrid, 1934, 618 pp.

339
SUBIRÁ, J.: *El estreno de «La serva padrona» de Paisiello en Madrid.* (En RBAM, II, 1925, pp. 559-562.)

340
SUBIRÁ, J.: *La participación musical en los sainetes madrileños durante el siglo XVIII.* (En RBAM, IV, 1927, pp. 1-14.)

341
SUBIRÁ, J.: *La canción y la danza populares en el teatro español del siglo XVIII.* (En RBAM, VI, 1929, pp. 87-90.)

342
SUBIRÁ, J.: *La participación musical en las comedias madrileñas durante el siglo XVIII.* (En RBAM, VII, 1930, pp. 389-404.)

343
SUBIRÁ, J.: *La participación musical en el antiguo teatro español.* Barcelona, Instituto del Teatro, 1930, 101 pp.

344
SUBIRÁ, J.: *Varias «Medeas» musicales en el antiguo teatro español.* (En RBAM, X, 1933, pp. 429-438.)

345
SUBIRÁ, J.: *Estudios sobre el teatro madrileño. La participación eventual de instrumentos no orquestales en la tonadilla.* (En RBAM, XVI, 1947, pp. 241-266.)

346
SUBIRÁ, J.: *Cantables en sainetes líricos del siglo XVIII.* (En RLit, XV, 1959, pp. 11-36.)

347
SUBIRÁ, J.: *Repertorio teatral madrileño y resplandor transitorio de la zarzuela. 1763-1771.* (En BRAE, XXXIX, 1959, pp. 429-462.)

348
SUBIRÁ, J.: *La ópera «castellana» en los siglos XVII y XVIII.* (En Seg, núm. 1, 1965, pp. 23-42.)

349
SUBIRÁ, J.: *Lo histórico y lo estético en la «zarzuela».* (En RIE, núm. 106, 1969, pp. 103-126.)

350
SUBIRÁ, J.: *Variadas versiones de libretos operísticos.* Madrid, C.S.I.C., 1973, 200 pp.

Ver, además, núms. 258, 292, 303, 308, 309, 331.

Actores

351
BELDA, J.: *Máiquez, actor, guerrillero y hombre de amor. Biografía.* Madrid, Ed. Nuestra Raza [s. a.], 189 pp.

352
CABAÑAS, P.: *Un nuevo dato sobre Isidoro Máiquez.* (En RFE, XXVII, 1943, pp. 424-425.)

353
COTARELO Y MORI, E.: *María Ladvenant y Quirante, primera dama de los teatros de la corte.* Madrid, 1896, 205 pp.

354
COTARELO Y MORI, E.: *María del Rosario Fernández, la Tirana, primera dama de los teatros de la corte.* Madrid, 1897, 287 pp.

355
COTARELO Y MORI, E.: *Isidoro Máiquez y el teatro de su tiempo.* Madrid, 1902, 855 pp.

356
DÍAZ DE ESCOBAR, N.: *Comediantes del siglo XVIII.* (En BRAH, LXXXVII, 1925, pp. 60-77.)

357
GONZÁLEZ RUIZ, N.: *La Caramba. Vida alegre y muerte ejemplar de una tonadillera del siglo XVIII.* Madrid, 1944, 204 pp.

358
JULIA MARTÍNEZ, E.: *Documentos sobre María y Francisca Ladvenant.* (En BRAE, I, 1914, pp. 468-469.)

359
REVILLA, J.: *Vida artística de Isidoro Máiquez, primer actor de los teatros de Madrid.* Madrid [s. a.], 127 pp.

360
RODRIGO, A.: *María Antonia «la Caramba». El genio de la tonadilla en el Madrid goyesco.* Madrid, Prensa Española, 1972, 342 pp.

361
RODRIGO, A.: *Las duquesas de Alba y de Benavente y «la Caramba».* (En AIEM, IV, 1969, pp. 241-245.)

362
RODRÍGUEZ CEPEDA, E.: *Problemas del teatro en 1800 y un documento inédito de Isidoro Máiquez.* (En ROcc, núm. 87, 1970, pp. 357-364.)

363
SAN JOSÉ, D.: *La Mariblanca. Narración novelesca que trata de la vida y milagros de una comedianta del siglo XVIII.* Madrid, 1917, 155 pp.

364
SÁNCHEZ ESTEVAN, I.: *Rita Luna. Comedia dramática en un prólogo y cuatro actos, con notas.* Madrid, 1915, 270 pp.

365
SUBIRÁ, J.: *Un actor y autor madrileño del siglo XVIII: Manuel García «el Malo».* (En RBAM, IV, 1927, pp. 359-363.)

366
SUBIRÁ, J.: *El gremio de representantes españoles y la cofradía de Nuestra Señora de la Novena.* Madrid, Inst. de Estudios Madrileños, 1960, 267 pp.

367
VEGA, J.: *Máiquez. El actor y el hombre.* Madrid, Rev. de Occidente [1947], 247 pp.

Ver, además, núms. 324, 335.

Prosa

368
AGUILAR PIÑAL, F.: *La prosa del siglo XVIII.* [Madrid] Ed. La Muralla [1974], 48 pp.+60 diapositivas. (Col. «Literatura española en imágenes», núm. 19.)

369
BECERRA, B.: *La novela española, 1700-1850.* (En BACB, VII, 1955, pp. 3-10.)

Adiciones a la bibliografía de Brown.

370
BROWN, R. F.: *The place of the novel in eighteenth-Century Spain.* (En HispCal, XXVI, 1943, pp. 41-45.)

371
BROWN, R. F.: *La novela española, 1700-1850.* Madrid, Dirección General de Archivos y Bibliotecas, 1953, 224 pp.

Bibliografía.

372
CORREA CALDERÓN, E.: *Iniciación y desarrollo del costumbrismo en los siglos XVII y XVIII.* (En BRAE, XXIX, 1949, pp. 307-324.)

373
KANY, CH. E.: *The beginnings of the Epistolary Novel in Francia, Italy and Spain.* Berkeley, University of California Press, 1937, 158 pp.

374
MARCO, J.: *Notas a una estética de la novela española. 1795-1842.* (En BRAE, XLVI, 1966, pp. 113-124. Rep. en *Ejercicios literarios.* Barcelona, Ed. Taber, 1969, pp. 27-54.)

375
MONTGOMERY, C. M.: *Early Costumbrista Writers in Spain, 1750-1850.* Filadelfia, 1931.

376
PARKER, A. A.: *Los pícaros en la literatura. La novela picaresca en España y Europa (1599-1753).* Madrid, Ed. Gredos, 1971, 272 pp.

377
PORQUERAS MAYO, A.: *Función de la fórmula «no sé qué» en textos literarios españoles (siglos XVIII-XX).* (En BHi, LXVII, 1965, pp. 253-273.)

Ver, además, núms. 169, 170.

Oratoria sagrada

378
BASELGA Y RAMÍREZ, M.: *El púlpito español en la época del mal gusto.* (En RA, II, 1902, pp. 65-65, 129-134, 211-214, 317-321, 402-405 y 510-514.)

379
FERNÁNDEZ ESPINO, J.: *Reseña histórica de la elocuencia en general, desde la decadencia del Imperio Romano hasta nuestros días.* (En RCLA, II, 1856, pp. 360-371.)

Trata especialmente del siglo XVIII.

380
FERRER DEL RÍO, A.: *La oratoria sagrada española en el siglo XVIII.* Discurso. Madrid, 1853, 52 pp.

381
GONZÁLEZ OLMEDO, F.: *Restauración de la oratoria sagrada en el siglo XVIII.* (En RyF, núm. 51, 1918, pp. 460-472.)

382
HERRERO SALGADO, F.: *Aportación bibliográfica a la oratoria sagrada española.* Madrid, C.S.I.C., 1971, 742 pp.

Ver, además, núms. 1367, 1382, 1391, 1399, 1400.

Crítica literaria

383
BATTISTESA, A.: *Menéndez Pelayo y el siglo XVIII español. Una época y su trayectoria estilística.* (En *Poetas y prosistas españoles.* Buenos Aires, Inst. Cultural Española, 1943, 232 pp.)

384
BIHLER, H.: *Spanische Versdichtung des Mittelalters im Lichte de spanischen Kritik der Aufklärung un Vorromantick.* Münster, 1957, 231 pp.

385
[DURÁN, A.]: *Discurso sobre el influjo que ha tenido la crítica moderna en la decadencia del teatro antiguo español.* Madrid, 1828, 124 pp.

386
FERNÁNDEZ Y GONZÁLEZ, F.: *Historia de la crítica literaria en España desde Luzán hasta nuestros días.* Madrid, Gómez Fuentenebro, 1867, 74 pp.

386 bis
JONES, T. B. y NICOL, B. B.: *Neoclassical Dramatic Criticism, 1560-1770.* Cambridge University Press [1976], 189 pp.

387
SERRANO CASTILLA, F.: *Los precursores de Menéndez Pelayo vistos por D. Marcelino.* (En BBMP, XLIV, 1968, pp. 51-101.)

Trata de Mayans, Hervás, los PP. Mohedano, Juan Andrés, Arteaga, Lampillas, Feijoo, Antonio Sánchez y otros.

388
SIEGWART, J. T.: *The Beginnings of Modern Criticism in Spain: 1750-1800.* Tulane, 1959. (En DA, XX, núm. 3752.)

389
SUBIRÁ, J.: *Críticas teatrales en el repertorio tonadillesco.* (En RBAM, X, 1933, pp. 419-423.)

390
WELLEK, R.: *Historia de la crítica moderna (1750-1950). Tomo I. La segunda mitad del siglo XVIII.* Madrid, Ed. Gredos [1959], 394 pp. (1.ª ed. inglesa, 1955.)

Trata de la crítica europea.

Ver, además, núms. 271, 272, 280, 1748.

Calderón

391
ROSSI, G. C.: *Calderón nella polemica settecentesca sugli autos sacramentales.* (En *Studi mediolatini e volgari.* Bologna, I, 1953, pp. 197-224. Trad. y rep. en *Estudios sobre las letras en el siglo XVIII.* Madrid, Gredos, 1967, pp. 9-40.)

392
ROSSI, G. C.: *Calderón nella critica spagnola del Settecento.* (En FR, II, 1955, pp. 20-66. Trad. y rep. en *Estudios sobre las letras en el siglo XVIII.* Madrid, Gredos, 1967, pp. 41-96.)

Ver, además, núms. 271, 770, 800.

Cervantes

393
MEREGALLI, F.: *Profilo storico della critica cervantina nel Settecento.* (En *Rappresentazione artistica e rappresentazione scientifica nel secolo dei Lumi.* Firenze, 1971, pp. 187-210.)

394
REAL DE LA RIVA, C.: *Historia de la crítica e interpretación de la obra de Cervantes.* (En RFE, XXXII, 1948, pp. 107-150.)

395
VIDART, L.: *Los biógrafos de Cervantes en el siglo XVIII: D. Gregorio Mayáns, D. Juan Antonio Pellicer, D. Vicente de los Ríos, D. Manuel José Quintana.* Madrid, Suc. de Rivadeneira, 1886, 35 pp.

Ver, además, núms. 749, 872, 1282, 1509, 1757, 1778, 2169.

Góngora

395 bis
GLENDINNING, O. N. V.: *La fortuna de Góngora en el siglo XVIII.* (En RFE, XLIV, 1961, pp. 323-349.)

Gracián

396
HAFTER, M. J.: *Gracián's reputation in XVIII Century Spain.* (En HRM, 1966, pp. 265-276.)

Fray Luis de León

397
ATKINSON, W.: *Luis de León in Eighteenth Century Poetry.* (En RHi, LXXXI, 1933, pp. 363-376.)
Ver, además, núm. 1419.

Saavedra Fajardo

398
HAFTER, M. J.: *The Enlightenment's Interpretation of Saavedra Fajardo.* (En HR, XLI, 1973, pp. 639-653.)

Tirso de Molina

Ver núms. 272, 1181.

Lope de Vega

399
ENTRAMBASAGUAS, J.: *Lope de Vega, Feijoo y Sarmiento.* (En CE, II, 1942, pp. 179-182.)

400
ENTRAMBASAGUAS, J.: *La valoración de Lope de Vega en Feijoo y su época.* Oviedo, Universidad, 1956, 60 pp. (CCF, 4).

401
ZABALA, A.: *Versos y pervivencia de Lope de Vega en el siglo XVIII.* Madrid, C.S.I.C., 1948, 14 pp. (Sup. de la RByO, II, núm. 3.)
Ver, además, núms. 769, 1108.

V.—TEXTOS Y ANTOLOGIAS

General

402
BONILLA, L. D. y VENTURA AGUDIEZ, J.: *Presentación y antología de los siglos XVIII y XIX españoles.* Nueva York, Las Américas Pub. Cor., 1966, vol. I, 499 pp.

403
DÍAZ-PLAJA, G.: *Antología temática de la Literatura española. Siglos XVIII-XX.* Valladolid, Santaren, 1940, 301 pp.

404
DÍAZ-PLAJA, G.: *Antología mayor de la Literatura española. Vol. IV: Neoclasicismo, Romanticismo, Realismo. (Siglos XVIII y XIX).* Barcelona, Ed. Labor, 1970, 1426 pp. (1.ª ed. 1961.)

405
DÍAZ-PLAJA, G.: *Tesoro breve de las Letras Hispánicas. Serie castellana. De Feijoo a Bécquer. Selección de...* Madrid, Ed. Magisterio Español, 1969, 441 pp., 18 cm.

406
DÍEZ BORQUE, J. M.: *Antología de la literatura española. Siglo XVIII.* Madrid, Ed. Guadiana, 1976, 800 pp.

407
GRUDZINSKA, G. y FERRERAS, V. M.: *Antología de la literatura española. Ilustración y Romanticismo.* [s. l.] Universytet Warszwski, 1972, 175 pp.

408
PATT, B.: *Spanish Literature, 1700-1900.* New York, Dood, 1965.

409
RÍO, A. DEL: *Antología general de la Literatura española. Verso, Prosa, Teatro.* Madrid, Rev. de Occidente, 1954, 2 vols. (2.ª ed., Nueva York, 1960.)

410
YNDURAIN, F.: *Literatura de España. Tomo tercero. Neoclasicismo y Romanticismo. Dirigida por...* Madrid, Ed. Nacional [1972], 471 pp.

Poesía

411
Antología de poetas de los siglos XVIII y XIX. [Madrid] Círculo de Amigos de la Historia [1974], 302 pp.

412
BALBÍN, R. DE y GUARNER, L.: *Poetas modernos (siglos XVIII y XIX).* Madrid, C.S.I.C., 1952, 291 pp.

413
BLECUA, J. M.: *Floresta lírica española.* Madrid, Ed. Gredos, 1963, 2 vols. (2.ª ed., corregida y aumentada.)

414
CAPOTE, H.: *Poetas líricos del siglo XVIII. Selección, estudio y notas por...* Zaragoza, Ed. Ebro, 1963, 258 pp. (1.ª ed. 1941.)

415
CARNERO, G.: *Antología de los poetas prerrománticos españoles.* Barcelona, Barral Editores, 1970, 275 pp.

416
COUGHLIN, E. V.: *Antología de la poesía española del siglo XVIII.* México, Representaciones y Servicios de Ingeniería, S. A., 1971, 135 pp.

417
CUETO, L. A. DE (Marqués de Valmar): *Poetas líricos del siglo XVIII.* Madrid, 1893. Reed. por Ed. Atlas, 1952, 3 tomos («Biblioteca de Autores Españoles», núms. 61, 62 y 67).

418
[GARCÍA MORALES, J.]: *Poesía española (siglos XVIII-XIX).* Madrid, Ed. Libra, 1971, 183 pp.

419
HOYO, A. DEL: *Antología del soneto español. Siglos XVIII y XIX. Selección, prólogo y notas de...* Madrid, Ed. Aguilar, 1968, 89 pp.

420
MORENO BÁEZ, E.: *Antología de la poesía lírica española.* Madrid, Rev. de Occidente, 1952, 565 pp.

421
OCHOA, E. DE: *Apuntes para una biblioteca de escritores contemporáneos en prosa y verso.* Paris, Baudry [1840?], 2 vols. («Col. de los mejores autores españoles», núms. 23 y 24.)

422
POLT, J. R.: *Poesía del siglo XVIII. Edición, introducción y notas de...* Madrid, Ed. Castalia, 1975, 400 pp.

423
QUINTANA, J. M.: *Tesoro del Parnaso español. Poesías selectas castellanas desde el tiempo de Juan de Mena hasta nuestros días. Recogidas y ordenadas por...* Paris, 1838, 604 pp.

Teatro

424
CATENA, E.: *Teatro español del siglo XVIII: La Raquel. El sí de las niñas. El delincuente honrado. La Casa de Tócame Roque. Introducción y notas de...* Madrid, Ed. La Muralla, 1969, 416 pp.

425
Colección de las mejores comedias nuevas que se van representando en los teatros de esta Corte. Madrid, Manuel González, Ramón Ruiz, Antonio Cruzado, 1789-1799, 11 tomos.

426
JOHNSON, J. L.: *Teatro español del siglo XVIII. Antología. Edición, estudio preliminar y bibliografía seleccionada por...* Barcelona, Ed. Bruguera, 1972, 888 pp.

427
OCHOA, E. DE: *Tesoro del teatro español desde su origen (año de 1356) hasta nuestros días. Arreglado y dividido en cuatro partes por D. ...* Paris, Garnier, 1838, 5 vols. (Col. «Los mejores autores españoles», núms. 10-14.)

428
SÁINZ DE ROBLES, F. C.: *El teatro español. Historia y antología. Desde sus orígenes hasta el siglo XIX. Introducción, estudios, notas, selección y apéndices por...* Madrid, Ed. Aguilar, 1942-1943, 7 vols.

429
Teatro y poesía del siglo XVIII. Madrid, Nuevas Editoriales Unidas [1958], 240 pp. (Ed. no venal del Dep. de Instrucción Pública de Puerto Rico.)

Prosa

430
BELLINI, G.: *Saggisti spagnoli del secolo XVIII. A cura di...* Milán, La Goliardica, 1965, 143 pp.

431
MENÉNDEZ PIDAL, R.: *Antología de prosistas españoles.* Madrid, Centro de Estudios Históricos, 1932, 381 pp. (La 1.ª ed. es de 1899.)

432
OCHOA, E. DE: *Tesoro de los prosadores españoles desde la formación del romance castellano hasta fines del siglo XVIII. Recopilado y ordenado por...* Paris, Garnier Hnos. [s. a.], 603 pp.

433
SANJUAN, P. A.: *El ensayo hispánico. Estudio y antología por...* Madrid, Ed. Gredos [1954], 412 pp.

Ver, además, núm. 421.

VI.—RELACIONES CON OTRAS LITERATURAS

434
ARCE, J. y otros: *La Literatura española del siglo XVIII y sus fuentes extranjeras.* Conferencias pronunciadas en la Primera Reunión de Lengua y Literatura española del siglo XVIII. Oviedo, Facultad de Filosofía y Letras, 1968, 127 pp («Cuadernos de la Cátedra Feijoo», núm. 20). [Véase el desglose por materias.]

435
CIPLIJAUSKAITE, B.: *Lo nacional en el siglo XVIII español.* (En Arch, XXII, 1972, pp. 99-122.)

436
EFROSS, S. H.: *Influences on XVIII Century Spanish Literature: 1700-1808.* New York, Columbia University, 1964.

Alemania

437
HART, T. R.: *Friedrich Bouterwek, a pioner historian of Spanish Literature.* (En CL, V, 1953, pp. 351-361.)

438
JURETSCHKE, H.: *Die Anfänge der modernen deutschen Histiriographie über Spanien (1750-1850).* (En HJV, II, pp. 867-923.)

439
SORRENTO, L.: *L'ispanofilia tedesca e la ripercussione della polemica franco-spagnola in Germania.* (En *Francia e Spagna,* pp. 149-158.)

Goethe

440
FARINELLI, A.: *Goethe et l'Espagne.* (En RHi, 1898, pp. 219-250.)
Ver, además, núm. 441.

Humboldt

441
FARINELLI, A.: *Guillaume de Humboldt et l'Espagne. Avec un esquisse sur Goethe et l'Espagne.* Torino, Bocca, 1924, 366 pp. (Rep. de RHi, 1898, pp. 1-218.)
Ver, además, núms. 1316, 2109.

Kotzbue

442
SCHNEIDER, F.: *Kotzbue en España. Apuntes bibliográficos e históricos.* (En MPhil, XXV, 1927, pp. 179-194.)

Schiller

443
LORENZO, E.: *Schiller y los españoles.* (En Arb, XLV, 1960, pp. 339-356.)

444
KOCH, H.: *Schiller und Spain.* Munich, Hueber, 1973, 214 pp. («Münchener romanistische Arbeiten», núm. 31.)

Estados Unidos

445
BERNSTEIN, H.: *Las primeras relaciones intelectuales entre New England y el mundo hispánico (1700-1815).* (En RHM, V, 1938, p. 17.)

Francia

446
BATLLORI, M.: *Las relaciones culturales hispanofrancesas en el siglo XVIII.* (En CH, II, 1968, pp. 205-249.)

447
BLANCHETON, M.: *Les influences françaises sur la littérature éducative dans la deuxième moitié du XVIIIe siècle en Espagne.* Rennes, Fac. des Lettres, 117 pp. (Ejemplar mecanografiado en el Inst. d'Etudes Hispaniques de Paris.)

448
COURTINES, P.: *Spain and Portugal in Bayle's Dictionnaire.* (En HispW, XXIV, 1941, pp. 409-415.)

449
DUPUIS, L.: *Francia y lo francés en la prensa periódica española durante la Revolución francesa.* (En CCF, núm. 20, 1968, pp. 95-127.)

450
DUQUEROIX, F.: *Marthe Brossier de Romarantin dans le théatre espagnole du XVIIIe siècle.* Paris, Fac. des Lettres, 1956, 119 pp. (Memoria para el Diploma de Estudios Superiores. Hay ejemplar mecanografiado en el Inst. d'Etudes Hispaniques de Paris.)

451
ETIENVRE, F.: *España en las «Nouvelles de la République des Lettres et des Arts» 1777-1788.* (En BBMP, XLIX, 1973, pp. 319-449.)

452
FABRE, E.: *L'Espagne dans l'oeuvre des Encyclopedistes, notamment dans l'Encyclopedie et le Journal encyclopedique.* Paris, Fac. des Lettres, 1954. (Memoria para el Diploma de Estudios Superiores. Hay ejemplar mecanografiado en el Inst. d'Etudes Hispaniques de Paris.)

453
GONZÁLEZ, C.: *La tertulia du Marquis de Villanueva del Prado à La Laguna de Tenerife et la culture française aux Canaries.* Paris, Fac. des Lettres, 1962, 123 pp. (Memoria para el Diploma de Estudios Superiores. Hay ejemplar mecanografiado en el Inst. d'Etudes Hispaniques de Paris.)

454
JURETSCHKE, H.: *España ante Francia.* Madrid, Ed. Nacional, 1940, 243 pp.

Especialmente: «Las relaciones hispanofrancesas desde el principio de la monarquía borbónica hasta mediados del siglo XIX» (pp. 1-29).

455
KRAUSS, W.: *Sobre el destino español de la palabra francesa «civilisation», en el siglo XVIII.* (En BHi, LXIX, 1967, pp. 436-440.)

456
KRAUSS, W.: *Beiträge zur französischen Aufklärung und zur spanischen Literatur.* Wien, Bahner, 1971, 560 pp.

457
MERCADIER, G.: *Une traduction espagnole inédite de «L'inoculation du bon sens» (1761).* (En MVA, II, 1975, pp. 31-42.)

458
MERIMEE, P.: *L'influence française en Espagne au XVIIIe siècle.* Paris, Les Belles Lettres [1936], 117 pp.

459
PACAUD, J.: *L'Hispanisme littéraire en France de 1690 á 1715.* Paris, Fac. des Lettres, 1965, 123 pp. (Memoria para el Diploma de Estudios Superiores. Hay ejemplar mecanografiado en el Inst. d'Etudes Hispaniques de Paris.)

460
PAGEARD, R.: *L'Espagne dans le «Journal etranger» (1754-1762) et «La Gazette littéraire de l'Europe» (1764-1766)*. (En RLC, XXXII, 1959, pp. 376-400.)

461
PAGEAUX, D. H.: *Espagne et Lorraine au début du XVIIIe siècle.* (En AFE, núm. 84, 1962, pp. 14-20.)

462
PAGEAUX, D. H.: *Nature et signification de la gallomanie dans l'Espagne du XVIIIe siècle.* (En AQCAILC, 1964, pp. 1205-1220.)

463
PAGEAUX, D. H.: *Aspects culturels des relations franco-espagnoles au XVIIIe siècle.* (En ELitt, 1969, pp. 9-20.)

464
QUALIA, C. B.: *The Campaign to substitute French Neo-Classical Tragedy for the Comedia, 1737-1800.* (En PMLA, 1939, pp. 184-211.)

465
QUALIA, C. B.: *The vogue of the Decadent French Tragedies in Spain, 1762-1800.* (En PMLA, LVIII, 1943, pp. 149-162.)

466
RUBIO, A.: *La crítica del galicismo en España (1726-1832)*. México, Universidad Nacional, 1937, 226 pp.

467
SORRENTO, L.: *Francia e Spagna nel Settecento. Battaglie e sorgenti di idee.* Milano, Vita e pensiero, 1928, 300 pp.

Véase especialmente: «Il diplomatico Bourgoing, uno scienziato spagnuolo e giornali francesi nella polemica Franco-spagnuola» (pp. 111-118).— «Gli attacchi enciclopedici alla Spagna ed il Masson» (pp. 89-102).— «Un affare di stato Franco-spaguolo per l'enciclopedia» (pp. 103-110).

468
STRONG, L. F.: *Bibliography of Franco-Spanish literary relations* [until the XIXth Century]. NewYork, Inst. of French Studies, 1930, 71 pp.

Ver, además, núms. 251, 745, 794, 795, 814, 817, 825, 832, 890, 1015, 1046, 1047, 1048, 1122, 1139, 1142, 1728, 1737, 1810.

Boileau

469
PRAT, I.: *Persio, Boileau, «Jorge Pitillas»*. (En BBMP, LI, 1975, pp. 233-239.)

Corneille

470
COE, A. M.: *Additional Notes on Corneille in Spain in the 18th Century*. (En RR, XXIV, 1933, pp. 233-235.)

471
QUALIA, C. B.: *Corneille in Spain in the Eighteenth Century*. (En RR, XXIV, 1933, pp. 21-29.)

Ver, además, núm. 1095.

La Fontaine

472
GERMAIN, G.: *La Fontaine et les fabulistes espagnoles*. (En RLC, XII, 1932, pp. 312-329.)

Ver, además, núms. 1342, 2035.

Molière

473
COTARELO Y MORI, E.: *Traductores castellanos de Molière*. (En HMPel, I, 1899, pp. 68-141.)

474
DEFOURNEAUX, M.: *Molière et l'Inquisition espagnole*. (En BHi, LXIV, 1962, pp. 30-42.)

475
HUSZAR, G.: *Molière et l'Espagne*. Paris, H. Champion, 1907, 332 pp.

476
VEZINET, F.: *Molière, Florian et la littérature espagnole*. Paris, Hachette, 1909.

Ver, además, núms. 806, 823, 1088, 1214, 2176.

Montesquieu

477
BARRIERE, P.: *Montesquieu et l'Espagne*. (En BHi, XLIX, 1947, pp. 299-310.)

478
DEFOURNEAUX, M.: *Les «Lettres Péruviennes» en Espagne.* (En MMB, 1962, pp. 412-423.)

479
GORLIER, C.: *Montesquieu e la Spagna.* (En QIA, núm. 9, 1948-1950, pp. 6-9.)

Ver, además, núms. 698, 736, 992, 1025.

Racine

480
QUALIA, C. B.: *Racine's Tragic Art in Spain in the Eighteenth Century.* (En PMLA, LIV, 1939, pp. 1059-1076.)

481
TOLIVAR ALAS, A. C.: *Adaptadores y traductores de Racine en el siglo XVIII.* Oviedo, Fac. de Filosofía y Letras, 1972, 115 pp. (Memoria de licenciatura inédita.)

Ver, además, núms. 696, 767.

Rousseau

482
DOMERGUE, L.: *Notes sur la première édition en langue espagnole du «Contrat social» (1799).* (En MCV, III, 1967, pp. 375-416.)

483
GUINARD, P. J.: *Un passage de «l'Emile» transposé dans «El Censor».* (En RLC, XXXVI, 1962, pp. 548-557.)

484
IRIARTE, J.: *El «Emilio» de Rousseau y el reinado de Carlos III.* (En RyF, núms. 788-189, 1963, pp. 173-192.)

485
LEVENE, R.: *Mariano Moreno et son édition espagnole du «Contrat social».* (En RIHPC, jul.-dic. 1957.)

486
RÍO, A. DEL: *Algunas notas sobre Rousseau en España.* (En HispW, XIX, 1936, pp. 105-116.)

487
SPELL, J. R.: *Rousseau's 1750 Discours in Spain.* (En HR, II, 1934, pp. 334-344.)

488
SPELL, J. R.: *Rousseau in the Spanish World before 1833. A study in Franco-Spanish Literary Relations.* Austin, University of Texas Press, 1938, 325 pp.

Ver, además, núms. 748, 1719.

Voltaire

489
CARBONELL, J.: *Dues traduccions rossellonenses setcentistes de la «Zaira» de Voltaire.* (En ERB, II, pp. 161-170.)

490
DEFOURNEAUX, M.: *L'Espagne et l'opinion française au XVIIIe siècle. Une lettre inédite d'un espagnol á Voltaire.* (En RLC, 1960, pp. 273-281.)

491
FLECNIAKOSKA, J. L.: *Le fonds hispanique de la bibliothèque de Voltaire conservé à Leningrad.* (En MMJS, I, pp. 357-366.)

492
GUINARD, P. J.: *Une adaptation espagnole de «Zadig» au XVIIIe siècle.* (En RLC, XXXII, 1958, pp. 481-495.)

492 bis
LAFARGA, F.: *Bibliografía de las traducciones españolas de Voltaire hasta 1835.* (En AF-B, 1975, pp. 421-434.)

493
MOLDENHAUER, G.: *Voltaire und die Spanische Bühne im 18 Jahrhundert.* (En *Berliner Beiträge zur Romanische Philologie,* 1929, pp. 117.)

494
MOLDENHAUER, G.: *Voltaire y el teatro español en el siglo XVIII.* (En IP, IV, 1930, pp. 27-29.)

495
PAGEAUX, D. H.: *Voltaire en Espagne.* Paris, Fac. des Lettres, 1960, 300 pp. (Memoria para el Diploma de Estudios Superiores. Hay ejemplar mecanografiado en el Inst. d'Etudes Hispaniques de Paris.)

496
PAGEAUX, D. H.: *Voltaire en Espagne.* (En AFE, núm. 71, 1961, pp. 6-9.)

497
QUALIA, C. B.: *Voltaire's Tragic Arte in Spain in the Eighteenth Century*. (En HispW, XXII, 1939, pp. 273-285.)

498
SALVIO, A.: *Voltaire and Spain.* (En HispW, VII, 1924, pp. 69-110 y 157-164.)

Ver, además, núms. 1080, 1752.

Grecia

499
FERNÁNDEZ GALIANO, M.: *Anacreonte, ayer y hoy*. (En Atl, núm. 42, 1969, pp. 570-591.)

500
HOMPANERA, B.: *Píndaro y la lírica griega. Su influencia en España.* (En CD, LIX, 1902, pp. 280-292, 387-396 y 474-487.)

501
HOMPANERA, B.: *Líricos griegos y su influencia en España: Anacreonte y sus imitadores.* (En CD, LXI, 1903, pp. 197-210, 383-390 y 541-548; LXII, 1904, pp. 99-106.)

502
HOMPANERA, B.: *Bucólicos griegos. Sus traductores e imitadores en España.* (En CD, LXII, 1904, pp. 200-208 y 629-640; LXIII, pp. 114-122 y 191-196.)

503
GOLBURN, G. B.: *Greek and Roman themes in the Spanish drama.* (En HispCal, XXII, 1939, pp. 153-158.)

504
RUBIO Y LLUCH, A.: *Estudio crítico-bibliográfico sobre Anacreonte y la colección anacreóntica y su influencia en la literatura antigua y moderna.* Barcelona, Subirana, 1879, 171 pp.

Holanda

505
BESSO, H. V.: *Dramatic literature of the Spanish and Portuguese jews of Amsterdam in the XVIIth and XVIIIth Centuries.* (En BHi, XXXIX, 1937, pp. 215-238; XL, 1938, pp. 37-47 y 158-175; XLI, 1939, pp. 316-344.)

Inglaterra

506
EFFROSS, S. H.: *English Influence in Eighteenth-Century Spanish Literature, 1700-1808,* Columbia University, 1962. (En DA, XXIII, pp. 630-631.)

507
FITZMAURICE KELLY, J.: *The Relations between Spanish and English Literature,* Liverpool University Press, 1910.

508
GLENDINNING, O. N. V.: *Influencia de la literatura inglesa en el siglo XVIII.* (En CCF, núm. 20, 1968, pp. 47-83.)

Ver, además, núms. 750, 794, 826, 913, 934, 948, 997, 1601, 2043.

Locke

509
RODRÍGUEZ ARANDA, L.: *La recepción y el influjo de las ideas políticas de John Locke en España.* (En REP, núm. 76, 1954, pp. 115-130.)

McPherson

510
ALONSO CORTÉS, N.: *El primer traductor español del falso Ossián y los vallisoletanos del siglo XVIII.* Valladolid, Imp. Castellana, 1920, 30 pp.

511
CATENA, E.: *Ossián en España.* (En CLit, 1948, pp. 57-95.)

512
MONTIEL, I.: *Dos traductores de Ossián en España: Alonso Ortiz y el ex-jesuita Montengón.* (En RNo, IX, 1967, pp. 77-84.)

513
MONTIEL, I.: *Ossián en España.* Barcelona, Ed. Planeta [1974], 224 pp.

513 bis
PEERS, E. A.: *The Influence of Ossian in Spain.* (En PhQ, IV, 1925, pp. 121-138.)

Ver, además, núm. 1727.

Milton

514
PEERS, E. A.: *Milton in Spain.* (En SPh, XXIII, 1926, pp. 169-183.)

Pope

515
EFFROS, S. H.: *The influence of Alexander Pope in Eighteenth-Century Spain.* (En SPh, LXIII, 1966, pp. 78-92.)

515 bis
NIESS, R. J.: *A little-known Spanish Translation of Pope's «Essay on Man».* (En HR, VII, 1939, pp. 167-169.)

Ver, además, núm. 1811.

Richardson

516
COE, A. M.: *Richardson in Spain.* (En HR, 1935, pp. 56-63.)

Shakespeare

516 bis
COTARELO Y MORI, E.: *Sobre las primeras versiones españolas de Romeo y Julieta, tragedia de Shakespeare.* (En RBAM, IX, 1932, pp. 353-356.)

517
ENTRAMBASAGUAS, J.: *Un juicio dieciochesco sobre Shakespeare.* (En *Miscelánea erudita.* Madrid, 1949, pp. 28-29.)

Ver, además, núms. 1170, 2112, 2114.

Young

518
COSSIO, J. M.: *Un dato de la fortuna de las «Noches» de Young en España.* (En BBMP, 1923, p. 344.)

519
PEERS, E. A.: *The influence of Young and Gray in Spain.* (En MLR, XXI, 1926, pp. 404-418.)

Italia

520
ARCE, J.: *La literatura hispánica en Cerdeña.* (En Arch, VI, 1956, pp. 138-188.)

521
ARCE, J.: *Inscripciones españolas inéditas del siglo XVIII en Cagliari y su provincia.* (En SOFLC, 1959, 13 pp.)

522
ARCE, J.: *Traductores asturianos de poesía italiana en los siglos XVIII y XIX.* (En Arch, XII, 1962, pp. 527-547.)

523
ARCE, J.: *El conocimiento de la literatura italiana en la España de la segunda mitad del siglo XVIII.* (En CCF, núm. 20, 1968, pp. 7-45.)

524
BATLLORI, M.: *La letteratura ispano italiana del Settecento.* (En CC, III, 1956, pp. 505-513 y 360-372.)

525
BATLLORI, M.: *La cultura hispano-italiana de los jesuitas expulsados. Españoles-hispanoamericanos-filipinos. 1767-1814.* Madrid, Ed. Gredos, 1966, 698 pp.

526
BATLLORI, M.: *De historiographia et litteris in Italia et Hispania saeculo XVIII.* (En AHSI, XXXVIII, 1969, pp. 532-546.)

527
CIAN, V.: *L'immigrazione dei gesuiti spaguoli letterati in Italia.* (En MASTor, ser. 2.ª, núm. 45, 1895, pp. 15-31.)

528
CIAN, V.: *L'Italia e la Spagna nel secolo XVIII. Giovanbattista Conti e alcune relazioni letterarie fra l'Italia e la Spagna nella seconda metà del Settecento.* Torino, Lattes, 1896, 360 pp.

529
FALZONE, G.: *La Spagna e le condizioni umane e intellettuali della Sicilia nel secolo XVIII.* (En ASI, núm. 437, 1963, pp. 41-70.)

530
FARINELLI, A.: *Il Conti e l'ispanismo del '700.* (En *Italia e Spagna,* II, pp. 287-327.)

531
GALLERANI, A.: *Dei gesuiti proscritti dalla Spagna mostratisi letterati in Italia.* (En CC, XVI, 1896, pp. 152-165.)

532
MENÉNDEZ PELAYO, M.: *Italia y España en el siglo XVIII.* (En *Estudios y discursos de crítica histórica y literaria.* Madrid, 1941, pp. 13-24.)

533
MEREGALLI, F.: *Storia delle relazioni letterarie tra Italia e Spagna.* Venezia, Lib. Universitaria, 1962. (Parte III: 1700-1859.)

534
MEREGALLI, F.: *La letteratura spagnuola in Italia nel Settecento.* (En *Presenza della Letteratura spagnuola in Italia.* Firenze, Sansoni, 1974, pp. 38-50.)

535
ROSSI, G. C.: *Gentes y paisajes de la España de 1760 en las cartas de Giuseppe Baretti.* (En APCIH, 1964, pp. 437-442. Rep. en *Estudios sobre las letras en el siglo XVIII.* Madrid, Ed. Gredos, 1967, pp. 302-308.)

536
ROSSI, G. C.: *Metastasio, Goldoni, Alfieri e i Gesuiti spagnuoli in Italia.* (En AIUO-R, 1964, pp. 71-116. Trad. y rep. en *Estudios sobre las letras en el siglo XVIII.* Madrid, Ed. Gredos, 1967, pp. 248-301.)

537
ROSSI, G. C.: *España en las «Notizie Letterarie» (Cesena, 1791-1792) de Juan de Osuna.* (En FR, III, 1956, pp. 90-105. Rep. en *Estudios sobre las letras en el siglo XVIII.* Madrid, Ed. Gredos, 1967, pp. 222-247.)

538
SARRALBO AGUARELES, E.: *La cultura y el arte venecianos en sus relaciones con España, a través de la correspondencia diplomática de los siglos XVI al XVIII.* (En RABM, 1956, pp. 639-684.)

539
SCIACCA, M. F.: *Italia e Spagna.* Firenze, Monnier, 1941.

540
SORRENTO, L.: *Italiane e Spagnuoli contro l'egemonia intellettuale francese nel Settecento.* Milano, Vita e pensiero, 1924, 53 pp.

Ver, además, núms. 336, 339, 1156, 1161, 1369, 1693, 1694, 1704, 1705.

Alfieri

541
PARDUCCI, A.: *Traduzioni spagnole di tragedie alfieriane.* (En AAl, I, 1942, pp. 31-153.)

542
PEERS, E. A.: *The vogue of Alfieri in Spain.* (En HR, VII, 1939, pp. 122-140.)

Ver, además, núms. 536, 630.

Beccaria

543
CALABRO, G.: *Beccaria e la Spagna.* (En *Atti del Convegno su Beccaria,* 1965, pp. 101-120.)

Goldoni

544
MADDALENA, E.: *Moratin e Goldoni.* (En PIstr, II, 1904, pp. 317-326.)

545
MARIUTTI DE SÁNCHEZ RIVERO, A.: *Fortuna di Goldoni in Spagna nel Settecento.* (En *Studi Goldoniani,* 1960, pp. 315-338.)

546
RIVA-AGÜERO, J.: *A propósito de un estudio norteamericano sobre Goldoni y su influencia en España.* (En Esc, núm. 34, 1943, pp. 163-183.)

547
ROGERS, P. P.: *Goldoni in Spain.* Oberlin, Ohio, The Academy Press, 1941, 109 pp.

Ver, además, núms. 536, 828, 1090, 1137, 1312.

Metastasio

548
COESTER, A.: *Influence of the Lyric Drama of Metastasio on the Spanish Romantic Movement.* (En HR, VI, 1938, pp. 1-20.)

549
FUCILLA, J. G.: *Poesías líricas de Metastasio en la España del siglo XVIII y la octavilla italiana.* (En *Relaciones hispanoitalianas.* Madrid, C.S.I.C., 1953, pp. 202-214.)

550
STOUDEMIRE, S. A.: *Metastasio in Spain.* (En HR, IX, 1941, pp. 184-191.)
Ver, además, núms. 536, 2177.

Muratori

551
MESTRE, A.: *Muratori y la cultura española.* (En *La fortuna di L. A. Muratori.* Atti del Convegno Internazionale di Studi Muratoriani. Modena, 1972 [Firenze, 1975], pp. 173-220.)

552
PUPPO, M.: *Appunti sulla fortuna di L. A. Muratori in Spagna nel Settecento.* (En FM, III, 1962, pp. 7-8 y 137-140.)
Ver, además, núm. 1032.

Portugal

553
COSTA PIMPAO, A. J.: *La querelle du Théâtre espagnol et du théâtre français au Portugal dans la première moitié du XVIII siècle.* (En RHLP, I, 1962, pp. 259-273.)

554
PESET, J. L.: *La influencia del Barbadiño en los saberes filosóficos españoles.* (En BAu, XXVII, núms. 77-78, pp. 223-246.)

555
POULLAIN, C.: *Recherches sur l'influence du «Verdadeiro metodo de estudar» de L. A. Verney en Espagne dans la seconde moitié du XVIIIe siècle.* Paris, Fac. des Lettres, 1959, 117 pp. (Memoria para el Diploma de Estudios Superiores. Hay ejemplar mecanografiado en el Inst. d'Etudes Hispaniques de Paris.)

556
ROSSI, G. C.: *Un erudito portoghese a Madrid alla fine del Settecento.* (En AIUO-R, 1966, pp. 83-104. Trad. y rep. en *Estudios sobre las letras en el siglo XVIII.* Madrid, Ed. Gredos, 1967, pp. 181-205.)
Ver, además, núms. 998, 1027, 1028, 1053, 1614.

Rusia

557
TURKEVICH, L. B.: *Spanish Literature in Russia and in the Soviet Union, 1735-1964.* Metuhen, The Scarecrow Press, 1967, 273 pp.

Suiza

558
CANO, J. L.: *Gessner en España.* (En RLC, 1961. Rep. en *Heterodoxos y prerrománticos.* Madrid, Ed. Júcar, 1975, pp. 191-227.)

VII.—AUTORES

Nicasio ALVAREZ CIENFUEGOS
(1764-1809)

Nacido en Madrid, siguió la carrera de leyes en Oñate y en Salamanca, donde conoció a Meléndez Valdés, en quien encontró un excelente estímulo para el cultivo de la poesía. Vuelto a Madrid, fue director de la *Gaceta de Madrid* y del *Mercurio de España,* periódicos dependientes de la Secretaría de Estado. Ante la invasión francesa sostuvo una postura nacionalista que le valió el destierro y la muerte prematura, a los cuarenta y cinco años. Su tragedia *Pítaco* le abrió las puertas de la Academia Española en 1799. Anteriormente, la Imprenta Real le había publicado un volumen de sus *Poesías* (1798) en el que se incluyeron también otras cuatro obras dramáticas, tres tragedias *(Idomeneo, Zoraida, La condesa de Castilla)* y una comedia moral en un acto *(Las hermanas generosas).* La misma imprenta hizo una reedición en dos volúmenes —incluyendo el drama *Pítaco*— al restablecerse el absolutismo fernandino (1816). El año anterior se habían publicado en Valencia, en forma independiente, las cuatro piezas dramáticas. Hay edición moderna de sus poesías, por J. L. Cano (Ed. Castalia, 1969) que supera a la edición del marqués de Valmar (vol. LXVII de la BAE, 1875).

ESTUDIOS

559
ALARCOS GARCÍA, E.: *Cienfuegos en Salamanca.* (En BRAE, XVIII, 1931, pp. 712-730. Rep. en HEAG, I, Valladolid, 1965, pp. 549-565.)

560
BATCAVE, L.: *Acte de decés de Cienfuegos.* (En BHi, XI, 1909, p. 96.)

561
BELLO, A.: *Juicio sobre las obras poéticas de Don Nicasio Alvarez Cienfuegos.* (En *Biblioteca Americana,* I, Londres, 1823, pp. 35-49. Rep. en *Obras completas,* t. IX, Caracas, 1956.)

562
CANO, J. L.: *Cienfuegos y la amistad.* (En Clav, núm. 34, 1955, pp. 35-40.)

563
CANO, J. L.: *Cienfuegos, poeta social.* (En PSA, núm. 18, 1957, pp. 248-270. Rep. en *Heterodoxos y prerrománticos.* Madrid, Ed. Júcar, 1975, pp. 85-102.)

564
CANO, J. L.: *¿Quién era Florian Coetanfao?* (En RLC, XXXIII, 1959, pp. 400-410. Rep. en *Heterodoxos y prerrománticos.* Madrid, Ed. Júcar, 1975, pp. 281-302.)

565
CANO, J. L.: *Un centenario olvidado: Cienfuegos.* (En ROcc, II, 1964, pp. 365-369. Rep. en *El escritor y su aventura.* Barcelona, Plaza Janés, 1966, pp. 123-128.)

566
CANO, J. L.: *Un prerromántico: Cienfuegos.* (En CHA, núm. 195, 1966, pp. 462-474. Rep. en *Heterodoxos y prerrománticos.* Madrid, Ed. Júcar, 1975, pp. 53-84.)

567
CANO, J. L.: *Cienfuegos durante la invasión francesa.* (En MMJS, 1966, pp. 167-176.)

568
CANO, J. L.: *La publicación de las «Poesías» de Cienfuegos. Una polémica.* (En HMRM, 1975, pp. 139-146.)

569
COSSIO, J. M.: *Cienfuegos.* (En *Poesía española. Notas de asedio.* Madrid, Espasa-Calpe, 1936, pp. 271-276.)

570
DOMINGO, J.: *Cienfuegos en una colección de clásicos.* (En PSA, LIV, 1969, pp. 219-221.)

571
FROLDI, R.: *Natura e società nell'opera di Cienfuegos (con un appendice di testi inediti).* (En AFLM, XXI, 1968, pp. 43-86.)

572
HUIDOBRO, L. S.: *Apuntes críticos sobre el distinguido poeta español Don Nicasio Alvarez Cienfuegos.* (En *Obras escogidas.* Sevilla, 1870, pp. 403-420.)

573
MARTÍNEZ RUIZ, J. [AZORÍN]: *Alvarez Cienfuegos.* (En *Los clásicos redivivos.* Buenos Aires, Espasa-Calpe, 1950, pp. 89-93.)

574
MAS, A.: *Cienfuegos et le prerromantisme européen.* (En MMJS, II, 1966, pp. 121-137.)

575
MORO, V.: *L'opera poetica di Nicasio Cienfuegos.* Florencia, 1936, 14 pp.

576
PIÑEYRO, E.: *Cienfuegos.* (En BHi, XI, 1909, pp. 31-54.)

577
RUIZ PEÑA, J.: *La inflamada voz de Cienfuegos.* (En Esc, marzo 1944, p. 117.)

578
SIMÓN DÍAZ, J.: *Nuevos datos acerca de Nicasio Alvarez de Cienfuegos.* (En RevBN, V, 1944, pp. 263-284.)

579
SIMÓN DÍAZ, J.: *Bibliografía de N. Alvarez Cienfuegos.* (En BH, IV, 1946, pp. 35-44.)

Gabriel ALVAREZ DE TOLEDO
(1662-1714)

Sevillano, de noble familia. Ocupó altos cargos en la Cámara de Castilla y la Secretaría de Estado. Fue bibliotecario real y cofundador de la Real Academia Española. Hombre de gran erudición, conocía los principales idiomas antiguos y modernos de Europa. Publicó en vida algunos romances y poemas sueltos, que fueron dados a la prensa después de su muerte por Torres Villarroel con el título de *Obras póstumas poéticas* (1744). En el siglo pasado algunos de sus poemas fueron recogidos por el marqués de Valmar en sus *Poetas líricos del siglo XVIII* (BAE, tomo LXI, 1869). Poco antes de morir vio publicado el tomo primero y único de su *Historia de la Iglesia y del mundo... desde su creación hasta el diluvio* (1713) que fue impugnado por el historiador Luis Salazar y Castro, en forma anónima, y defendido en la obra titulada *Palacio de Momo* (1714) por Vicente Bacallar, marqués de San Felipe, bajo el seudónimo «Encio Anastasio Heliopolitano». En la lírica es discípulo de los grandes autores del siglo anterior, Calderón, Góngora y Quevedo, con poesías burlescas *(La burromaquia)* y religiosas *(Afectos de un moribundo, hablando con Cristo crucificado)*, en las que continúa, con más fervor que acierto, las líneas maestras del barroco.

ESTUDIOS

580
SEBOLD, R. P.: *Un «padrón inmortal» de la grandeza romana: en torno a un soneto de Gabriel Alvarez de Toledo.* (En StLa, 1972, pp. 525-530.)

581
SIMÓN DÍAZ, J.: *Bibliografía de G. Alvarez de Toledo.* (En BH, V, 1947, p. 715.)

Juan ANDRES
(1740-1817)

Nació en Planes (Alicante) y falleció en Roma. A los catorce años ingresó en la Compañía de Jesús. Siendo profesor en la Universidad de Gandía, hizo amistad con el erudito Gregorio Mayans, que le tuvo en el mayor aprecio. En 1767, tras la expulsión de los jesuitas, vivió en varias ciudades italianas, donde fue elegido miembro de varias Academias y centros culturales. Espíritu típicamente «ilustrado», se interesó por varias ciencias, desde la filosofía hasta la numismática, cartografía, física y antigüedades, llegando a escribir un folleto sobre el arte de enseñar a hablar a los sordomudos. Su curiosidad viajera quedó reflejada en los seis volúmenes de *Cartas familiares* (1787-1800) dirigidas a su hermano Carlos, cuyo éxito motivó, al poco tiempo, una segunda edición y la traducción al italiano, alemán y francés. Su gran obra, sin embargo, fue la titulada *Origen, progresos y estado actual de toda la literatura,* publicada primero en italiano, por Bodoni, en siete volúmenes (1782-1799) y después en español, traducida por su hermano Carlos (1784-1799). En el primer volumen traza un panorama general de la cultura, oriental y occidental, desde los tiempos más remotos. A partir del segundo, se ocupa de las más variadas ciencias (poesía, novela, geografía, historia, mecánica, química, historia natural, medicina, filosofía, etc.) englobadas en el concepto amplio que a la palabra «literatura» se daba en los ambientes cultos de su época. Esta labor enciclopédica, aunque adolece de los naturales fallos y lagunas, representó uno de los mayores logros literarios del siglo XVIII europeo. En Italia se hicieron catorce ediciones completas de la obra y cinco resumidas. Adoptada oficialmente por la Universidad de Valencia y el Real Colegio de San Isidro de Madrid, sirvió de texto para las dos primeras cátedras de literatura universal de que se tiene noticia en nuestra patria.

ESTUDIOS

582
BATLLORI, M.: *Juan Andrés y el humanismo.* (En RFE, XXIX, 1945, pp. 121-128 y en Em, XIII, 1945, pp. 121-128. Rep. en *La cultura hispano-italiana de los jesuitas expulsados,* pp. 537-545.)

583
BATLLORI, M.: *Una memoria biográfica sobre Juan Andrés, por Francisco Javier Borrull y Vilanova, 1822.* (En AHSI, XXVII, 1958, pp. 109-120.)

584
BATLLORI, M.: *Juan Andrés.* (En *Dizionario biografico degli italiani.* Roma, III, 1961, pp. 155-157. Rep. en *La cultura hispano-italiana de los jesuitas expulsos,* pp. 531-535.)

585
BATLLORI, M.: *Tres ex-jesuitas españoles en la formación de Angelo Mai: Pignatelli, Andrés, Menchaca.* (En *La cultura hispanoitaliana...,* pp. 97-104.)

586
BERKOB, P.: *Don Juan Andrés y la literatura rusa.* (En RABM, XXXIV, 1930, pp. 461-469.)

587
CERVONE, A.: *An Analysis of the Literary and Aesthetic ideas in «Dell'origene, dei progressi e dello stato attuale d'ogni letteratura» of Juan Andrés,* St. Louis University, 1966, 294 pp.

588
GINER DE LOS RÍOS, F.: *El abate Andrés y el siglo XVIII.* (En CA, 1950, núm. 2, pp. 183-200.)

589
MAZZEO, G.: *The abate Juan Andrés, literary historian of the XVIII Century.* New York, Hispanic Institute, 1965, 228 pp.

590
SCIACCA, M. F.: *Giovanni Andrés e la filosofia italiana.* (En *Italia e Spagna,* 1941, pp. 321-335.)

591
SCOTTI, A. A.: *Elogio storico del Padre Giovanni Andrés, della Compañia di Gesù.* Napoli, 1817, 55 pp. (Hay trad. castellana, en Valencia, 1818.)

592
VASCO, A. LO: *Le biblioteche d'Italia nella seconda metà del secolo XVIII. (Dalle «Cartas familiares» dell'abate Juan Andrés)*. Milán, Garzanti, 1940, 229 pp.

593
YELA UTRILLA, J. F.: *Juan Andrés, culturalista español.* (En RUO, I, 1940, pp. 23-58.)

Ver, además, núm. 387.

Tomás de AÑORBE
(?-1741)

Presbítero, capellán real y de la iglesia de la Encarnación de Madrid, don Tomás de Añorbe y Corregel es autor de un impreso religioso titulado *Amarguras de la muerte y pensamientos cristianos* (1731). Poeta de estilo barroco y autor de numerosas piezas de teatro, representadas en la primera mitad del siglo. Gozaron de cierta aceptación en la corte sus comedias *La oveja contra el pastor, El duende de Zaragoza, La tutora de la Iglesia, Cómo luce la lealtad a vista de la traición, Los amantes de Salerno, La encantada Melisendra, Nulidades del amor, El poder de la razón* y *Princesa, ramera y mártir, Santa Afra* (1735). También publicó una zarzuela, *Júpiter y Dánae* (1738) y una tragedia, *El Paulino* (1740), «nueva a la moda francesa», imitación de Corneille, que terminó poco antes de morir. No existe ningún estudio crítico de su obra dramática, excepto las páginas que le dedica I. L. McClelland en sus *Origins...* y en *Spanish Drama...* Prescindiendo de su calidad literaria, es interesante, como prototipo de su época, por su concepción de la tramoya escénica.

ESTUDIOS

594
FOULCHE-DELBOSC, R.: *El nudo gordiano.* (En RHi, 1900, pp. 256-263.)

Donato de ARENZANA

Presbítero sevillano, capellán del Hospital del Amor de Dios. Poeta de cierta popularidad en Sevilla, inevitable como versificador en los festejos públicos del reinado de Carlos III. Tiene cierto interés su *Poesía épica de la Gracia* (1787). En la Biblioteca Nacional se conserva un volumen manuscrito de sus poesías inéditas. Como prosista nos ha dejado *Vida y empresas literarias de Don Quijote de la Manchuela* (1767), en donde satiriza, en forma novelada, la mala educación de la juventud. La publicó bajo el anagrama de su apellido, «Cristóbal de Anzarena». No existe ningún estudio de su obra.

Manuel María de ARJONA
(1771-1820)

Presbítero. Natural de Osuna (Sevilla). De enorme influencia en la vida cultural de Sevilla durante el reinado de Carlos IV, donde fundó la Academia Horaciana. Perteneció, además, a la de Buenas Letras, Letras Humanas y Sociedad Económica hispalense. Es considerado como el iniciador de la «escuela poética sevillana» del siglo XVIII, con discípulos tan aventajados como Blanco White, Lista y Reinoso. Fue capellán real y canónigo penitenciario de la catedral de Córdoba, ciudad donde fundó, poco antes de morir, la Academia de Ciencias, Bellas Letras y Nobles Artes. Fue también correspondiente de la Academia de la Historia. Un viaje a Italia le dio inspiración y motivo para su más celebrado poema, *Las ruinas de Roma* (1808). Cultivó particularmente la oda y la elegía, con un propósito declarado —y no conseguido— de imitar la poesía lírica de Fernando de Herrera. Sin muchos escrúpulos políticos, celebró en sus poesías tanto a los vencedores de Bailén como a José Bonaparte. Al terminar la guerra fue objeto de persecuciones y encarcelamientos, pero supo captarse la benevolencia de Fernando VII, al tiempo que publicaba un *Manifiesto* (1814) en descargo de su conducta política. Como orador sagrado predicó, entre otros, un sermón fúnebre en honor de las víctimas del 2 de mayo y un *Elogio a la Reina María Isabel de Braganza* (1819). En 1798 leyó en la Academia de Letras Humanas un *Plan para una historia filosófica de la poesía española,* que fue publicado años después por el «Correo de Sevilla» (1806). Algunas de sus poesías fueron editadas por Quintana (1843) y por el marqués de Valmar (BAE, LXIII, 1871). No hay edición moderna.

ESTUDIOS

595

AGUILERA CAMACHO, D.: *La personalidad del sabio fundador de la Academia de Ciencias, Bellas Letras y Nobles Artes de Córdoba y orígenes de ésta.* (En BRAC, núm. 56, 1946.)

596

LANUZA, C.: *Elogios a la memoria de D. Manuel María de Arjona, Canónigo Penitenciario de Córdoba.* Córdoba, Imp. Nacional, 1820, 2 hs., 14 pp.

597
RAMÍREZ DE LAS CASAS DEZA, L.: *[Notas para la biografía de D. Manuel María de Arjona]*. [Córdoba] 1844, 2 hs. (Rep. en BAE, LXIII, pp. 499-504.)

598
VALERA, J.: *Don Manuel María de Arjona.* (En *Crítica literaria.* Tomo XXXII de sus *Obras completas,* 1912, pp. 303-306.)

599
VALVERDE MADRID, J.: *En el segundo centenario del fundador de nuestra Academia.* (En BRAC, núm. 91, 1971, pp. 1-4.)

Fray Francisco ARMAÑÁ
(1718-1803)

Agustino. Obispo de Lugo y Tarragona. Fue director de la Sociedad Económica de Tarragona y miembro de la Real Academia de Buenas Letras de Barcelona. Predicó muchos sermones que testimonian sus cualidades como orador sagrado de singular mérito. Son de gran importancia sus *Cartas pastorales,* en especial las cuatro que dedicó a combatir las ideas de la revolución francesa. Su larga vida y la temática de sus numerosos escritos hacen de él un modelo de prelados de la época, al recoger en ellos todas las inquietudes religiosas, políticas y sociales del siglo.

ESTUDIOS

600
TORT MITJANS, F.: *Biografía histórica de Francisco Armanyá Font, Obispo de Lugo, Arzobispo de Tarragona,* Villanueva y Geltrú, 1967, 568 pp.

Juan Bautista ARRIAZA
(1770-1837)

Madrileño. Ingresó en la Marina y después en la carrera diplomática, ejerciendo como abogado en Londres y París. Antes de la guerra de la Independencia publicó un canto fúnebre a la muerte del duque de Alba, titulado *La compasión* (1796), una *Cantata al restablecimiento del Rey de España* (1801) con música de Francisco Federici, para ser cantada en casa del embajador de Francia, una *Oda al combate de Trafalgar*

(1806) y una *Exclamación poética acabada de leer la proclama del Príncipe de la Paz* (1806). Tradujo en verso suelto el *Arte poética* de Boileau (1807). Pero su fama vendría después, al atacar sañudamente en sus versos a los afrancesados y liberales y defender a todo trance el absolutismo fernandino. Comenzó por su *Profecía del Pirineo* (1808) y continuó con las *Poesías patrióticas* (1810) y los *Ensayos poéticos* (1811). Los poemas de tono amatorio o cortesano de sus primeros años vieron la luz con el título de *Rimas juveniles* (1806). El marqués de Valmar editó algunos de sus poemas (BAE, LXVII, 1875). Recientemente lo ha hecho también J. Marco (Barcelona, Llibres de Sinera, 1970).

ESTUDIOS

601
ALCALÁ GALIANO, A.: *Juicio crítico de Juan Bautista Arriaza.* (En ELab, II, 1844, pp. 168-170.)

602
ASENSIO, J.: *Un escrito inédito sobre los poetas Quintana y Arriaza. Crítica de sus odas al combate de Trafalgar.* (En RABM, LXXVII, 1974, pp. 103-148.)

603
ESTRADA, R.: *Don Juan B. de Arriaza y Superviela, marino y académico.* (En BRAE, XXV, 1946, pp. 439-451.)

604
GLENDINNING, O. N. V.: *Goya and Arriaza's «Profecía del Pirineo».* (En JWCI, XXVI, 1963, pp. 363-366.)

605
IZA ZAMACOLA, A.: *Biografía española. Don Juan Bautista de Arriaza.* (En SPE, 1842, pp. 153-155.)

606
MARCOS, F.: *Algo más sobre Arriaza.* (En RLit, XXIV, 1963, pp. 145-146.)

607
SIMÓN DÍAZ, J.: *Arriaza.* (En RevBN, V, 1944, pp. 57-63.)

608
SIMÓN DÍAZ, J.: *Bibliografía de Juan Bautista de Arriaza.* (En BH, V, 1947, pp. 402-407.)

609
VALERA, J.: *Don Juan Bautista Arriaza.* (En *Crítica literaria.* Tomo XXXII de sus *Obras completas,* 1912, pp. 265-270.)

León de ARROYAL
(1755-1813)

Nacido en Gandía (Valencia). Convivió con Forner y Meléndez Valdés en Salamanca, durante tres años, como estudiante de Derecho en aquella Universidad. Contrajo matrimonio con una hija del célebre médico Andrés Piquer. Intentó fundar una Sociedad Económica en Vara del Rey (Cuenca) pueblo materno, donde vivió a partir de 1785, ejerciendo el oficio de contador de Hacienda. Se inició en la carrera literaria con una traducción de los *Salmos* (1779), a la que siguió una *Versión castellana del oficio de difuntos* (1783) y otras versiones de la misa y del oficio parvo de Nuestra Señora. Abandonando esta veta de religiosidad, publicó al año siguiente dos volúmenes de *Odas* y *Epigramas* (1784), quedando inédito otro de *Sátiras,* prohibido por la censura a causa de sus alusiones políticas. Tradujo, posteriormente, los *Dísticos de Catón con escolios de Erasmo* (1797); pero la obra que más fama le ha dado en estos últimos años son las *Cartas político-económicas al conde de Lerena,* publicadas anónimas, pero atribuidas a Campomanes y a Cabarrús, hasta que recientemente se ha demostrado la paternidad de Arroyal. Quedaron inéditas hasta 1841. Hay nueva edición con estudio preliminar de Antonio Elorza (Ed. Ciencia Nueva, 1968). Una segunda parte, desconocida hasta nuestros días, ha sido publicada, con la primera, por el catedrático José Caso González (Oviedo, Cátedra Feijoo, 1971). Otro caso de falsa atribución se ha dado con el folleto político *Pan y toros,* publicado a nombre de Jovellanos (1812 y 1820). Comprobada la autoría de Arroyal, ha sido reeditado por Antonio Elorza (Ed. Ayuso, 1971).

ESTUDIOS

610
ANES, G.: *Las Cartas político-económicas al conde de Lerena.* (En CHa, núm. 216, 1967, pp. 611-614.)

611
COLMEIRO, M.: *Sobre las supuestas cartas de Campomanes al conde de Lerena.* (En BUG, 1949, pp. 141-147.)

612
DESDEVISES DU DEZERT, G.: *Les Lettres politico-economiques de Campomanes.* (En RHi, IV, 1897, pp. 240-265.)

613
ELORZA, A.: *El liberalismo democrático en torno a 1789.* (En *La ideología liberal de la Ilustración española.* Madrid, Tecnos, 1970, pp. 235-257.)

614
ELVIRA-HERNÁNDEZ, J. F.: *Arroyal y sus epigramas.* (En RF, LXXXIV, 1972, pp. 164-178.)

615
LÓPEZ, F.: *León de Arroyal, auteur des «Cartas político-económicas al conde de Lerena».* (En BHi, LXIX, 1967, pp. 26-55.)

616
LÓPEZ, F.: *«Pan y toros». Histoire d'un pamphlet. Essai d'atribution.* (En BHi, LXXI, 1969, pp. 255-279.)

617
MARAVALL, J. A.: *Las tendencias de reforma política en el siglo XVIII español.* (En ROcc, núm. 52, jul. 1967, pp. 53-82.)

618
SÁNCHEZ AGESTA, L.: *Continuidad y contradicción en la Ilustración española. Las cartas de León de Arroyal.* (En REP, núm. 192, 1973, pp. 9-24.)

Esteban de ARTEAGA
(1747-1798)

De origen vasco, nació en Moraleja de Coca (Segovia) y falleció en París. Ingresó en la Compañía de Jesús en 1763. Después de la expulsión cursó estudios de filosofía, ciencias y teología en Bolonia. En 1769 abandonó la Compañía, sin que conste que se ordenara de sacerdote. Publicó en Italia *Rivoluzioni del teatro musicale italiano* (1783-1785) y su libro más famoso, *La belleza ideal* (1789). Desde este año vivió en Roma, dedicado al estudio de los clásicos latinos. El impresor Bodoni, por gestiones del embajador Azara, editó en magníficas joyas bibliográficas sus ediciones de Horacio (1791), Catulo, Tibulo y Propercio (1794). Sus comentarios sobre el *Gusto presente de la literatura italiana* (Venecia, 1784) fueron publicados en español dos años más tarde en el «Diario curioso, erudito y comercial». Es el más importante tratadista de estética del siglo XVIII español. El P. Batllori volvió a editar *La belleza ideal* en la colección «Clásicos catellanos» (Madrid, 1943) y dos cartas sobre temas musicales (Madrid, C.S.I.C., 1944). En opinión de su editor, «es uno de los más finos prosistas de su tiempo».

ESTUDIOS

619
ALLORTO, R.: *Stefano Arteaga e le «Rivoluzioni del teatro musicale italiano»*. (En RMus, núm. 52, 1950, pp. 124-147.)

620
BATLLORI, M.: *Esteban de Arteaga. Itinerario biográfico.* (En AST, XIII, 1937-1940, pp. 203-222.)

621
BATLLORI, M.: *Ideario filosófico y estético de Arteaga.* (En SFG, VII, 1938, pp. 293-325.)

622
BATLLORI, M.: *Arteaga y Bettinelli.* (En GSLI, CXIII, 1939, pp. 92-112. Rep. en *La cultura hispanoitaliana...*, pp. 159-193.)

623
BATLLORI, M.: *Los manuscritos de Esteban de Arteaga.* (En AST, XIV, 1941, pp. 199-216. Rep. en *La cultura hispanoitaliana...*, pp. 133-157.)

624
BATLLORI, M.: *Ideario estético de Esteban de Arteaga.* (En RIE, I, 1943, pp. 87-108.)

625
BATLLORI, M.: *Arteaga y la música grecolatina.* (En RIE, II, 1944, pp. 53-71.)

626
BATLLORI, M.: *Filosofía, ciencia y arte según Esteban de Arteaga.* (En RIE, III, 1945, pp. 387-393.)

627
BATLLORI, M.: *Amistad de Miranda con Esteban de Arteaga en Venecia.* (En RNC, núms. 78-79, 1950, pp. 97-103.)

628
BORGHINI, V.: *Problemi d'Estetica e di Cultura nell Settecento spagnolo. Feijoo, Luzán, Arteaga.* Génova, 1958, 306 pp.

629
ESPERANZA Y SOLA, J. M.: *Crítica musical del P. Esteban de Arteaga.* Discurso. Madrid, Academia de San Fernando, 1891, 77 pp.

630
GIANTURCO, E.: *Abbé Arteaga as a Critic of Alfieri's Myrrha.* (En RR, XXVII, 1936, pp. 282-292.)

631
GONZÁLEZ PALENCIA, A.: *Posición del P. Arteaga en la polémica sobre música y poesía arábigas.* (En Al-An, XI, 1946, pp. 241-245.)

632
MENÉNDEZ PELAYO, M.: *Arteaga.* (En *Historia de las ideas estéticas,* III, pp. 150-172, 358-363 y 640-647.)

633
MICÓ BUCHÓN, J. L.: *Aproximación a la estética de Arteaga.* (En RIE, XVI, 1958, pp. 29-50.)

634
OLGUIN, M.: *The Theory of Ideal Beauty in Arteaga and Winckelmann.* (En JAAC, VIII, 1949, pp. 12-33.)

635
RUDAT, E. M.: *Las ideas estéticas de Esteban de Arteaga. Orígenes, significado y actualidad.* Madrid, Ed. Gredos [1971], 340 pp.

Ver, además, núms. 176, 387.

Antonio BAZO

Nada se sabe de este dramaturgo que vio representadas sus obras en los años 60. Arregló, en dos partes, la ópera de Metastasio sobre Artajerjes, con los títulos *La piedad de un hijo vence la impiedad de un padre* (1762) y *Paz de Artajerjes con Grecia* (1763). También adaptó *Cleonice y Demetrio* y *Adriano en Siria,* del mismo Metastasio. Dos años después apareció en Valencia su comedia de santos *Los tres mayores portentos en tres distintas edades* (1765). Tradujo la zarzuela *La buena muchacha,* de Goldoni, que se representó en Barcelona (1770). En la Biblioteca Nacional de Madrid se conservan inéditas algunas otras piezas suyas. No existe ningún estudio sobre este mediocre y olvidado adaptador escénico. I. L. McClelland le ha dedicado unas páginas en sus obras *The origins...* y *Spanish drama...,* afirmando que es «un perfecto representante de los escritores de esta época».

José Joaquín BENEGASI
(1707-1770)

Hijo del también poeta Francisco Benegasi y Luján, nació, vivió y murió en Madrid. Fue Señor de Terreros y Regidor perpetuo de Loja, como su padre, en cuya casa se reunía dos veces por semana una tertulia de los más habilidosos poetas cortesanos. Después de enviudar por segunda vez, tomó el hábito religioso y se retiró al colegio de San Antonio Abad, en 1763. Publicó numerosas obras poéticas, en tono festivo y burlesco, que le hicieron muy popular en el reinado de Fernando VI: *Poesías líricas y jocoserias* (1743), *Vida de San Dámaso, escrita en redondillas jocoserias* (1752), *Fama póstuma de Fr. Juan de la Concepción,* en octavas (1754), *Panegírico de muchos, enviados de no pocos* (1755). En otros versos cantó la *Descripción festiva de las funciones que celebró Madrid a la entrada de Carlos III* (1760) y el fallecimiento de las reinas María Amalia de Sajonia (1760) e Isabel de Farnesio (1766). También publicó una comedia burlesca: *Llámenla como quisieren* (1761). Fue editor de las poesías de su padre (1746). No se conoce más estudio sobre su obra, de algún interés por sus sátiras contra la nobleza, que las páginas que le dedica el marqués de Valmar en su Bosquejo (BAE, LXI, XLVIII-LIII).

José María BLANCO-WHITE
(1775-1841)

De familia irlandesa avecindada en Sevilla y dedicada al comercio, en esta capital nació José María Blanco y Crespo (más conocido como Blanco-White), espíritu sensible y crítico, que se ordenó de sacerdote en 1799, ganando por oposición una capellanía real en la catedral sevillana. El contacto con Manuel M. de Arjona y algunos compañeros teólogos, como Lista, Reinoso, Roldán y Sotelo, le inclinó a las bellas letras, participando en forma activa en la Academia de Letras Humanas (1793-1802), germen de la que después sería llamada «segunda escuela sevillana». A consecuencia de una grave crisis religiosa se trasladó a Madrid, donde trató al poeta Quintana, y a Salamanca, donde conoció a Meléndez Valdés. Los acontecimientos políticos precipitaron su decisión de marcharse de España, emigrando voluntariamente a Inglaterra, donde abandonó el catolicismo y escribió en inglés sus mejores obras. Allí editó un periódico titulado *El Español* (1810-1814) y se dedicó a la enseñanza, terminando sus días como profesor en la Universidad de Oxford. Publicó en inglés sus *Cartas desde España* (1822) bajo el seudónimo de «Leocadio Doblado», su *Vida* (1845) y varias obras de carácter religioso contra el catolicismo. Son muy interesantes sus escritos de crítica literaria, algunos aún sin traducir al español. Sus poemas de juventud fueron publicados, parcialmente, por el marqués de Valmar (BAE, LXVII, 654-663). Hace poco han aparecido en español sus *Cartas* (Alianza Editorial, 1972), una selección de su *Obra inglesa* (Ed. Formentor, 1972) traducida al castellano por Juan Goytisolo, una *Antología de obras en español* (Ed. Labor, 1971) preparada por Vicente Lloréns, su *Autobiografía* (Universidad de Sevilla, 1975), vertida al castellano por Antonio Garnica, y su novela *Luisa de Bustamante,* con otras narraciones, a cargo de I. Prat (Barcelona, Ed. Labor, 1976).

ESTUDIOS

636
AGUILAR PIÑAL, F.: *Blanco White y el Colegio de Santa María de Jesús.* (En AHisp, LVIII, núm. 179, 1975, pp. 1-54.)

637
[ANÓNIMO]: *Irisarri, Bello y Blanco White en Londres.* (En RChHG, núm. 140, 1972, pp. 111-117.)

638
ARTIGAS, M.: *El soneto «Night and Death» de Blanco White.* (En BBS, I, 1924, pp. 125-133.)

639
BUCETA, E.: *La opinión de Blanco White acerca del autor de «La Celestina».* (En RFE, VII, 1920, pp. 372-374.)

640
CANO, J. L.: *Blanco White y sus «Cartas de España».* (En *Heterodoxos y Prerrománticos.* Madrid, Ed. Júcar, 1974, pp. 129-138.)

640 bis
DENDLE, B. J.: *A Note on the first published version of the «Epistola a D. José Manuel Quintana», by José María Blanco.* (En BHS, LI, 1974, pp. 365-371.)

641
ENTRAMBASAGUAS, J.: *La traducción castellana del famoso soneto de Blanco White.* (En RLit, VI, 1954, pp. 337-349.)

642
FERNÁN-CORONAS, F.: *Blanco White y Draconcio.* (En BRAE, VI, 1919, pp. 699-708.)

643
FERNÁNDEZ LARRAIN, S.: *José María Blanco White y Andrés Bello.* (En Map, IV, 1965, pp. 288-308.)

644
GARNICA, A.: *Blanco en Cádiz.* (En AHisp, núm. 176, 1974, pp 1-40.)

645
GLADSTONE, W.: *El español Blanco White.* (En EMod, LXI, 1894, pp. 149-169; LXII, pp. 179-202; LXIII, pp. 197-202. Pub. originalmente en inglés en QR, 1845, pp. 167-203.)

646
GÓMEZ IMAZ, M.: *Dos cartas autógrafas e inéditas de Blanco White.* Sevilla, Imp. Rasco, 1891, 123 pp.

647
GONZÁLEZ-ARNAO, M.: *Blanco White, el tránsfuga de muchos credos.* (En HyV, núm. 67, oct. 1973, pp. 91-101.)

648
GOYTISOLO, J.: *Presentación crítica de José María Blanco White.* (En CRI, núms. 33-35, 1972. Rep. al frente de la *Obra inglesa,* Ed. Formentor, 1972, pp. 3-98.)

649
HARROD, G. R.: *Blanco White on Spanish Literature.* (En BBS, XXIV, 1947, pp. 269-271.)

650
JOHNSON, R.: *Letters of Blanco White to J. H. Wiffen and Samuel Rogers.* (En N, LII, 1968, pp. 138-145.)

651
LARA, M. V.: *Nota a unos manuscritos de José María Blanco White.* (En BSS, XX, 1943, pp. 110-120 y 196-214.)

652
LLORÉNS, V.: *Liberales y románticos. Una emigración española en Inglaterra (1823-1834),* 2.ª ed. Madrid, Ed. Castalia [1968], 453 pp. (1.ª ed. El Colegio de México, 1954.)

653
LLORÉNS, V.: *Moratín y Blanco White.* (En Ins, núm. 161, 1960, p. 3.)

654
LLORÉNS, V.: *Jovellanos y Blanco. En torno al «Semanario Patriótico» de 1809.* (En NRFH, XXX, 1961, pp. 262-278. Rep. en *Literatura, historia, política.* Madrid, 1967, pp. 89-119.)

655
LLORÉNS, V.: *Los motivos de un converso.* (En ROcc, núm. 13, 1964, pp. 44-60.)

656
LLORÉNS, V.: *El fracaso de «The London Review».* (En LASM, 1966, pp. 253-261.)

657
LLORÉNS, V.: *Blanco White en el Instituto Pestalozziano (1807-1808).* (En HRM, I, 1966, pp. 349-365.)

658
LLORÉNS, V.: *Moratín, Llorente y Blanco White. Un proyecto de revista literaria.* (En *Literatura, historia, política.* Madrid, 1967, pp. 57-73.)

659
LLORÉNS, V.: *Historia de un famoso soneto.* (En HCa, 1972, pp. 299-313.)

660
LLORÉNS, V.: *«El Español» de Blanco White, primer periódico de oposición.* (En BISD-P, 1962. Rep. en *Aspectos sociales de la literatura española.* Madrid, Ed. Castalia, 1974, pp. 67-103.)

661
MÉNDEZ BEJARANO, M.: *Vida y obras de José María Blanco y Crespo.* Madrid, 1920, 605 pp.

662
MENÉNDEZ PELAYO, M.: *Blanco White.* (En RHA, VI, 1882, pp. 349-364 y VII, 1882, pp. 87-109.)

663
MENÉNDEZ PELAYO, M.: *Don José María Blanco.* (En *Historia de los Heterodoxos españoles.* Madrid, VI, 1965, pp. 173-212.)

664
PALENCIA, C.: *Blanco White y sus «Cartas sobre España».* (En CA, CXV, 1961, pp. 179-193.)

665
PIÑEYRO, E.: *Blanco White.* (En BHi, XII, 1910, pp. 71-100 y 163-200.)

666
ROUSSEAU, F.: *Blanco White. Souvenirs d'un proscrit espagnol réfugié en Angleterre, 1775-1815.* (En RHi, XXII, 1910, pp. 615-647.)

667
SÁNCHEZ CASTAÑER, F.: *José María Blanco White y Alberto Lista en las Escuelas de Cristo hispalenses.* (En AHisp, XLII, 1965, pp. 229-247.)

668
SIMMONS, M. E.: *Una polémica sobre la independencia de Hispanoamérica.* (En BANHC, XXX, 1947, pp. 82-125.)

669
ZAVALA, I. M.: *Forner y Blanco. Dos vertientes del siglo XVIII.* (En CA, XXV, 1966, pp. 128-138.)

Ver, además, núms. 1148, 1149.

Andrés Marcos BURRIEL
(1719-1762)

Nacido en la provincia de Cuenca, ingresó a los doce años en la Compañía de Jesús, en cuyo seno murió, prematuramente, a los 43 años. No es con toda propiedad un creador en el campo de las letras, ya que sólo publicó un estudio: *Noticia de California* (1757) que ha sido reimpresa en México (Ed. Layac, 1943). Pero merece ser recordado como investigador infatigable de la historia de España. Recientemente se ha publicado su correspondencia con Gregorio Mayans, del que puede considerarse discípulo (Ayuntamiento de Oliva, 1972). Por decisión real acompañó a Pérez Bayer durante su estancia en Toledo para copiar y estudiar cuantos documentos apareciesen en el archivo catedralicio relativos a las regalías de la Corona, con vistas a la firma de un nuevo concordato (1753). Pero la intención de Burriel iba mucho más allá, ya que se había trazado un plan de rigurosas ediciones críticas de códigos antiguos, liturgia y derecho eclesiástico, que sirviesen de fundamento para la revisión completa de la historia medieval de España. Su proyecto, excesivo para una sola persona, quedó interrumpido con su muerte. Pero su ingente labor de recopilación no quedó estéril, ya que de ella se han alimentado las investigaciones posteriores. Una obra importante de Burriel, *Memorias para la vida del Santo Rey Fernando III,* fue publicada en el año 1800 por el bibliotecario Miguel de Manuel (reimp. modernamente en Barcelona por Ed. Albir).

ESTUDIOS

670
BATLLORI, M.: *Burriel, Petisco y los plagiarios.* (En *La cultura hispanoitaliana de los jesuitas expulsos,* pp. 123-132.)

671
CONTRERAS PÉREZ, J.: *El Padre Burriel.* (En IEA, 1914, pp. 295-299 y 311-315.)

672
ECHANOVE TUERO, A.: *«Apuntamientos de algunas ideas para fomentar las letras» del P. Andrés Burriel.* (En HS, XX, 1967, pp. 363-437.)

673
ECHANOVE TUERO, A.: *La preparación intelectual del P. Andrés Marcos Burriel, S. J. (1731-1750).* Madrid, C.S.I.C., 1971, 326 pp. (Pub. anteriormente en HS, 1970-1971.)

674
FITA, F.: *El P. Burriel.* (En *Galería de jesuitas ilustres.* Madrid, 1880, pp. 222-240.)

675
GIGAS, E.: *Cartas del P. Burriel.* (En RABM, XVIII, 1914, pp. 120-132 y 472-486; XXVII, 1923, pp. 406-438.)

676
GÓNGORA, A.: *Polígrafos españoles del siglo XVIII. El Padre Andrés Marcos Burriel. Apuntes bio-bibliográficos.* Jerez de la Frontera, 1906, 106 pp.

677
JANINI, J. y MARQUÉS, J. M.: *Facsímiles de manuscritos litúrgicos visigóticos toledanos en los legajos de Burriel (Biblioteca Nacional).* (En HS, XVIII, 1965, pp. 27-32.)

678
MILLARES CARLO, A.: *El siglo XVIII español y los intentos de formación de un corpus diplomático.* (En RBAM, II, 1925, pp. 515-530.)

679
SÁINZ RODRÍGUEZ, P.: *El P. Burriel, paleógrafo.* Madrid, 1926, 32 pp. (Rep. en *Evolución de las ideas sobre la decadencia española.* Madrid, Rialp, 1962.)

680
SIMÓN DÍAZ, J.: *Un erudito español: el P. Andrés Marcos Burriel.* (En RByD, III, 1949, pp. 5-52.)

681
SIMÓN DÍAZ, J.: *El reconocimiento de los archivos españoles en 1750-1756.* (En RByD, IV, 1950, pp. 131-170.)

682
SIMÓN DÍAZ, J.: *Dos planificadores: el P. Burriel y Menéndez Pelayo.* (En *La Bibliografía: conceptos y aplicaciones.* Barcelona, Ed. Planeta, 1971, pp. 99-118.)

683
URIARTE, J. E. y LECINA, M.: *Biblioteca de escritores de la Compañía de Jesús pertenecientes a la antigua Asistencia española desde sus orígenes hasta el año 1773.* Madrid, I, 1923, pp. 580-604.

Francisco de CABARRUS
(1752-1810)

Economista y pensador político. Nacido en Bayona (Francia) pero naturalizado español, fue fundador y primer director del Banco Nacional de San Carlos (actual Banco de España). Miembro activo de la Sociedad Económica Matritense, en la que leyó una *Memoria relativa al comercio de Indias* (1778) y amigo de los más representativos hombres ilustrados, formó parte de la plana mayor de los economistas de la época. En su *Elogio del conde de Gausa* (1786) planteó por primera vez la necesidad de una profunda reforma política, tesis que repitió en su *Elogio de Carlos III* (1789), lo que le valió tres años de prisión. Fue ministro de Hacienda con el rey José Bonaparte, falleciendo en Sevilla cuando aún ocupaba el cargo. Su obra más importante, las *Cartas sobre los obstáculos que la naturaleza, la opinión y las leyes oponen a la felicidad pública,* escritas en la cárcel, dirigidas a Jovellanos y dedicadas a Godoy, permanecieron inéditas hasta 1808, fueron reeditadas varias veces en la época liberal y modernamente, con estudio preliminar de J. A. Maravall (Ed. Castellote, 1973).

ESTUDIOS

684
ELORZA, A.: *Los comienzos de una Hacienda liberal en España: Cabarrús.* (En RDF, núm. 75, 1968, pp. 565-578.)

685
GIL NOVALES, A.: *Francisco de Cabarrús.* (En *Las pequeñas Atlántidas.* Barcelona, Seix Barral, 1959, pp. 77-107.)

686
MARAVALL, J. A.: *Cabarrús y las ideas de reforma política y social en el siglo XVIII.* (En ROcc, núm. 69, 1968, pp. 273-300.)

687
ORTEGA COSTA, A. y DÍEZ TEJERINA, S.: *Introducción al conocimiento de Cabarrús.* (En BCNE, XII, núm. 45, 1965, pp. 5-14.)

688
ORTEGA COSTA, A. y GARCÍA OSMA, A. M.: *Procesamiento y prisión de Cabarrús.* (En BCNE, XIV, núm. 54, 1967, pp. 3-10.)

689
ORTEGA COSTA, A. y GARCÍA OSMA, A. M.: *Cabarrús en el castillo de Batres.* (En BCNE, XIV, núm. 56, 1967, pp. 2-14.)

690
ORTEGA COSTA, A. y GARCÍA OSMA, A. M.: *La embajada extraordinaria de Cabarrús.* Madrid, 1968, 64 pp.

691
ORTEGA COSTA, A. y GARCÍA OSMA, A. M.: *Noticia de Cabarrús y de su procesamiento.* Madrid, 1974, 264 pp.

692
S[ÁNCHEZ] GRANJEL, L.: *La carta sanitaria del conde de Cabarrús.* (En *Capítulos de la Medicina Española.* Salamanca, Universidad, 1971, pp. 389-391.)

693
ZAVALA, I. M.: *Cabarrús y Picornell: un documento desconocido.* (En CHa, núm. 234, 1969, pp. 774-782.)

Ver, además, núm. 1171.

José CADALSO
(1741-1782)

Gaditano, pero educado en París y viajero por Europa, Cadalso es el prototipo de poeta soldado en nuestro siglo XVIII, ya que siguió la carrera de las armas, sin abandonar por ello su vocación de escritor. En Madrid frecuentó la tertulia de la Fonda de San Sebastián y se enamoró apasionadamente de la actriz María Ignacia Ibáñez, que murió en sus brazos. Poco antes había ella actuado en el teatro de la Cruz en la tragedia *Don Sancho García* (1771) única de Cadalso que fue escenificada. Gran popularidad le dio su escrito satírico *Los eruditos a la violeta* (1772), del que hay ediciones modernas, por José Luis

Aguirre (Ed. Aguilar, 1967) y N. Glendinning (Ed. Anaya, 1967). Al año siguiente, también bajo el seudónimo de «José Vázquez», vio la luz una colección de sus poesías, con el título de *Ocios de mi juventud* (1773). Varios de sus poemas fueron incluidos por el marqués de Valmar en su antología (BAE, LXI, 1869). Las *Noches lúgubres* (pub. póstuma, 1789) están inspiradas en el episodio amoroso ya citado y le han valido a Cadalso el apelativo de primer romántico español. Hay ediciones recientes, por N. Glendinning (Espasa-Calpe, «Clásicos castellanos», 152, 1961), E. Helman (Ed. Taurus, 1968) y J. Arce (Ed. Anaya, 1970). La más importante de sus obras, *Cartas marruecas* (pub. también en forma póstuma por el «Correo de Madrid», 1789) constituyen un amargo testimonio de la actitud crítica del escritor con respecto a la sociedad de su tiempo y tuvieron gran aceptación en Europa desde su primera traducción al francés (1808). Las más modernas ediciones son de J. Tamayo y Rubio (Espasa-Calpe, «Clásicos castellanos», 112, 1935), L. Dupuis y N. Glendinning (Tamesis Book, 1966), A. Cardona y E. Rodríguez Vilanova (Ed. Bruguera, 1967), R. Solís (Ed. Salvat, 1971) y R. Reyes (Ed. Nacional, 1975). Sus obras completas fueron editadas en cuatro volúmenes (Madrid, Repullés, 1803). G. Mercadier ha editado y prologado una inédita *Defensa española contra la Carta persiana LXXVIII de Montesquieu* (Universidad de Toulouse, 1970).

ESTUDIOS

694
ADINOLFI, G.: *Le «Cartas marruecas» di José Cadalso e la cultura spagnola della seconda metà del Settecento.* (En FR, III, 1956, pp. 30-83.)

695
AGUADO, E.: *De Cadalso a Castelar.* (En EL, núms. 282-283, 1964, pp. 57-58.)

696
BAADER, H.: *José Cadalso und der «barocke» Racine.* (En RF, LXXV, 1963, pp. 393-399.)

697
BAQUERO GOYANES, M.: *Perspectivismo y crítica en Cadalso, Larra y Mesonero.* (En Clav, núm. 30, 1954, pp. 1-12. Rep. en *Perspectivismo y contraste.* Madrid, 1963, pp. 11-26.)

697 bis
BLANCO AGUINAGA, C.: *Cadalso en su siglo.* (En *Nuestra década,* II, 1964, pp. 473-477. Pb. de la *Revista de la Universidad de México.*)

698
BREMER, K.-J.: *Montesquieu's «Lettres persannes» und Cadalso's «Cartas marruecas»: Eine Gegenüberstellung von zwei pseudo-orientalischen Briefsatiren.* Heidelberg, Carl Winter Universitätsverlag, 1971, 203 pp.

699
CABALLERO, F.: *La «Optica del cortejo» no es obra de Don José Cadalso.* (En RE, XXX, 1873.)

700
CABAÑAS, P.: *El orfismo de Cadalso.* (En CLit, 1947, pp. 275-279.)

701
CANO, J. L.: *Cadalso visto por un inglés.* (En Ins, núm. 190, 1962, pp. 8-9.)

702
COSSIO, J. M.: *« Los eruditos a la violeta»*, de Cadalso. (En BBMP, VIII, 1926, pp. 232-233.)

703
COTARELO Y MORI, E.: *Cartas inéditas de Cadalso a Iriarte.* (En EMod, VII, 1895, pp. 69-96.)

704
COTTON, E.: *Cadalso and his Foreign Sources.* (En BSS, VIII, 1931, pp. 5-18.)

705
COX, R. M.: *A new «Novel» by Cadalso.* (En HR, XLI, 1973, pp. 655-668.)

706
DEACON, P.: *Cadalso, censor del Consejo de Castilla.* (En RLit, XXXVIII, 1975-1976, pp. 167-173.)

707
DÍAZ-PLAJA, G.: *Un nuevo texto de la primera «Noche lúgubre» de Cadalso. Problemas que plantea.* (En su *Introducción al estudio del romanticismo español,* 2.ª ed. Buenos Aires, 1953, pp. 159-186.)

708
DUBUIS, M.: *La «gravité espagnole» et le «sérieux». Recherches sur le vocabulaire de Cadalso et de ses contemporains.* (En BHi, LXXVI, 1974, pp. 5-91.)

709
EDWARDS, J. K.: *Tres imágenes de José Cadalso: El crítico, el moralista, el creador.* [Sevilla, Publicaciones de la Universidad, 1976] 145 pp., 18,5 cm. («Col. de bolsillo», núm. 48.)

710
[FERNÁNDEZ] MONTESINOS, J.: *Cadalso o la noche cerrada.* (En CyR, núm. 13, 1934, pp. 43-67. Rep. en *Ensayos y estudios de literatura española.* México, 1959, pp. 152-169.)

711
FERRARI, A.: *Las «Apuntaciones autobiográficas» de José de Cadalso en un manuscrito de «Varios».* (En BRAH, CLXI, 1967, pp. 111-143.)

712
FOULCHÉ-DELBOSC: *Obras inéditas de don José Cadalso.* (En RHi, I, 1894, pp. 258-335.)

713
GLENDINNING, N. O. V.: *«Ortelio» en la poesía y en la vida de Cadalso. Una nueva teoría sobre su identidad y datos sobre la amistad de Casimiro Gómez Ortega y Cadalso.* (En RLit, XIV, 1958, pp. 3-23.)

714
GLENDINNING, O. N. V.: *New light on the circulation of Cadalso's «Cartas marruecas» before its first printing.* (En HR, XXVIII, 1960, pp. 139-149.)

715
GLENDINNING, O. N. V.: *New light an the Text and Ideas of Cadalso's «Noches lúgubres».* (En MLR, LV, 1960, pp. 537-542.)

716
GLENDINNING, O. N. V.: *The traditional Story of «La difunta pleiteada». Cadalso's «Noches lúgubres» and the Romantics.* (En BHS, XXXVIII, 1961, pp. 206-215.)

717
GLENDINNING, O. N. V.: *Vida y obra de Cadalso.* Madrid, Ed. Gredos, 1962, 239 pp.

718
GLENDINNING, O. N. V.: *Cartas inéditas de Cadalso a un padre jesuita, en inglés, francés, español y latín.* (En BBMP, XLII, 1966, pp. 97-116.)

719
GLENDINNING, O. N. V.: *Cadalso, López de la Huerta y «Ortelio».* (En RLit, XXXIII, 1968, pp. 85-92.)

720
GLENDINNING, O. N. V.: *Structure in the «Cartas marruecas» de Cadalso.* (En *Studies in the 18th Century.* Toronto, McMaster University, 1971, pp. 51-76.)

721
GLENDINNING, O. N. V.: *The date of Cadalso's death: an answer to Professor Sebold's Query.* (En HR, núm. 41, 1973, pp. 420-424.)

722
GÓMEZ DEL PRADO, C.: *José Cadalso, «Las noches lúgubres» y el determinismo literario.* (En KFLQ, XIII, 1966, pp. 209-219.)

723
GÓMEZ DE LA SERNA, R.: *El primer romántico de España, Cadalso el desenterrador.* (En *Mi tía Carolina Coronado. Biografías completas.* Madrid, Ed. Aguilar, 1959.

724
GONZÁLEZ DELEITO, N.: *Tricotomía del suicidio amoroso. Cadalso-Goethe-Larra.* Conferencia. Madrid, 1953.

725
GONZÁLEZ DELEITO, N.: *Ideas jurídicas del coronel Cadalso. La posición de un poeta prerromántico ante los motivos del Derecho.* Madrid, 1952, 35 pp.

726
GULLÓN, R.: *Investigaciones en torno a Cadalso.* (En Pla, núm. 15, 1952.)

727
GÜNTZEL, A.: *Die «Cartas marruecas» des Don José Cadalso. Ein Spanisches Werk des 18 Jahrhunderts.* St. Gallen, 1938.

728
HAFTER, M. Z.: *Escosura's «Noches lúgubres», an impublished play based on Cadalso's life.* (En BHS, XLVIII, 1971, pp. 36-42.)

729
HELMAN, E. F.: *The first printing of Cadalso's «Noches lúgubres».* (En HR, XVIII, 1950, pp. 126-134.)

730
HELMAN, E. F.: *A note on an inmediate Source of Cadalso's «Noches lúgubres»*. (En HR, XXV, 1957, pp. 122-125.)

731
HELMAN, E. F.: *«Caprichos» and «Monstruos» of Cadalso and Goya.* (En HR, XXVI, 1958, pp. 200-222.)

732
HELMAN, E. F.: *Cadalso y Goya: sobre caprichos y monstruos.* (En *Jovellanos y Goya.* Madrid, Ed. Taurus, 1970, pp. 125-155.)

733
HUGHES, J. B.: *Dimensiones estéticas de las «Cartas marruecas».* (En NRFH, X, 1956, pp. 194-202.)

733 bis
HUGUES, J. B.: *Las «Cartas marruecas» y la «España defendida», perfil de dos visiones de España.* (En CA, 1958, pp. 139-153.)

734
HUGHES, J. B.: *José Cadalso y las «Cartas marruecas».* Madrid, Ed. Tecnos, 1969, 108 pp.

735
JURETSCHKE, H.: *La contestación de Capmany a Cadalso y su discurso de ingreso en la Academia de la Historia.* (En RUM, XVIII, 1969, pp. 203-221.)

736
LABORDE, P.: *Cadalso y Montesquieu.* (En RLR, LXXI, 1952, pp. 171-180.)

737
LHÉRITIER, M.: *Un esprit international dans l'Espagne du XVIII*[e] *siècle. José Cadalso (1741-1782)*. (En CEA, 1936, pp. 223-240.)

738
LOPE, H. J.: *Die «Cartas marruecas» von José Cadalso. Eine untersuchung zur Spanischen Literatur des XVIII Jahrhunderts.* Frankfurt am Main, 1973, 354 pp. («Anales Romanica», 35.)

739
LUNARDI, E.: *La crisi del Settecento: J. Cadalso.* Genova, Romano Editrice Moderna, 1948, 290 pp.

740
MARAVALL, J. A.: *El pensamiento político de Cadalso.* (En MMJS, II, 1966, pp. 81-96.)

741
MARENDUZZO, E.: *J. Cadalso e le «Cartas marruecas». Specchio della vita spagnuola del XVIII secolo.* Napoli, A. Panaro, 1934, 47 pp.

742
MARICHAL, J.: *Cadalso: el estilo de un «hombre de bien».* (En PSA, IV, 1957, pp. 285-296. Rep. en *La voluntad de estilo.* Barcelona, 1957, pp. 185-197.)

743
MARTÍNEZ RUIZ, J. [AZORÍN]: *Cadalso.* (En *Lecturas españolas.* Madrid, 1912, pp. 73-79.)

744
MATUS, E.: *Una interpretación de las «Cartas marruecas» de Cadalso.* (En EFil, núm. 3, 1967, pp. 67-91.)

745
MUDRY, M.: *Cadalso et la France.* Paris, Fac. des Lettres, 1957, 149 pp. (Memoria para el Diploma de Estudios Superiores. Hay ejemplar mecanografiado en el Inst. d'Etudes Hispaniques, de Paris.)

746
MULERT, W.: *Die stellung der «Marokanischen Briefe» innerhalb der Aufklärungsliteratur. Beitrag zum verständnis der Schrften J. Cadalso.* Halle, Niemeyer, 1937, 31 pp.

747
PALOMO, M. P.: *El descenso de Cadalso a los infiernos.* (En Proh, III, 1972, pp. 29-43.)

748
RAIMONDI, M.: *Cadalso e Rousseau.* (En ACME, XX, 1967, pp. 97-115.)

749
RAMÍREZ ARAUJO, A.: *El cervantismo de Cadalso.* (En RR, núm. 43, 1952, pp. 256-265.)

750
READING, K.: *A Study of the Influence of Oliver Goldsmith's «Citizen of the World» upon the «Cartas marruecas» of José Cadalso.* (En HR, II, 1934, pp. 226-234.)

751
RICARD, R.: *A propos d'une nouvelle édition des «Cartas marruecas» de Cadalso.* (En BHi, 1936, pp. 540-541.)

752
SAINT-LU, A.: *Cadalso et Santiago. Notes à la «Carta marrueca» LXXXVII.* (En MMJS, II, 1966, pp. 313-324.)

753
SANTELICES, L.: *«Noches lúgubres» y «Ocios de mi juventud» por José Cadalso. Elementos románticos en ambas obras.* (En AUCh, núm. 14, 1934, pp. 167-183.)

754
SEBOLD, R. P.: *Colonel don José Cadalso.* New York, Twayne Pub., 1971, 187 pp.

755
SEBOLD, R. P.: *¿Qué día murió Cadalso?* (En HR, XL, 1972, pp. 212-215.)

756
SEBOLD, R. P.: *Cadalso: el primer romántico «europeo» de España.* Madrid, Ed. Gredos [1974], 294 pp.

757
TAMAYO Y RUBIO, J.: *«Cartas marruecas» del coronel Don Joseph Cadalso. Estudio crítico.* Granada, 1927, 77 pp.

758
TAMAYO, J. A.: *El problema de las «Noches lúgubres».* (En RevBN, IV, 1953, pp. 325-370.)

759
TUCKER, D. W.: *The Patriotic Role of José Cadalso in Eighteenth-Century Spain.* North Carolina, 1961. (En DA, XXII, 3210.)

760
WARDROPPER, B. W.: *Cadalso's «Noches lúgubres» and Literary Tradition.* (En SPh, XLIX, 1952, pp. 619-630.)

761
XIMÉNEZ DE SANDOVAL, F.: *Quince cartas inéditas del coronel Cadalso.* (En Hispa, núm. 10, 1960, pp. 21-45.)

762
XIMÉNEZ DE SANDOVAL, F.: *Cadalso: vida y muerte de un poeta soldado.* Madrid, Ed. Nacional, 1967, 383 pp.

Ver, además, núm. 178.

José de CAÑIZARES
(1676-1750)

Dramaturgo madrileño, que prolonga en el teatro la manera de hacer calderoniana y el barroquismo escénico. Adaptó bastantes comedias del siglo anterior, pero también supo hacer gala de originalidad en aspectos importantes para la dramaturgia dieciochesca. Entre las comedias de santos sobresale *A cual mejor, confesada y confesor;* entre las históricas, *Carlos V sobre Túnez* y *Las cuentas del Gran Capitán;* entre las de magia, *El anillo de Giges.* Escenificó temas novelescos de Cervantes como *La más ilustre fregona* y *Pedro de Urdemalas.* Hizo alarde de ingenio en las llamadas «comedias de figurón», como *El dómine Lucas* y *El honor da entendimiento o el más bobo sabe más.* El mundo cortesano, que conocía bien, aparece vivamente reflejado en *El picarillo en España,* una de las obras que más ha resistido el paso del tiempo. También escribió zarzuelas y adaptó a nuestro teatro la *Ifigenia* de Racine y *Temístocles,* de Metastasio. Sin embargo, sus grandes éxitos populares fueron *Marta la Romarantina* (de modelo francés), *Juana la Rabicortona* y *El falso nuncio de Portugal,* típicos ejemplos de un teatro fantástico, con tramoya complicadísima, tan del gusto de la época. No hay edición moderna de sus obras.

ESTUDIOS

763
DÍAZ-REGAÑÓN, J.: *Una parodia española de «Ifigenia en Aulide».* (En Arg, VIII, 1957, pp. 297-305.)

764
EBERSOLE, A. V.: *José de Cañizares y una fiesta real de 1724.* (En RNo, núm. 15, 1973, pp. 90-95.)

765
EBERSOLE, A. V.: *José de Cañizares, dramaturgo olvidado del siglo XVIII.* Madrid, Ed. Insula, 1975, 204 pp.

766
GLASER, E.: *Dos comedias españolas sobre el falso nuncio de Portugal.* (En *Estudios hispano-portugueses.* Valencia, Ed. Castalia, 1957, pp. 221-265.)

767
HARTZENBUSCH, J. E.: *Racine y Cañizares.* (En Ilu, VIII, 1856, pp. 46-47, 62-63 y 66-68.)

768
LISTA, A.: *José Cañizares.* (En sus *Ensayos literarios y críticos.* Sevilla, II, 1844, pp. 211-218.)

769
MACHADO, M.: *«La niña de plata» de Lope, refundida por Cañizares.* (En RBAM, I, 1924, pp. 36-45.)

770
TRIFILO, S. S.: *Influencias calderonianas en el drama de Zamora y de Cañizares.* (En Hispa, IV, 1961, pp. 39-46.)

Antonio de CAPMANY
(1742-1813)

Este ilustre historiador y filólogo nació en Barcelona, pero pasó gran parte de su vida en Madrid, después de abandonar la carrera militar. Fue secretario perpetuo de la Academia de la Historia. Al producirse la invasión francesa se refugió en Andalucía, dedicando sus últimos años a la política. Falleció en Cádiz cuando intervenía como diputado en las Cortes constituyentes. Como historiador, han sido justamente elogiadas sus *Memorias históricas sobre la marina, comercio y artes de la antigua ciudad de Barcelona* (1779) y su edición del *Libro del Consulado del Mar* (1791) que ha sido reeditado por J. M. Font Rius (Barcelona, Ed. Teide, 1965). Defendió a los gremios en su *Discurso en defensa del trabajo mecánico de los menestrales* (1778) que publicó bajo el seudónimo de «Ramón Miguel Palacio». Hay edición moderna por L. Sánchez Agesta (Granada, 1949). Como filólogo, escribió la *Filosofía de la elocuencia* (1777) y editó el *Teatro histórico crítico de la elocuencia castellana* (1786), antología de los mejores escritores de nuestra historia literaria, estimada como la obra más importante de la filología nacional en el siglo XVIII. Su talante de escritor «ilustrado» en los años de juventud queda patente en el *Comentario sobre el Dr. Festivo y maestro de los eruditos a la violeta,* firmado con el seudónimo de «Pedro Fernández», que ha sido publicado hace unos años por J. Marías en *La España posible en tiempo de Carlos III* (Madrid, Sociedad de Estudios y Publicaciones, 1963). Suyos son también un *Arte de traducir el idioma francés al castellano* (1776) y un *Diccionario francés-español* (1801). Radicalizado en su postura política, dio a luz su *Centinela contra franceses* (1808), las dos *Cartas de un buen patriota* (1811) y un *Manifiesto* contra Quintana (1811).

ESTUDIOS

771
ALVAREZ JUNCO, J.: *Capmany y su informe sobre la necesidad de una Constitución.* (En CHa, núm. 210, 1967, pp. 520-553.)

772
BAQUERO GOYANES, M.: *Prerromanticismo y retórica: Antonio de Capmany.* (En StF-HDA, I, 1960, pp. 171-190.)

773
FORTEZA VALENTÍN, G.: *Juicio crítico de las obras de don Antonio de Capmany y Montpalau.* Barcelona, 1857, 82 pp.

774
GENOVÉS, V.: *Una edición erudita del siglo XVIII. Cartas de Capmany relativas a sus «Memorias históricas».* (En CE, I, 1940, pp. 283-288.)

775
GIRALT I RAVENTÓS, E.: *Ideari d'Antoni de Capmany.* Barcelona, Ediciones 62, 1965, 85 pp.

776
GLENDINNING, O. N. V.: *A Note on the authorship of the «Comentario sobre el Doctor festivo y maestro de los eruditos a la violeta, para desengaño de los españoles que leen poco y malo».* (En BHS, XLIII, 1966, pp. 276-283.)

776 bis
MILA Y FONTANALS, M.: *Capmany.* (En sus *Obras completas,* IV, 1892, pp. 288-302.)

777
MONTOLIU, M.: *Homenaje a Capmany en el II centenario de su nacimiento.* Conferencia. Barcelona, 1945, 44 pp.

778
SIMÓN DÍAZ, J.: *Capmany y el patriotismo.* (En *Aportación documental para la erudición española.* Primera serie. Madrid, 1947, pp. 6-7.)

779
SIMÓN DÍAZ, J.: *Correspondencia de Capmany con Floridablanca y Llaguno.* (En su *Aportación documental para la erudición española.* Segunda serie. Madrid, 1947, pp. 8-13.)

780
VALLS Y BONET, P.: *[Biografía de Capmany].* (En *Reseña de la función cívico-religiosa celebrada en Barcelona el 15 de julio de 1857 para la traslación de las cenizas de don Antonio Capmany.* Barcelona, 1857, 130 pp.)

781
VILAR, P.: *L'obra de Capmany, model de mètode històric.* (En BCEC, 1933, vol. 43, 146 pp.)

782
VILAR, P.: *Antonio de Capmany. Des lumières et des ombres.* (En ANCHF, 1973, pp. 174-195.)

783
VILAR, P.: *Capmany i el naixement del mètode.* (En *Assaigs sobre la Catalunya del segle XVIII.* Barcelona, 1973, pp. 83-90.)

Ver, además, núms. 735, 1902.

Manuel CASAL
(1751-1837)

Madrileño, se doctoró en medicina en la Universidad de Valencia (1775). Ejerció su profesión en la corte, ostentando el cargo de decano de la Médico-quirúrgica matritense. Es uno de los menos conocidos médicos escritores, en que tan pródiga ha sido la literatura española. Desde 1786 fue asiduo colaborador del «Correo de Madrid» y del «Memorial literario», con el seudónimo de «Lucas Alemán y Aguado», que usaría ya hasta su muerte. Su genio satírico y festivo le hizo prontamente popular, al intervenir con desenfado y peculiar gracejo en las rencillas periodísticas de la época. La invasión francesa y posteriores sucesos políticos le dieron ocasión de cultivar su facilidad para la sátira poética, en pliegos de cordel de la más variada temática, aunque centrada principalmente en la literatura y el periodismo. Escribió también sainetes y piezas jocosas de teatro, como *Amante noble y villano, El bosque del Pardo, El nuevo mundo en la luna, La confusión de un mesón, Los franceses en Getafe, Los ciegos burlados* y otras, en su mayoría inéditas. Con respecto a su profesión médica, tradujo en verso los *Aforismos* de Hipócrates (1818) y publicó un *Prontuario médico-práctico* (1828).

ESTUDIOS

784
AGUILAR PIÑAL, F.: *Noticia del «Indice de comedias» de Manuel Casal y Aguado.* (En CBib, núm. 28, 1972, pp. 153-163.)

785
DUVIOLS, J. P.: *Lucas Alemán y Aguado.* Paris, Fac. des Lettres, 1958, 65 pp. (Memoria para el Diploma de Estudios Superiores. Hay ejemplar mecanografiado en el Inst. d'Etudes Hispaniques de Paris.)

Francisco de CASTRO
(?-1740)

Entremesista madrileño, hijo del comediante Matías de Castro y actor él mismo durante el reinado de Felipe V, con propia compañía, para la que escribiera, con toda seguridad, sus piezas jocosas, publicadas en tres tomos (1702) y reeditadas durante casi todo el siglo. Citaremos los entremeses más conocidos: *La burla de la sortija, El vejete enamorado, Lo que son las mujeres, La casa de posadas, Los médicos a la moda.* Son suyas también unas *Poesías varias* (1710) y el *Cómico festejo* (1742) edición póstuma de entremeses. No hay edición moderna ni estudio crítico de su obra.

Francisco CERDÁ Y RICO
(1739-1800)

Bibliófilo y erudito, nacido en Castalla (Alicante), amigo y discípulo de Gregorio Mayans, que le facilitó el acceso a la corte, después de haberse graduado de bachiller en Derecho en la Universidad de Valencia. Trabajó en la Biblioteca Real hasta que en 1783 obtuvo un puesto en la Cámara de Indias. Dedicó toda su vida a la edición de textos antiguos: las *Memorias históricas del Rey D. Alonso el sabio* (1777), las obras latinas de Ginés de Sepúlveda (1780), la *Crónica de Alfonso Onceno* (1787), las obras de Cervantes de Salazar, la *Mosquea* de Villaviciosa, la *Diana enamorada* de Gil Polo, las *Tablas poéticas* y las *Cartas filológicas* de Cascales, las *Coplas* de Jorge Manrique y los veintiún volúmenes con las obras dramáticas de Lope de Vega, editados por Sancha. Tiene singular importancia el apéndice tercero que puso a la *Retórica* de Vosio (1781) en el que resume, por vez primera, nuestra historia literaria, con datos biográficos y bibliográficos de cada autor. Su correspondencia con Mayans apareció en la RABM entre 1905 y 1906.

ESTUDIOS

786
GONZÁLEZ PALENCIA, A.: *Don Francisco Cerdá y Rico. Su vida y sus obras.* (En BRAE, XV, 1928, pp. 94-129, 232-277, 315-346 y 473-489. Rep. en *Eruditos y libreros del siglo XVIII.* Madrid, 1948, pp. 2-167.)

787
GONZÁLEZ PALENCIA, A.: *Correspondencia entre Cerdá y Rico y don Fernando José Velasco.* (En BRAH, CXXIV, 1949, pp. 157-200 y 343-388.)

788
LÓPEZ DE TORO, J.: *Cerdá y Rico en la picota.* (En BRAH, CXLIX, 1961, pp. 137-149.)

Diego Antonio CERNADAS Y CASTRO
(?-1777)

Sacerdote. Natural de Santiago de Compostela. Fue desde los 28 años celoso y caritativo cura párroco de Fruime, una de las más pobres aldeas de la región, cargo en el que permaneció hasta su muerte. Escribió gran número de romances populares de carácter religioso o satírico, casi siempre relacionado con su entorno gallego. Su obra más voluminosa es la titulada *Vindicias históricas por el honor de Galicia* (1760). A su muerte fueron publicados todos sus escritos en Madrid, con un total de siete tomos: *Obras en prosa y verso del cura de Fruime* (1778-1781). Muy representativo de la musa popular de su época, es hoy autor totalmente olvidado.

Ver, además, núm. 1388.

José CLAVIJO Y FAJARDO
(1730-1806)

Escritor canario, educado en Francia. Al volver a España fue protegido por el conde de Aranda, que le encargó de la dirección de los teatros de Madrid. Fue secretario del Gabinete de Historia Natural y redactor del «Mercurio» en la Secretaría de Estado. Fundó y dirigió el periódico titulado «El Pensador» (1762), que le sirvió para atacar al teatro barroco y a las costumbres sociales de la época, como la hipocresía religiosa, los cortejos, la vida ociosa, las tertulias, la instrucción de las damas, etc. Tradujo en veintiún tomos la *Historia natural* de

Buffon (1785-1805), la *Andrómaca* de Racine y los *Sermones* de Massillon (1769-1773). Es uno de los principales representantes del ensayismo periodístico del siglo XVIII, al servicio de la Ilustración y de las ideas neoclásicas.

ESTUDIOS

789
ANTEQUERA, J. A.: *Clavijo: su biografía apresurada.* (En EL, núm. 304, 1964, pp. 11-12.)

790
DORESTE, V.: *Estudio sobre Clavijo y Fajardo.* (En AEAtl, núm. 12, 1966, pp. 201-219.)

791
DORESTE, V.: *José Clavijo y Fajardo.* (En ECan, 1968, pp. 82-84.)

792
ESPINOSA, A.: *Don José Clavijo y Fajardo.* Las Palmas, Cabildo Insular, 1970, 154 pp.

793
FILLOL, D.: *Clavijo et son oeuvre.* Paris, Fac. des Lettres, 1956, 219 pp. (Memoria para el Diploma de Estudios Superiores. Hay ejemplar mecanografiado en el Inst. d'Etudes Hispaniques de Paris.)

794
PETERSEN, H.: *Notes on the influence of Addison's «Spectator» and Marivaux's «Spectateur français» upon «El Pensador».* (En HR, IV, 1936, pp. 256-263.)

795
RIVERA, G.: *Beaumarchais y Clavijo.* (En HispCal, XX, 1937, pp. 133-138.)

Luciano Francisco COMELLA
(1751-1812)

Es uno de los más prolíficos autores dramáticos de nuestro siglo XVIII. Su teatro va desde el sainete al drama histórico, con una gran variedad y diversidad de fuentes. Nació en Vich, aunque vivió y murió en Madrid, siempre acosado por problemas económicos. Moratín se ensañó con él, orientando negativamente la crítica posterior. Sin embargo, se impone una reconsideración del lugar que le corresponde en nuestra historia dramática, como representante de un tipo de teatro influido tanto por el gusto barroquizante del público como por las nuevas ideas ilustradas. Se conservan de él más de doscientas obras manuscritas y otras tantas impresas, entre las que es obligado destacar: tragedias *(Ino y Temisto, El tirano Gesler, Doña Inés de Castro)*, dramas *(El buen hijo, La Cecilia, Los falsos hombres de bien, El hombre singular)*, zarzuelas *(El matrimonio secreto, Hércules y Deyanira)*, comedias *(El ayo de su hijo, La dama sutil, El pueblo feliz)* y sainetes *(El alcalde proyectista, Las pelucas de las damas)*.

ESTUDIOS

796
CABAÑAS, P.: *Comella visto por Galdós.* (En RLit, núms. 57-58, 1966, pp. 91-99.)

797
CAMBRONERO, C.: *Comella.* (En RCo, núm. 102, 1896, pp. 567-582; núm. 103, 1896, pp. 41-58, 187-199, 308-319, 380-390, 479-491 y 637-644; núm. 104, 1896, pp. 49-60, 206-211, 288-296, 398-405 y 497-509.)

798
MCCLELLAND, I. L.: *Comellan drama and the censor.* (En BHS, XXX, 1953, pp. 20-31.)

799
SIMÓN DÍAZ, J.: *Documentos sobre Comella.* (En RevBN, V, 1944, pp. 467-470.)

800
SUBIRÁ, J.: *Músicos al servicio de Calderón y de Comella.* (En AMu, XXII, 1967, pp. 197-208.)

801
SUBIRÁ, J.: *Un vate filarmónico: Don Luciano Comella.* Discurso. Madrid, Academia de Bellas Artes de S. Fernando, 1953, 62 pp.

José CONCHA

Actor catalán, poco favorecido por la fortuna. Actuó en Cádiz durante ocho años, en la década de los ochenta. Sin embargo, fue mejor autor que actor, escribiendo medio centenar de comedias, entre las que se deben mencionar: *El criado de dos amos, La inocencia triunfante* y

Astucias del enemigo contra la naturaleza. Comedia suya de figurón es *Más sabe el loco en su casa que el cuerdo en la ajena.* Cultivó el drama histórico en *El más heroico español, La restauración de España* y otras obras de tema medieval. En honor de su patria chica compuso la comedia heroica *Premia el cielo con amor de Cataluña el valor y glorias de Barcelona.* En la sección de manuscritos de la Biblioteca Nacional de Madrid se conservan suyas una traducción de Goldoni y varios sainetes. Es autor olvidado, que no se menciona en las historias de nuestra literatura.

José Antonio CONDE
(1766-1820)

Notable filólogo, nacido en La Peraleja (Cuenca). Perteneció al claustro de la Universidad de Alcalá, en cuyo colegio de los «Verdes» vivió como colegial desde 1788 hasta doctorarse en ambos derechos e ingresar como abogado en los Reales Consejos (1792). Fue bibliotecario de El Escorial y de la Biblioteca Real (1795) y miembro activo de las Academias Española y de la Historia. Sabía latín, griego, hebreo y árabe, lenguas de las que tradujo importantes obras al castellano, siendo la más notable la *Descripción de España,* del Nubiense (1799). El mismo año de su muerte, después de haber sufrido destierro por afrancesado, vio la luz su *Historia de la dominación de los árabes en España* (1820), en la que venía trabajando desde hacía más de un cuarto de siglo. Bajo el seudónimo de «El cura de Montuenga» sostuvo una polémica literaria con Juan Bautista Erro sobre el vascuence.

ESTUDIOS

802
BARRAU-DIHIGO, L.: *Quatre lettres de Josef Antonio Conde à Silvestre de Sacy.* (En RHi, XVIII, 1908, pp. 258-278.)

803
MANZANARES DE CIRRE, M.: *Gloria y descrédito de D. José A. Conde.* (En AEM, núm. 6, 1969, pp. 553-563.)

804
ROCA, P.: *Vida y escritos de D. José A. Conde.* (En RABM, VII, 1903, pp. 378-392 y 458-469; IX, pp. 279-291 y 338-354; X, 1904, pp. 27-42; 1905, pp. 139-148.)

Ramón de la CRUZ
(1731-1794)

Modesto funcionario de la contaduría de penas de Cámara, nacido en Madrid, gozó de la amistad del duque de Alba y de la condesa de Benavente, en cuyo palacio vivió y murió. Comenzó su carrera literaria en el ambiente neoclásico propiciado por el conde de Aranda, con traducciones de tragedias francesas, como el *Bayaceto* de Racine, *La Escocesa* de Voltaire, *Eugenia* de Beaumarchais y de otras obras italianas, como *Sesostris* de Zeno, en los secretos de la escena, inició una etapa original componiendo zarzuelas de tema español popular, como *Las segadoras de Vallecas, La mesonerilla, Las labradoras de Murcia.* Pero sus grandes éxitos estarían vinculados al ambiente de la corte, con las piezas musicales *En casa de nadie no se meta nadie* y *Las foncarraleras.* La aceptación del público le hizo, al fin, desertar de sus poco arraigadas convicciones neoclásicas y se decidió por el sainete, género en el que llegó a ser maestro indiscutible. Supo reflejar como ninguno el madrileñismo popular en obras como *La pradera de San Isidro, El Prado por la noche, El rastro por la mañana, Las castañeras picadas, El fandango del candil, Las majas vengativas, Las tertulias de Madrid* y tantas otras piezas. Aunque se le atribuyen unos cuatrocientos sainetes, los publicados no llegan a la mitad. También parodió algunas obras neoclásicas en *Inesilla la de Pinto, Manolo,* etc. Antes de morir pudo ver publicada una colección de sus piezas teatrales (1786-1791). En el siglo pasado, Agustín Durán amplió la selección hasta 120 obras (1843) y A. de Latour tradujo algunas al francés (1865). Después, Roque Barcia escribió su biografía, como preliminar a una edición de *Teatro selecto* (1882). Más tarde, el Ayuntamiento de Madrid publicó varios sainetes inéditos (1900), ejemplo que siguió E. Cotarelo y Mori en la «Nueva Biblioteca de Autores Españoles» (1915-1928). Lo propio ha hecho C. E. Kany en la «Revue Hispanique» (1924 y 1929) y en la Universidad de California (1925) y L. de Filippo en Madrid (Escuela Superior de Arte Dramático, 1955). Hay ediciones modernas de sainetes escogidos en «Clásicos Ebro» (1941) por J. M. Castro y Calvo; en la colección «Crisol» de Ed. Aguilar (1944; 2.ª ed. 1958); en la Ed. Libra (1971); en la Ed. Alfil (1960), y en la Ed. Labor, por J. F. Gatti (1972).

ESTUDIOS

805
BERTAUX, A.: *A propos de Ramón de la Cruz.* (En BHi, XXXVIII, 1936, pp. 166-172.)

806
CIROT, G.: *Une des imitations de Molière par Ramón de la Cruz.* (En RLC, III, 1932, pp. 422-426.)

807
CONDE, C.: *Mujeres imaginadas y reales.* (En RNC, núm. 120, 1957, pp. 96-104.)

808
COTARELO Y MORI, E.: *Don Ramón de la Cruz y sus obras. Ensayo biográfico y bibliográfico.* Madrid, 1899, 612 pp.

809
COURGEY, P.: *Réflexions sur le «Manolo» de Ramón de la Cruz et la «Farsa y licencia de la Reina castiza» de Ramón del Valle Inclán.* (En MMJS, I, 1966, pp. 281-289.)

810
DUFOUR, G.: *Juan de Zabaleta et Ramón de la Cruz: du «galán» au «petimetre».* (En LNL, núm. 212, 1974, pp. 81-89.)

811
FILIPPO, L. DI: *La sátira del «bel canto» en el sainete inédito de D. Ramón de la Cruz: «El italiano fingido».* (En EE, núm. 10, 1964, pp. 47-101.)

812
FERNÁNDEZ SHAW, C.: *El sainete y D. Ramón de la Cruz.* (En Ep, 27 de marzo de 1895.)

813
GARCÍA DE LA FUENTE, A.: *Los sainetes de D. Ramón de la Cruz.* (En RyC, XIV, 1931, pp. 69-87.)

814
GATTI, J. F.: *Un sainete de Ramón de la Cruz y una comedia de Marivaux.* (En RFH, III, 1941, pp. 374-378.)

815
GATTI, J. F.: *La fuente de «Inesilla la de Pinto».* (En RFH, V, 1943, pp. 368-373.)

816
GATTI, J. F.: *Las fuentes literarias de dos sainetes de don Ramón de la Cruz.* (En Fil, I, 1949, pp. 59-67.)

817
GATTI, J. F.: *«Le triomphe de Plutus» de Marivaux y «El triunfo del interés» de Ramón de la Cruz.* (En Fil, XIV, 1970, pp. 171-180.)

818
GATTI, J. F.: *Sobre las fuentes de los sainetes de Ramón de la Cruz.* (En StLa, I, 1972, pp. 243-250.)

819
GIMÉNEZ DE AGUILAR, J.: *Cuenca en el centenario de D. Ramón de la Cruz Cano y Olmedilla. Los Canos de Gascueña.* (En VCu, 7 de abril de 1931.)

820
GONZÁLEZ RUIZ, N.: *El Madrid del siglo XVIII. Don Ramón de la Cruz y sus enemigos.* (En VM, III, núm. 12, pp. 9-13.)

821
GUTIÉRREZ ABASCAL, R.: *Don Ramón de la Cruz.* (En CE, 30 de marzo de 1895.)

822
HAMILTON, A.: *Ramón de la Cruz, social reformer.* (En RR, XII, 1921, pp. 168-180.)

823
HAMILTON, A.: *Ramón de la Cruz Debt to Molière.* (En HispCal, IV, 1921, pp. 101-113.)

824
HAMILTON, A.: *A Study of Sapnish Manners, 1750-1800, from the Plays of Ramón de la Cruz.* (En UISLL, XI, 1926, pp. 363-426.)

825
HAMILTON, A.: *Two Spanish imitations of Maître Patelin.* (En RR, XXX, 1939, pp. 340-344.)

826
IACUZZI, A.: *The naïve theme in «The Tempest» as a link between Thomas Shadwell and Ramón de la Cruz.* (En MLN, LII, 1937, pp. 252-256.)

827
JAGOT-LACHAUME, M.: *La peinture de la vie madrilène dans Ramón de la Cruz.* Paris, Fac. des Lettres, 1962, 128 pp. (Memoria para el Diploma de Estudios Superiores. Hay ejemplar mecanografiado en el Inst. d'Etudes Hispaniques de Paris.)

828
MEREGALLI, F.: *Goldoni e Ramón de la Cruz.* (En StG, 1959, pp. 795-800.)

829
Moreno, E. E.: *Influencia de los sainetes de don Ramón de la Cruz en las primeras obras de Benito Pérez Galdós,* 1966. (En DA, XXVIII, 2215-A.)

830
Nozick, M.: *A source of Don Ramón de la Cruz.* (En MLN, LXIII, 1948, pp. 244-248.)

831
Ortiz de Pineda, A.: *Don Ramón de la Cruz* (En IEA, 1879, pp. 162-202 y 219-220.)

832
Palau Casamitjana, F.: *Ramón de la Cruz und der franzosische Kultureinfluss im Spanien des XVIII Jahrhunderts.* Bonn, 1935, 159 pp.

833
Pérez Galdós, B.: *Don Ramón de la Cruz y su época.* (En RE, núm. 69, 1871. Rep. en *Memoranda.* Madrid, 1906, pp. 141-225.)

834
Pérez y González, F.: *Cuatro sainetes «anónimos» de don Ramón de la Cruz.* (En IEA, 1907, pp. 182, 191, 219 y 315.)

835
Sala, J. M.: *Ramón de la Cruz entre dos fuegos: literatura y público.* (En CHa, núms. 277-278, 1973, pp. 350-360.)

836
Serrano, E.: *El Madrid musical de don Ramón de la Cruz.* (En VM, núm. 38, 1973, pp. 24-28.)

837
Simón Díaz, J.: *Censura anónima de «El Manolo».* (En RevBN, V, 1944, p. 470.)

838
Simón Díaz, J.: *Don Ramón de la Cruz y las ediciones fraudulentas.* (En BH, IV, 1946, pp. 712-722.)

839
Valera, J.: *Don Ramón de la Cruz.* (En *Crítica literaria.* Tomo XXX de sus *Obras completas,* 1912, pp. 73-82.)

840
Vega, J.: *Don Ramón de la Cruz, el poeta de Madrid.* Madrid, 1945, 171 pp.

Fray DIEGO JOSE DE CADIZ
(1743-1801)

Capuchino gaditano, prototipo del orador sagrado, celoso defensor de las esencias doctrinales y ascéticas del catolicismo contrarreformista español. Fue misionero incansable por las tierras de España, principalmente Andalucía, clamando, crucifijo en alto, contra las comedias, la corrupción de costumbres y las nuevas ideas filosóficas. Sus sermones y obras piadosas se reimprimían sin cesar, en un éxito editorial sin precedentes. Profetizando terribles castigos divinos a los «ilustrados», consumió los treinta años de su carrera apostólica, en los que residió con frecuencia en los conventos de Sevilla y Ronda. Su primer impreso conocido se titula *Afectos de un pecador arrepentido* (1776). Entre sus obras de devoción, aparte numerosas novenas, hay que destacar: *Diálogo entre Jesucristo y un alma religiosa* (1783), *Aljaba mística* (1791), *Idea de un caballero cristiano* (1794) y, sobre todo, *El soldado católico en guerra de religión* (1794), que cuenta con numerosas reediciones. Sin embargo, lo que más abunda en su bibliografía son sermones fúnebres y panegíricos. Sus escritos fueron recopilados en cinco volúmenes. (1796-1799) y han seguido reeditándose casi hasta nuestros días. Fue beatificado en 1894. Lo más reciente que se ha vuelto a editar de Fray Diego es *La vida religiosa,* preparada por Fray Serafín de Ausejo (Sevilla, 1949).

ESTUDIOS

841
Alcover Higueras, J. J.: *Historia de la vida interior y exterior del V. P. Fr. Diego José de Cádiz.* Madrid, 1894, 394 pp.

842
Ambrosio de Valencina, Fray: *Romancero del Beato Fr. Diego José de Cádiz.* Sevilla, E. Rasco, 1899, 274 pp.

843
Cayetano de Igualada, Fray: *Vida del Beato P. Fr. Diego José de Cádiz.* Cádiz, 1894, 131 pp.

844
Diego de Valencina, Fray: *Cartas de conciencia que el B. Diego José de Cádiz dirigió a su director espiritual D. Juan José Alcover Higueras.* Sevilla, 1904, 583 pp.

845
Diego de Valencina, Fray: *Cartas del Beato Diego José de Cádiz.* (En RABM, 1906, pp. 57-78, 300-306 y 423-440; 1907, pp. 131-137, 268-288 y 464-470; 1908, pp. 144-165, 291-303 y 482-485.)

846
DIEGO DE VALENCINA, FRAY: *Arsenal de materias predicables. Formado con autógrafos inéditos del B. Diego José de Cádiz.* Sevilla, 1944, 212 pp.

847
DIEGO DE VALENCINA, FRAY: *Cartas íntimas del B. Diego José de Cádiz dirigidas al P. Fray Eusebio de Sevilla, su primer maestro de novicios.* Cádiz, 1943, 194 pp.

848
GUTIÉRREZ ABASCAL, R.: *Fray Diego de Cádiz.* (En CE, 19 de mayo de 1895.)

849
HERNÁNDEZ PARRALES, A.: *Una carta autógrafa del Beato Fray Diego José de Cádiz.* (En AHisp, XXXIII, núms. 103-104, 1960, pp. 437-441.)

850
HERRERO GARCÍA, M.: *Un proceso de impresores y libreros en relación con Fray Diego José de Cádiz.* (En BH, II, 1943, pp. 10-19.)

851
LARRAÑAGA, V.: *El Beato Fr. Diego de Cádiz.* Madrid, Razón y Fe, 1923, 154 pp.

852
LEÓN Y DOMÍNGUEZ, J. M.: *Documentos referentes al V. P. Fray Diego de Cádiz.* (En SF, 4 de diciembre de 1884.)

853
LOISEY, F. D.: *Le bienheureux Diego Joseph de Cadiz, apôtre de l'Espagne au XVIII*[e] *siècle.* Paris, 1902, 320 pp.

854
LUIS ANTONIO DE SEVILLA, FRAY: *Verdadero retrato de un misionero perfecto.* Sevilla, 1862, 646 pp.

855
LLEVANERAS, FRAY JOSÉ DE: *Vida documentada del Beato Diego José de Cádiz, misionero apostólico capuchino.* Roma, 1894, 402 pp.

856
MARTÍNEZ VALVERDE, C.: *El Beato Diego de Cádiz. Su figura y su obra.* Madrid, Escelicer, 1945, 130 pp.

857
Sebastián de Ubrique, Fray: *Estudio sobre la oratoria del Beato Diego José de Cádiz.* (En CollFranc, núm. 7, 1937, pp. 567-688; núm. 8, 1938, pp. 38-69.)

858
Sebastián de Ubrique, Fray: *Vida del Beato Diego José de Cádiz, misionero apostólico capuchino.* Sevilla, 1926, 2 tomos.

859
Serafín de Ausejo, Fray: *Reseña bibliográfica de las obras impresas del Beato Diego José de Cádiz.* Madrid, INLE, 1947, 329 pp.

860
Serafín de Ausejo, Fray: *El derecho de María a la inmortalidad según las obras del Beato Diego José de Cádiz delatadas a la Inquisición.* (En EstFr, núm. 50, 1949, pp. 177-208; núm. 51, pp. 329-342.)

861
Serafín de Hardales, Fray: *El misionero capuchino. Compendio histórico de la vida de V. Siervo de Dios el M.R.P. Fr. Diego José de Cádiz,* Real Isla de León, 1811, 247 pp. (3.ª ed. 1853.)

862
Tarragó Pleyan, J. A.: *Rastros bibliográficos del paso por la ciudad de Cervera del Beato Fray Diego José de Cádiz.* (En Il, III, 1945, 19 pp.)

863
Tarragó Pleyan, J. A.: *Ediciones leridanas del Beato Fray Diego José de Cádiz.* (En Il, I, 1943, pp. 93-110.)

Félix ENCISO CASTRILLON

Madrileño. Estudió en los Reales Estudios de San Isidro y se matriculó de medicina en la Universidad de Alcalá, aunque no se sabe si llegó a terminar sus estudios. Fue, no obstante, catedrático de humanidades en el Real Seminario de Nobles de Vergara. Es autor de algunas poesías de escaso valor y de un libro titulado *Conversaciones de un viaje o entretenimiento sobre varios puntos de historia natural y literatura* (1805). Se le conoce, sin embargo, por sus refundiciones y traducciones teatrales: *El mayor Palmer, El amor por el tejado, El divorcio por amor,* etc. Alusivas a las circunstancias históricas, escribió algunas comedias originales: *Defensa de Valencia y castigo de traidores* (1808), *El sermón sin fruto, o sea, José Botellas en el Ayuntamiento de Logroño* (1810). Entre 1804 y 1808 vieron la luz dos tomos de sus obras, entre ellas *La Dorotea,* basada en Lope de Vega. Tradujo *Los novios* de Manzoni (1833) y publicó, además, unos *Principios de literatura acomodados a la declamación* (1832).

ESTUDIOS

864
MORBY, E. S.: *«La Dorotea» de Enciso Castrillón.* (En HWF, 1971, pp. 547-555.)

Pedro de ESTALA
(1757-?)

Nació en Daimiel (Ciudad Real), fue sacerdote escolapio, bibliotecario y profesor de historia literaria en los Reales Estudios de Madrid, rector del Seminario de Salamanca y canónigo de Toledo. Durante los años que vivió en la corte, su celda fue centro de reunión y tertulia de jóvenes literatos como Forner, Moratín, Melón, Arroyal y otros, que más tarde serían escritores famosos. Desde 1786, oculto bajo el nombre de su barbero, «Ramón Fernández», comenzó una *Colección de poetas castellanos.* Su fama de helenista se cimentó con las traducciones del *Edipo* de Sófocles (1793) —con un estudio preliminar sobre la tragedia— y de *Pluto* de Aristófanes (1794) —con otro sobre la comedia—. Tradujo del francés los 43 volúmenes de la célebre obra de Laporte *El viajero universal* (1796-1801) y el *Compendio de la historia universal* de Buffon (1802). Después de los sucesos revolucionarios, se secularizó y publicó las *Cuatro cartas de un español a un anglómano, en que se manifiesta la perfidia del gobierno de Inglaterra* (1805), reeditadas en 1915. Estala murió en el exilio, en fecha desconocida.

ESTUDIOS

865
DEMERSON, J.: *Acerca de un supuesto madrileño: don Pedro de Estala.* (En AIEM, I, 1966, pp. 309-314.)

866
PÉREZ DE GUZMÁN, J.: *Veintiuna cartas inéditas de D. Pedro Estala dirigidas a D. Juan Pablo Forner, bajo el nombre arcádico de «Damón», para la historia literaria del último tercio del siglo XVIII.* (En BRAH, LVIII, 1911, pp. 5-36.)

867
SIMÓN DÍAZ, J.: *[Solicitud inédita de Estala.]* (En RevBN, V, 1944, pp. 470-471.)

Antonio EXIMENO
(1729-1808)

Jesuita valenciano, primer catedrático de matemáticas en la Academia de Artillería de Segovia. Después de la expulsión, abandonó la Compañía de Jesús y se estableció en Roma, dedicado a la música y a la filosofía. Fue miembro de los «Arcades» romanos, alcanzando pronto gran notoriedad como musicólogo por su obra *Dell'origine della musica* (Roma, 1774) que no fue traducida al castellano hasta veinte años después (1796). Es una de las obras cumbres de la musicografía universal, adelantada de las ideas modernas sobre estética musical. Escribió, entre otras cosas, una *Apología de Miguel de Cervantes* (1806) y una novela, *Don Lazarillo Vizcardi,* no publicada hasta 1872, según el original conservado en la Universidad de Oviedo, por Francisco Asenjo Barbieri.

ESTUDIOS

868
BENEYTO PÉREZ, J.: *Un «antimaquiavelo» perseguido por la Inquisición.* (En REP, XLIII, 1952, pp. 131-140.)

869
OTAÑO, N.: *El P. Antonio Eximeno. Estudio de su personalidad a la luz de nuevos documentos.* Discurso en la R. Academia de San Fernando. Madrid, 1943, 79 pp.

870
PEDRELL, F.: *El P. Antonio Eximeno. Glosario de la gran remoción de ideas que para mejoramiento de la técnica y estética del arte músico ejerció el insigne jesuita valenciano.* Valencia [1920], 204 pp.

871
PÉREZ RUIZ, P. A.: *Antonio Eximeno, insigne músico, matemático y artillero.* Valencia, 1955. Primer premio en los Juegos Florales. (Hay ejemplar mecanografiado en la Academia de Artillería de Segovia.)

872
POLLIN, A. M.: *Don Quijote en las obras del P. Antonio Eximeno.* (En PMLA, LXXIV, 1959, pp. 568-575.)

Fray Benito Gerónimo FEIJOO
(1676-1764)

Monje benedictino, nacido en Casdemiro (Orense). Residió desde los treinta y tres años en Oviedo, de cuya Universidad fue catedrático de teología. La fama de su saber, circunscrita a su Orden y a la región asturiana, cobró vuelo insospechado cuando, recién cumplidos los cincuenta años, publicó el primer tomo de su *Teatro crítico* (1726). El subtítulo de la obra es muy significativo de la intención del escritor: «Discursos varios en todo género de materias para desengaño de errores comunes». La obra completa consta de ocho volúmenes, el último de los cuales apareció en 1739. Siguieron después cinco volúmenes de *Cartas eruditas y curiosas* (1741-1760) y algunos escritos de menor importancia. Para dar una idea del éxito editorial de Feijoo y de la enorme influencia que ejerció en el pensamiento español de la época, baste decir que a la muerte de Carlos III (1788) se habían hecho veinte ediciones del *Teatro* y once de las *Cartas,* con un total de ejemplares cercano al medio millón. Además, ambas obras fueron traducidas, antes de finalizar el siglo, a cinco idiomas europeos. Ni antes ni después, hasta nuestros días, se ha dado el caso de tal difusión social de un escritor de «ensayos». Diez años después de su muerte, J. Santos publicó un *Indice general alfabético* del contenido de las obras feijonianas, y, en 1802, A. Marqués y Espejo un *Diccionario feijoniano.* Hay edición moderna del *Teatro,* comenzada por V. de la Fuente y completada por A. Millares Carlo (BAE, tomos LVI, CXLI, CXLII y CLXIII). Este mismo autor ha editado 22 discursos selectos, en tres volúmenes (Espasa-Calpe, «Clásicos castellanos», pp. 48, 53 y 67) y 23 cartas (íd, 85) con prólogos y notas. Otras antologías han sido publicadas por J. M. Alda Tesán (Ed. Ebro, 1941), y C. Martín Gaite (Alianza Editorial, 1970); de «escritos políticos» por L. Sánchez Agesta (Bib. Esp. de Estudios Políticos, 1947) de «ideas literarias», por J. Vila Selma (Pub. Españolas, 1963). En 1964, con motivo de su centenario, se organizaron exposiciones bibliográficas de Feijoo en Pontevedra y Oviedo. En la Universidad de La Plata se editó un volumen de estudios feijonianos y la Universidad ovetense celebró un simposio que reunió por vez primera a destacados especialistas, con ponencias publicadas posteriormente, por la Cátedra Feijoo de dicha Universidad (col. «Cuadernos», núm. 18). J. E. Areal publicó sus *Poesías inéditas* (Tuy, 1901).

ESTUDIOS

873
ALONSO CORTÉS, N.: *Datos genealógicos del P. Feijoo.* (En BCPO, X, 1932, pp. 417-424. Rep. en *Artículos histórico-literarios.* Valladolid, 1935, pp. 60-70.)

874
ALONSO MONTERO, J.: *Feijoo y Curros Enríquez.* (En CCF, I, núm. 18, 1966, pp. 33-36.)

875
ALVAREZ GENDIN, S.: *Política o arte de gobernar, según Feijoo.* (En CD, núm. 26, 1965, p. 28.)

876
ALVAREZ GENDIN, S.: *Estudio breve de ideas socio-políticas según el P. Feijoo.* (En CCF, núm. 18, 1966, pp. 339-349.)

877
ALVAREZ NAZARIO, M.: *El P. Feijoo y el problema de la lengua.* (En At, III, 1966, pp. 85-91.)

878
ALVAREZ VILLAR, A.: *A Feijoo le gustaban las mujeres.* (En EL, núms. 322-323, 1965, p. 108.)

879
AMOR, C.: *Ideas pedagógicas del P. Feijoo.* Madrid, C.S.I.C., 1950, 366 pp.

880
ANCHORIZ: *Biografía y juicio de las obras que escribió Fr. Benito Jerónimo Feijoo.* Oviedo, 1857.

881
ARDAO, A.: *La filosofía polémica de Feijoo.* Buenos Aires, Ed. Losada, 1962, 128 pp.

882
ARDAO, A.: *Feijoo, fundador de la filosofía de lengua española.* (En *Filosofía de lengua española. Ensayos.* Montevideo, Ed. Alfa, 1963, 178 pp.)

883
ARENAL, C.: *Juicio crítico de las obras de Feijoo.* (En RE, LV, 1877, pp. 110-117, 187-226 y 398-410; LVI, 1878, pp. 348-365; LVII, pp. 174-201.)

884
ARGUMOSA Y VALDÉS, J. A.: *Enfermedad y muerte del P. Feijoo.* (En BIEAm, VII, 1953, pp. 73-81.)

885
ARMESTO, V.: *Dos gallegos: Feijoo y Sarmiento.* La Coruña, Ed. Moret, 1965, 161 pp.

886
AVALLE-ARCE, J. B.: *Los «errores comunes»: Pero Mexía y el P. Feijoo.* (En NRFH, X, 1956, pp. 400-403.)

887
BAHNER, W.: *El vulgo y las luces en la obra de Feijoo.* (En ATCIH, 1970, pp. 89-96.)

888
BAQUERO GOYANES, M.: *Perspectivismo y desengaño en Feijoo.* (En Atl, III, 1965, pp. 473-500. Rep. en *Temas, formas y tonos literarios,* 1972, pp. 63-102.)

889
BATTISTESSA, A.: *Dos centenarios (Feijoo y Unamuno).* (En CI, núm. 1, 1965, pp. 95-128.)

890
BERAULT, M.: *Fontenelle dans l'oeuvre de Feijoo.* Paris, Fac. des Lettres, 1967, 123 pp. (Memoria para el Diploma de Estudios Superiores. Hay ejemplar mecanografiado en el Inst. d'Etudes Hispaniques de Paris.)

891
BROWNING, J.: *Fray Benito Jerónimo de Feijoo and the Sciences in the 18th Century Spain.* (En *Studies in the 18th Century.* Toronto, McMaster, 1971, pp. 353-371.)

892
BUENO MARTÍNEZ, G.: *Sobre el concepto de «ensayo».* (En CCF, I, núm. 18, pp. 89-112.)

893
CABAL, C.: *El ambiente en los tiempos de Feijoo.* (En BIEA, XVIII, núm. 53, 1964, pp. 11-18.)

894
CABRÉ MONSERRAT, D.: *Problemas de la enseñanza en la época de Feijoo.* (En CCF, núm. 18, III, 1966, pp. 487-498.)

895
CANELLA SECADES, F.: *El P. Feijoo en Oviedo.* (En su libro *Estudios asturianos.* Oviedo, 1886, pp. 149-167. Rep. en CCF, III, núm. 18, pp. 663-675.)

896
CARO BAROJA, J.: *Feijoo en su medio cultural, o la crisis de la superstición.* (En CCF, núm. 18, I, pp. 153-186.)

897
CARO BAROJA, J.: *El P. Feijoo y la crisis de la magia y de la astrología en el siglo XVIII.* (En *Vidas mágicas e Inquisición.* Madrid, II, 1967, pp. 304-339.)

898
CARRERAS ARTAU, J.: *La postura antiluliana del P. Feijoo.* (En CCF, núm. 18, II, pp. 277-284.)

899
CARRERAS ARTAU, T.: *Feijoo y las polémicas lulianas en el siglo XVIII.* Santiago de Compostela, 1934.

900
CASAS FERNÁNDEZ, M.: *El P. Feijoo y la justicia.* (En BRAG, XXV, 1951, pp. 191-222.)

901
CASTAGNINO, R. H.: *Fray Benito Feijoo. Estudios reunidos en conmemoración del II centenario de su muerte.* La Plata, Argentina, 1965, 315 pp.

902
CASTAÑÓN, J.: *Tres cartas y un retrato.* (En BIEA, núm. 60, 1967, pp. 177-178.)

903
CASTAÑÓN, J.: *Presencia y defensa del P. Feijoo en el «Diario de los literatos de España».* (En CCF, I, núm. 18, pp. 37-45.)

904
CASTILLO DE LUCAS, A.: *El P. Feijoo. Comentarios a su crítica de las tradiciones populares.* (En Med, núm. 418, 1965, 6 pp.)

905
CASTILLO DE LUCAS, A.: *Crítica a la crítica a los refranes del P. Feijoo.* (En RDTP, XXII, 1966, pp. 97-118.)

906
CASTILLO DE LUCAS, A.: *El P. Feijoo y Madrid.* (En AIEM, II, 1967, pp. 303-321.)

907
CEÑAL, R.: *Feijoo, hombre de la Ilustración.* (En ROcc, II, 1964, pp. 313-334.)

908
CEÑAL, R.: *Fuentes jesuíticas francesas de la erudición filosófica de Feijoo.* (En CCF, núm. 18, II, pp. 285-314.)

909
CERRA, S.: *Las ideas de Feijoo sobre la génesis del hombre.* (En SO, II, 1974, pp. 110-142.)

910
CERRA, S.: *Antropología diferencial de Feijoo: temperamento, sexo, raza.* (En SO, III, 1975, pp. 73-119.)

911
CID RUMBAO, A.: *La verdadera patria del P. Feijoo y otras notas inéditas sobre su apellido y su familia.* (En BMAO, IV, 1948, pp. 3-38.)

912
COBO BARQUERA, J. J.: *El P. Feijoo y las artes del diseño.* (En BBMP, XL, 1964, pp. 167-181.)

913
COLETES BLANCO, A.: *Notas sobre la influencia de Feijoo en Inglaterra: algunas traducciones y menciones.* (En BOCES, XVIII, núm. 3, 1975, pp. 19-53.)

914
COLOMBAS, G. M.: *Feijoo y el lulismo.* (En EstL, VII, 1963, pp. 1-18.)

915
COSSIO, J. M.: *Introducción a la lectura de la obra del P. Feijoo.* (En Esc, núm. 2, 1941, pp. 187-212.)

916
COSSIO, J. M.: *Vuelta a Feijoo.* (En BBMP, XXXIV, 1958, núm. 311-327.)

917
COTARELO VALLEDOR, A.: *A mocedade do Padre Feixoo.* (En No, núm. 81, 1930, p. 172.)

918
CRUSAFONT, M.: *El enciclopedismo ortodoxo del P. Feijoo y las ciencias naturales.* (En BBMP, XL, 1964, pp. 65-97. Rep. en *Ocho ensayos en torno a Feijoo.* Santander, Ateneo, 1965, pp. 73-105.)

919
CRUZ, S.: *Feijoo y Lizardi.* (En CCLC, núm. 88, 1964, pp. 91-93.)

920
CRUZ, S.: *Feijoo en México. Notas de asedio.* (En CCF, I, núm. 18, pp. 47-54.)

921
CHAO ESPINA, E.: *Despedida del año feijoniano. El P. Feijoo en el aspecto de la ictiología.* (En RGM, CLXVIII, 1965, pp. 147-149.)

922
CHAO ESPINA, H.: *Feijoo e Sarmiento encol de baleia.* (En BRAG, XXXI, 1972, pp. 169-182.)

923
DELPY, G.: *Bibliographie des sources françaises de Feijoo.* Paris, Hachette, 1936, 94 pp.

924
DELPY, G.: *L'Espagne et l'esprit européen. L'oeuvre de Feijoo.* Paris, Hachette, 1946, 389 pp.

925
DEVAUX, Y.: *La Philosophie politique de Feijoo.* Paris, Fac. des Lettres, 1963, 128 pp. (Memoria para el Diploma de Estudios Superiores. Hay ejemplar mecanografiado en el Inst. d'Etudes Hispaniques de Paris.)

926
DOMÍNGUEZ FONTENLA, J.: *El apellido Feijoo. Cómo debe escribirse.* (En BCPO, IX, 1932, pp. 424-425.)

927
DOMÍNGUEZ ORTIZ, A.: *Aspectos de la España de Feijoo.* (En Hisp, XXIV, 1964, pp. 552-576.)

928
EGUIAGARAY, F.: *Feijoo y el amanecer del problema de España.* (En AC, núm. 6, 1960, pp. 8-10; núm. 7, pp. 5-9.)

929
EGUIAGARAY, F.: *Feijoo y el descuido de España.* (En REP, núm. 125, 1962, pp. 201-209.)

930
EGUIAGARAY, F.: *El Padre Feijoo y la filosofía de la cultura de su época.* Madrid, Inst. de Estudios Políticos, 1964, 185 pp.

931
EIJÁN, S.: *Ideas literarias del P. Feijoo.* (En BRAG, XXIII, núm. 271, 1943, pp. 269-277.)

932
ELORZA, A.: *La movilidad social en Feijoo.* (En AHES, I, 1968, pp. 637-639.)

933
ENTRAMBASAGUAS, J.: *La valoración de Lope de Vega en Feijoo y su época.* Oviedo, CCF, 1956, 60 pp.

934
ENTRAMBASAGUAS, J.: *Noticia sobre una traducción inglesa de Feijoo.* (En *Miscelánea erudita.* Madrid, 1957, pp. 9-15.)

935
EULOGIO DE LA VIRGEN DEL CARMEN, FRAY: *La espiritualidad del P. Feijoo.* (En Yer, III, 1965, pp. 47-83.)

936
FERNÁNDEZ ALONSO, B.: *Orensanos ilustres.* Orense, 1916, pp. 95-106.

937
FERNÁNDEZ Y GONZÁLEZ, A. R.: *Ideas estéticas y juicios críticos del P. Feijoo en torno a la problemática del teatro del siglo XVIII.* (En BBMP, XL, 1964, pp. 19-35.)

938
FERNÁNDEZ Y GONZÁLEZ, A.: *Personalidad y estilo en Feijoo.* Oviedo, CCF, núm. 17, 1966, 81 pp.

939
FERNÁNDEZ Y GONZÁLEZ, M.: *El Padre Feijoo.* (En Ep, 19 de marzo de 1877.)

940
FERNÁNDEZ Y GONZÁLEZ, M.: *Una expedición a Casdemiro. La casa del P. Feijoo.* (En Ep, 9 de septiembre de 1877.)

941
FILGUEIRA VALVERDE, J.: *El P. Feijoo y los españoles americanos.* Pontevedra, Diputación Provincial, 1971, 22 pp.

942
FLECNIAKOSKA, J. L.: *Feijoo y el «Menagiana» de Gil Menage.* (En CCF, I, núm. 18, 1966, pp. 3-19.)

943
FRAGA TORREJÓN, E.: *Feijoo y la cristalografía.* (En BIEA, XVII, 1952, pp. 405-412.)

944
GALINO, M. A.: *Tres hombres y un problema: Feijoo, Sarmiento y Jovellanos ante la educación moderna.* Madrid, C.S.I.C., 1953, 424 pp.

945
GAMALLO FIERROS, D.: *La poesía de Feijoo.* (En BBMP, XL, 1964, pp. 117-165.)

946
GARCÍA M. COLOMBAS, M. B.: *Feijoo y el lulismo.* (En EstL, VII, 1963, pp. 113-130.)

947
GARCÍA MIÑOR, A.: *La hidalguía en Feijoo.* (En BIEA, núms. 84-85, 1975, pp. 103-113.)

948
GATTI, J. F.: *Referencias a Feijoo en Inglaterra.* (En Fil, I, 1949, pp. 186-189.)

949
GIORDANO, J.: *Feijoo y el género ensayístico.* (En Gri, núm. 30, 1970, pp. 409-417.)

950
GLASCOCK, C. C.: *Feijoo on Liberty in Literary Art.* (En HispCal, XIV, 1931, pp. 265-278.)

951
GLENDINNING, O. N. V.: *El P. Feijoo ante el terremoto de Lisboa.* (En CCF, núm. 18, 1966, pp. 353-365.)

952
GLICK, T.: *El escepticismo en la ideología científica del Dr. Martínez y del P. Feijoo.* (En Asc, XVII, 1965, pp. 255-259.)

953
GÓMEZ, I. M.: *Feijoo y la historia.* (En Yer, VII, 1969, pp. 43-68 y 165-187.)

954
GONZÁLEZ, V.: *El P. Feijoo y su monasterio de Samos.* [Samos. Real Abadía] 1966, 30 pp.

955
GUADALUPE DE LA NOVAL, M. B.: *Cuatro cartas autógrafas del P. Feijoo al P. Martín Sarmiento.* (En Yer, II, 1964, pp. 259-165.)

956
GUILLOU, A.: *Les idées linguistiques de Feijoo.* Paris, Fac. des Lettres, 1966, 130 pp. (Memoria para el Diploma de Estudios Superiores. Hay ejemplar mecanografiado en el Inst. d'Etudes Hispaniques de Paris.)

957
HUESO CHÉRCOLES, R.: *La hora de Feijoo.* (En BIEA, XXIV, 1970, pp. 419-428.)

958
JUNCEDA AVELLO, E.: *El saber ginecológico del P. Feijoo.* Oviedo, Inst. de Estudios Asturianos, 1964, 83 pp.

959
JUNCO, A.: *Feijoo y Marañón.* (En Abs, XXIV, 1960, pp. 233-243.)

960
JUNCO, A.: *Feijoo y la libertad intelectual.* (En Abs, XXIX, 1965, pp. 436-442.)

961
KOHLER, E.: *Der Padre Feijoo und das «no sé qué».* (En RJ, VII, 1955-1956, pp. 272-290.)

962
KRAUSS, W.: *Feijoo, die Satyrn, die Tritonen und die Nereiden.* (En IR, I, 1969, pp. 346-348.)

963
LAPESA, R.: *Sobre el estilo de Feijoo.* (En MMJS, II, 1966, pp. 21-28. Rep. en *De la Edad Media a nuestros días.* Madrid, Ed. Gredos, 1967, pp. 290-299.)

964
LÁZARO CARRETER, F.: *Los orígenes de las lenguas gallega y portuguesa, según Feijoo y sus polemistas.* (En RFE, XXXI, 1947, pp. 140-154.)

965
LÁZARO CARRETER, F.: *Significación cultural de Feijoo.* (En CCF, núm. 5, 1957, pp. 3-36.)

966
LEIRÓS FERNÁNDEZ, S.: *El P. Feijoo. Sus ideas crítico-filosóficas.* Santiago de Compostela, 1935, 96 pp.

967
LIVERMORE, A. L.: *Goya y Feijoo.* (En RIE, XIX, 1961, pp. 199-217. Rep. en CHa, LXXXV, 1971, pp. 17-45.)

968
LÓPEZ MARICHAL, J.: *Feijoo y su papel de desengañador de las Españas.* (En NRFH, V, 1951, pp. 313-323.)

969
LÓPEZ PELÁEZ, A.: *Sarmiento en defensa de Feijoo.* (En RCo, CV, 1897, pp. 225-246.)

970
LÓPEZ PELÁEZ, A.: *Las poesías de Feijoo, sacadas a luz con un prólogo.* Lugo, 1899, 262 pp.

971
LOUMAGNE, B.: *Contenu pédagogique de l'oeuvre de Feijoo.* Paris, Fac. des Lettres, 1954, 125 pp. (Memoria para el Diploma de Estudios Superiores. Hay ejemplar mecanografiado en el Inst. d'Etudes Hispaniques de Paris.)

972
LLINARES, A.: *Un aspect de l'antilullisme au XVIIIe siècle. Las cartas eruditas de Feijoo.* (En MMB, Bordeaux, 1962, pp. 498-506.)

973
MCCLELLAND, I. L.: *Benito Gerónimo Feijoo.* New York, Twayne Pub, 1969, 172 pp.

974
MARAÑÓN, G.: *Las ideas biológicas del P. Feijoo.* Madrid, Espasa-Calpe, 1934, 335 pp. (3.ª ed. 1954.)

975
MARAÑÓN, G.: *Vocación, preparación y ambiente biológico y médico del P. Feijoo.* Discurso. Madrid, Espasa-Calpe, 1934, 94 pp.

976
MARAÑÓN, G.: *Evolución de la gloria de Feijoo.* Oviedo, CCF, núm. 1, 29 pp.

977
MARAÑÓN, G.: *Los amigos del P. Feijoo.* (En *Vida e Historia.* 8.ª ed. Madrid, 1962, pp. 72-93.)

978
MARAVALL, J. A.: *Feijoo, el europeo, desde América.* (En ROcc, II, 1964, pp. 349-354.)

979
MARTÍNEZ LÓPEZ, E.: *Sobre la fortuna del P. Feijoo en el Brasil.* (En CCF, núm. 18, I, 1966, pp. 55-76.)

980
MARTÍNEZ RISCO, M. S.: *Las ideas jurídicas del P. Feijoo.* Orense, Inst. de Estudios Orensanos, 1973, 80 pp.

981
MARTÍNEZ RUIZ, J. [AZORÍN]: *La inteligencia de Feijoo.* (En *Los valores literarios.* Madrid, 1913, pp. 117-122.)

982
MARTÍNEZ RUIZ, J. [AZORÍN]: *Feijoo.* (En *Los clásicos redivivos.* Buenos Aires, Espasa-Calpe, 1950, pp. 74-77.)

983
MARTÍNEZ RUIZ, J.: *Tradición y evolución en las ideas filológicas del P. Feijoo. (El P. Feijoo y la moderna lingüística románica.)* (En CCF, III, núm. 18, 1966, pp. 511-521.)

984
MESTRE SANCHIS, A.: *Correspondencia Feijoo-Mayans en el Colegio del Patriarca.* (En ASV, IV, núm. 8, 1964, pp. 149-186.)

985
MICÓ BUCHÓN, J. L.: *Feijoo y la función crítica. Apuntes para un bicentenario.* (En HuC, V, 1953, pp. 243-259.)

986
MILLARES CARLO, A.: *Feijoo y Mayans.* (En RFE, X, 1923, pp. 57-62.)

987
MILLARES CARLO, A.: *Feijoo en América.* (En CA, III, 1943, pp. 139-160.)

988
MONTERO DÍAZ, S.: *Las ideas estéticas del P. Feijoo.* (En BUSC, IV, 1932, pp. 3-95.)

989
MORAYTA, M.: *El Padre Feijoo y sus obras.* Valencia, Ed. Prometeo [1913], 242 pp.

990
Morros Sardá, J.: *La medicina, los médicos y el P. Feijoo.* (En CCF, núm. 18, 1966, pp. 407-432.)

991
Muñoz Alonso, A.: *La racionalidad crítica de Feijoo.* (En EL, núms. 322-323, 1965, pp. 103-104.)

992
Navarro Adriansens, J. M.: *«Je ne sais quoi»: Bouhours-Feijoo-Montesquieu.* (En RJ, XXI, 1970, pp. 107-115.)

993
Navarro González, A.: *Actitud de Feijoo ante el saber.* (En CCF, núm. 18, 1966, pp. 367-368.)

994
Odriozola, A.: *El magisterio del P. Feijoo en Lérez y Poyo.* (En MPont, XIX, 1965, pp. 135-138.)

995
Otazu, A.: *El P. Feijoo y los jesuitas de Indias. Una carta inédita del P. Feijoo.* (En BRAH, CLXXI, 1974, pp. 577-582.)

996
Otero Núñez, R.: *Iconografía del Padre Feijoo. Esculturas.* (En CCF, núm. 18, III, 1966, pp. 551-559.)

997
Otero Pedrayo, R.: *Lord Bacon y el P. Feijoo. Notas y perspectivas sobre una inalterable amistad.* (En HWS, 1948, pp. 293-304.)

998
Otero Pedrayo, R.: *Notas sobre as simpatias portuguesas do P. M. Feixo.* (En MEJC, núm. 5, 1960, pp. 492-496.)

999
Otero Pedrayo, R.: *Coordenadas históricas de la vida del P. Feijoo.* (En BBMP, XL, 1964, pp. 183-197. Rep. en *Ocho ensayos en torno a Feijoo.* Santander, 1965, pp. 199-213.)

1000
Otero Pedrayo, R.: *Estudios sobre Feijoo.* (En Arb, LX, 1965, pp. 5-48.)

1001
Otero Pedrayo, R.: *El Padre Feijoo. Su vida, doctrinas e influencias.* Orense, Inst. de Estudios Orensanos, 1972, 778 pp.

1002
PAGEAUX, D. H.: *Le bi-centenaire de Feijoo.* (En RLC, XL, 1966, pp. 303-304.)

1003
PALACIO ATARD, V.: *Feijoo y los americanos.* (En EAm, XIII, 1957, pp. 335-349.)

1004
PALACIO ATARD, V.: *La influencia del P. Feijoo en América.* (En CCF, núm. 18, I, 1966, pp. 21-31.)

1005
PARDO BAZÁN, E.: *Examen crítico de las obras del P. M. Feijoo.* (En *De mi tierra.* La Coruña, 1888.)

1006
PELAZ FRANCIA, C.: *Contribución al estudio bibliográfico de Fray Benito Jerónimo Feijoo.* México, 1953.

1007
PÉREZ BUSTAMANTE, C.: *España y sus Indias a través de la obra de Feijoo.* Discurso. Madrid, Ed. Atlas, 1965, 21 pp.

1008
PÉREZ BUSTAMANTE, C.: *La España del P. Feijoo.* (En BBMP, XL, 1964, pp. 5-17.)

1009
PÉREZ RIOJA, J. A.: *Centenario y actualidad de Feijoo.* (En EL, núms. 322-323, 1965, p. 105.)

1010
PÉREZ RIOJA, J. A.: *Proyección y actualidad de Feijoo. Ensayo de interpretación.* Madrid, Inst. de Estudios Políticos, 1965, 354 pp.

1011
PESET, V.: *Feijoo y Mayans.* (En BSHM, V, 1965, pp. 20-29.)

1012
PINTO, M. DI: *La lezione di Feijoo.* (En *Cultura spagnola nel Settecento.* Napoli, 1964, pp. 121-157.)

1013
PRADO VÁZQUEZ, J.: *El mundo clásico en la obra del P. Feijoo.* (En RUM, XIII, 1964, pp. 632-634.)

1014
QUINTANA, M. DE LA: *El P. Feijoo y el toro de San Marcos.* (En FinM, I, 1948, pp. 275-281.)

1015
RANCOEUR, R.: *Feijoo y Francia.* (En Yer, III, 1965, pp. 273-293.)

1016
REDONNET, M. L.: *Feijoo et l'Amérique.* Paris, Fac. des Lettres, 1967, 75 pp. (Memoria para el Diploma de Estudios Superiores. Hay ejemplar mecanografiado en el Inst. d'Etudes Hispaniques de Paris.)

1017
RICARD, R.: *Sur quelques citations latines de Feijoo.* (En BHi, XLVIII, 1946, pp. 269-270.)

1018
RICARD, R.: *Feijoo et l'esprit reformateur dans l'Espagne du XVIIIe siècle.* (En RMed, 1946, pp. 304-310.)

1019
RICARD, R.: *Feijoo et la Chine.* (En LR, VI, 1952, pp. 287-289.)

1020
RICARD, R.: *Un document sur la cloche de Velilla (1564).* (En BHi, LXIV, 1962, pp. 61-64.)

1021
RICARD, R.: *Notes sur la bibliographie de Feijoo.* (En LNL, núm. 175, 1965-1966, pp. 24-26.)

1022
RICARD, R.: *Feijoo y el misterio de la naturaleza animal.* Oviedo, CCF, núm. 23, 1970, 22 pp.

1023
ROCA Y CORNET, J.: *Vida de Feijoo. Biografía eclesiástica completa.* Barcelona, 1847.

1024
ROF CARBALLO, J.: *Medicina crítica y medicina comprensiva en la obra del P. Feijoo.* (En BBMP, XL, 1964, pp. 37-64.)

1025
ROF CARBALLO, J.: *Montesquieu, el P. Feijoo y el Mandarín.* (En CuD, núm. 17, 1965, p. 39.)

1026
Ros García, J.: *El superlativo en la obra del P. Feijoo.* (En AUMur, núm. 1, 1967-1968, pp. 73-84.)

1027
Rossi, G. C.: *Portugal y los portugueses en las páginas del P. Feijoo.* (En MEJC, 1960, pp. 382-393. Trad. y rep. en *Estudios sobre las letras en el siglo XVIII.* Madrid, Ed. Gredos, 1967, pp. 137-158.)

1028
Rossi, G. C.: *España (y Feijoo) en motivos culturales y eruditos portugueses del siglo XVIII.* (En CCF, núm. 18, pp. 389-406. Rep. en *Estudios sobre las letras en el siglo XVIII.* Madrid, Ed. Gredos, 1967, pp. 159-180.)

1029
Rubio García, L.: *Una polémica con el P. Feijoo en Zaragoza.* (En CHJZ, 1960, pp. 299-310.)

1030
Sala Balust, L.: *Los autores espirituales españoles contemporáneos de Feijoo y las violencias diabólicas.* (En Salm, V, 1958, pp. 197-206.)

1031
Salinas, P.: *Feijoo en varios tiempos.* (En ROcc, 1924. Rep. en *Ensayos de literatura hispánica.* Madrid, Ed. Aguilar, 1958, pp. 229-235.)

1032
Samoná, C.: *I concetti di «gusto» e di «no sé qué» nel Padre Feijoo e la poética del Muratori.* (En GSLI, núm. 33, 1964, pp. 1-8.)

1033
San Emeterio y Cobo, M.: *La estética musical del P. Feijoo.* (En BBMP, XL, 1964, pp. 99-116.)

1034
Sánchez Agesta, L.: *Feijoo y el pensamiento español en el siglo XVIII.* (En REP, XII, 1945, pp. 71-127.)

1035
Sánchez Agesta, L.: *Feijoo y la crisis del pensamiento político español.* (En *El pensamiento político del despotismo ilustrado.* Madrid, 1953, pp. 35-84.)

1036
SÁNCHEZ AGESTA, L.: *El «Cotejo de naciones» y la igualdad humana de Feijoo.* (En CCF, núm. 18, I, 1966, pp. 205-218.)

1037
SÁNCHEZ CANTÓN, F. J.: *Ideas de los Padres Feijoo y Sarmiento sobre la organización de los estudios.* Oviedo, CCF, núm. 10, 1961, 34 pp.

1038
SÁNCHEZ DIANA, J. M.: *Feijoo y el mundo oriental asiático. Ideas y juicios históricos.* (En CCF, núm. 18, 1966, pp. 433-440.)

1039
SÁNCHEZ GRANJEL, L.: *Las opiniones médicas del P. Feijoo.* (En CyL, LXX, 1960, pp. 385-394.)

1040
SERRANO CASTILLA, F.: *Menéndez Pelayo y el Padre Feijoo.* Conferencia. Santiago de Compostela, 1965, 43 pp.

1041
SERRANO CASTILLA, F.: *El P. Feijoo, polígrafo, según Menéndez Pelayo.* (En CCF, núm. 18, II, 1966, pp. 441-444.)

1042
SILVA MELERO, V.: *La faceta criminológica en el pensamiento del P. Feijoo.* (En ADP, IX, 1956, pp. 33-41.)

1043
SIMÓN DÍAZ, J.: *Nombramiento de consejero de Castilla del P. Feijoo.* (En RevBN, V, 1944, pp. 471-472.)

1044
SIMÓN DÍAZ, J.: *Una carta inédita del P. Feijoo.* (En CEG, 1948, pp. 150-151.)

1045
STAUBACH, CH. N.: *Feijoo on Cartesianism.* (En PMA, XXIV, 1938, pp. 79-87.)

1046
STAUBACH, CH. N.: *The influence of Bayle on Feijoo.* (En HispCal, XXII, 1939, pp. 79-92.)

1047
STAUBACH, CH. N.: *Fontenelle in the Writings of Feijoo.* (En HR, VIII, 1940, pp. 45-56.)

1048
STAUBACH, CH. N.: *Feijoo and Malebranche.* (En HR, IX, 1941, pp. 287-297.)

1049
TELENTI, A.: *Aspectos médicos en la obra del M. F. Benito Jerónimo Feijoo.* Oviedo, Inst. de Estudios Asturianos, 1969, 395 pp.

1050
TROUSSON, R.: *Feijoo, crítico de la exégesis mitológica.* (En NRFH, XVIII, 1965-1966, pp. 453-461.)

1051
TUDISCO, A.: *América in Feijoo.* (En HispW, XXXIX, 1956, pp. 433-437.)

1052
TUDISCO, A.: *América, vista por Feijoo.* (En CI, núm. 5, 1966, pp. 67-76.)

1053
VALIN, G.: *Feijoo et le Portugal.* Paris, Fac. des Lettres, 1958, 146 pp. (Memoria para el Diploma de Estudios Superiores. Hay ejemplar mecanografiado en el Inst. d'Etudes Hispaniques de Paris.)

1054
VARELA, J. L.: *La «literatura mixta» como antecedente del ensayo feijoniano.* (En CCF, I, núm. 18, pp. 79-88. Rep. en *La palabra y la llama,* pp. 205-220.)

1055
VARELA, J. L.: *El ensayo de Feijoo y la ciencia.* (En HEAG, II, 1967, pp. 495-530. Rep. en *La transfiguración literaria.* Madrid, 1970, pp. 91-146.)

1056
VARELA, J. L.: *Galicia y Feijoo.* (En *La palabra y la llama.* Madrid, Prensa Española, 1967, pp. 199-204.)

1057
VARELA JACOME, B.: *Las preocupaciones literarias del P. Feijoo.* (En CEG, XXIII, 1968, pp. 155-174.)

1058
VÁZQUEZ ACUÑA, I.: *El P. Feijoo y América.* (En Aco, IV, 1960, pp. 482-483.)

1059
YELO TEMPLADO, A.: *Feijoo y la música sagrada.* (En Yer, II, 1964, pp. 267-279.)

1060
ZAVALA, I. M.: *Tradition et réforme dans la pensée de Feijoo.* (En M. Launay, *Jean-Jacques Rousseau et son temps.* Paris, 1969, pp. 52-73.)

Ver, además, núms. 73, 106, 108, 169, 176, 178, 387, 399, 400, 1363, 1979, 2078, 2080, 2087.

Leandro FERNANDEZ DE MORATIN
(1760-1828)

Madrileño, hijo del poeta don Nicolás, consiguió a los 19 años un accésit otorgado por la Real Academia Española a su poema *La toma de Granada* (1779). Tres años más tarde renovó el galardón por su *Sátira contra los vicios introducidos en la poesía castellana* (1782), presentada con el seudónimo de «Melitón Fernández». Recomendado por Jovellanos, vivió un año en París (1786) como secretario de Cabarrús. A su vuelta, publicó otra sátira, *La derrota de los pedantes* (1789), que tuvo gran éxito. Gracias a la protección de Godoy pudo estrenar en Madrid sus comedias *El viejo y la niña* (1790) y *La comedia nueva* (1792). Viajó por Europa después, consiguiendo, al regresar, el cargo de Secretario de la Interpretación de lenguas (1797). Estrenó en los primeros años del nuevo siglo sus comedias *El Barón* (1803), *La Mogigata* (1804) y *El sí de las niñas* (1806), la más famosa, en las que respeta escrupulosamente las normas neoclásicas. Adaptó al castellano *La escuela de los maridos* (1812) y *El médico a palos,* de Molière, y tradujo el *Hamlet* de Shakespeare (1798). Debido a su colaboración con José Bonaparte, hubo de marchar al exilio, viviendo en Burdeos y París, donde falleció. Como prosista, su obra quedó ignorada hasta la publicación de los tres volúmenes de *Obras póstumas* (1867). Recientemente, el hispanista francés R. Andioc ha editado el *Diario* (Ed. Castalia, 1968) y el *Epistolario* (Ed. Castalia, 1973). La Academia Española publicó en 1830 las *Obras* de Moratín, en las que se incluye sus *Orígenes del teatro español.* Sus comedias más famosas han sido reeditadas en múltiples ocasiones: la *Comedia* y *El sí,* por Ruiz Morcuende («Clás. castellanos», 1958), por J. F. Gatti (Ed. Troquel, 1958), por J. Dowling y R. Andioc (Ed. Castalia, 1968). En ediciones sueltas, hay edición de *La comedia nueva,* por R. Ferreres (Ed. Aguilar, 1963) y de *El sí de las niñas,* por J. Montero Padilla (Ed. Anaya, 1965). El *Teatro completo* de Moratín ha sido editado en Barcelona (Ed. Bruguera, 1967) y en Madrid lo ha comenzado F. Lázaro Carreter, con *El viejo y la niña* y *El sí de las niñas* (Ed. Labor, 1970). *La derrota de los pedantes,* en edición reciente, ha estado a cargo de J. Dowling (Ed. Labor, 1973).

ESTUDIOS

1061
AMBRUZZI, L.: *El «Viaje de Italia» de Moratín.* (En Conv, VIII, 1930, pp. 337-340.)

1062
ANDIOC, R.: *Dos poemas olvidados de Leandro Fernández de Moratín.* (En Hispa, núm. 12, 1961, pp. 39-51.)

1063
ANDIOC, R.: *A propos d'une reprise de «La comedia nueva» de Moratín.* (En BHi, LXIII, 1961, pp. 56-61.)

1064
ANDIOC, R.: *Moratín et Hartzenbusch.* (En LNL, núm. 160, 1962, p. 48.)

1065
ANDIOC, R.: *Remarques sur «l'epistolario»de D. Leandro Fernández de Moratín.* (En MMB, 1962, pp. 287-303.)

1066
ANDIOC, R.: *Leandro Fernández de Moratín, Hôte de la France.* (En RLC, XXXVII, 1963, pp. 268-278.)

1067
ANDIOC, R.: *Broutilles moratiniennes.* (En LNL, LIX, 1965, pp. 26-33.)

1068
ANDIOC, R.: *Une «zarzuela» retrouvée: «El Barón» de Moratín.* (En MCV, I, 1965, pp. 289-321.)

1069
ANDIOC, R.: *Sur la quérelle du théâtre au temps de Leandro Fernández de Moratín.* Tarbes, 1970, 721 pp.

1070
AROLAS, J.: *Teatro de Moratín.* Manresa, 1897, 48 pp.

1071
ASENSIO, J.: *Estimación de Moratín. Un manuscrito de la B. N. de París sobre «El sí de las niñas».* (En Estud, XVII, 1961, pp. 83-144.)

1072
Aubrun, Ch. V.: *El «sí de las niñas» o más allá de la mecánica de una comedia.* (En RHM, XXXI, 1965, pp. 29-35.)

1073
Banda y Vargas, A.: *Juan de Gálvez, pintor de escenas moratinianas.* (En AUH, XXIV, 1963, pp. 55-59.)

1074
Benavent, C.: *Moratín y la mujer.* (En RIT, XLIX, 1961, p. 10.)

1075
Benítez Claros, R.: *Las ideas en el teatro de Moratín.* (En *Visión de la literatura española.* Madrid, Rialp, 1963, pp. 209-225.)

1076
Blanco Asenjo, R.: *Madrid a fines de siglo. La casa de Moratín y el «barrio de las moras».* (En Imp, 31 de agosto de 1891.)

1077
Borao, J.: *Juicio crítico de Moratín.* (En RCat, 1862, pp. 62-68, 106-114 y 158-165.)

1078
Bottoni, G.: *Don Leandro Fernández de Moratín a Padova.* (En Pad, VI, núm. 1, 1960.)

1079
Cabañas, P.: *Documentos moratinianos.* (En RevBN, IV, 1943, pp. 267-282.)

1080
Cabañas, P.: *Moratín, anotador de Voltaire.* (En RFE, XXVIII, 1944, pp. 73-82.)

1081
Cabañas, P.: *Moratín y la reforma del teatro de su tiempo.* (En RevBN, V, 1944, pp. 63-102.)

1082
Cabañas, P.: *Leandro Fernández de Moratín.* (En RIE, XI, 1953, pp. 59-81.)

1083
Cabañas, P.: *Moratín en la obra de Galdós.* (En ASCIH, 1967, pp. 217-226.)

1084
CANO, J. L.: *Amores de Moratín.* (En Ins, núm. 161, 1960, pp. 6 y 12.)

1085
CANO, J. L.: *Un amor de Moratín.* (En *Heterodoxos y prerrománticos.* Madrid, Ed. Júcar, 1975, pp. 13-22.)

1086
CÁNOVAS DEL CASTILLO, A.: *Documentos sobre Moratín.* (En *El teatro español.* Barcelona [s. a.], pp. 139-200.)

1087
CASALDUERO, J.: *Forma y sentido de «El sí de las niñas».* (En NRFH, XI, 1957, pp. 36-56.)

1088
CID SIRGADO, I.: *A revival of Molière's «Tartuffe» trough a forgotten play of Moratín.* (En PRLR, 1972, pp. 1-12.)

1089
CONESA CÁNOVAS, L.: *Leandro Fernández de Moratín.* Madrid, Epesa [1972], 207 pp.

1090
CONSIGLIO, C.: *Moratín y Goldoni.* (En RFE, XXVI, 1942, pp. 1-14 y 311-314.)

1091
CHIARENO, O.: *Viaggiatori del Settecento. Moratín a Genova.* (En *Il Lavoro.* Génova, 4 y 24 de agosto de 1968.)

1092
CHIARENO, O.: *Genova Settecentesca nel giudizio di Leandro Fernández de Moratín.* (En *La Casana.* Génova, oct.-dic. 1971, pp. 47-52.)

1093
DANVILA, M.: *Una carta de Don Leandro Fernández de Moratín.* (En BRAH, XXXVI, 1900, pp. 434-443.)

1094
DOMÍNGUEZ ORTIZ, A.: *Don Leandro Fernández de Moratín y la sociedad española de su tiempo.* (En RUM, IX, 1960. Rep. en *Hechos y figuras del siglo XVIII español.* Madrid, Ed. Siglo XXI, 1973, pp. 193-245.)

1095
Dowling, J.: *A Farce attributed to Corneille and Moratín.* (En RNo, I, 1959, pp. 43-45.)

1096
Dowling, J.: *Moratín, suplicante. La primera carta conocida de Don Leandro.* (En RABM, LXVIII, 1960, pp. 499-505.)

1097
Dowling, J. C.: *La primera comedia de Moratín, «El viejo y la niña».* (En Ins, núm. 161, 1960, p. 11.)

1098
Dowling, J. C.: *The Inquisition appraises «El sí de las niñas». 1815-1819.* (En HispW, XLIV, 1961, pp. 237-244.)

1099
Dowling, J. C.: *La noticia de Leandro de Moratín sobre la interpretación de lenguas. 1809.* (En Hispa, núm. 20, 1964, pp. 49-54.)

1100
Dowling, J. C.: *Moratín's History of Spanish Drama.* (En HJH, 1968, pp. 177-188.)

1101
Dowling, J.: *Moratín's «La comedia nueva» and the reform of the Spanish Theater.* (En HispW, núm. 53, 1970, pp. 397-402.)

1102
Dowling, J.: *Leandro Fernández de Moratín.* New York, Twayne Pub., 1971, 178 pp.

1103
Durán, M.: *Jovellanos, Moratín y Goya. Una nueva interpretación del siglo XVIII español.* (En CA, CXXXVIII, 1965, pp. 193-198.)

1104
Effross, S. H.: *Leandro Fernández de Moratín in England.* (En HispW, XLVIII, 1965, pp. 43-53.)

1105
Eguía Ruiz, C.: *Moratín, pretenso censor de nuestro teatro.* (En RyF, núm. 84, 1928, pp. 275-288.)

1106
Eguía Ruiz, C.: *Moratín, censor censurado de nuestra escena. Nuevos datos biográficos.* (En RyF, núm. 85, 1928, pp. 119-135.)

1107
ENTRAMBASAGUAS, J.: *Un breve de Pío VI referente a «La Florida» y traducido por Moratín.* (En RBAM, VII, 1930, pp. 275-298.)

1108
ENTRAMBASAGUAS, J.: *El lopismo de Moratín.* (En RFE, XXV, 1941, pp. 1-46.)

1109
ENTRAMBASAGUAS, J.: *Una carta inédita de Moratín.* (En *Misceláneа erudita.* Madrid, 1957, pp. 157-160.)

1110
ENTRAMBASAGUAS, J.: *El Madrid de Moratín.* Madrid, Inst. de Estudios Madrileños, 1960, 38 pp. («Temas madrileños», núm. 20.)

1111
ENTRAMBASAGUAS, J.: *Aportaciones para una edición del «Epistolario» de Moratín.* (En RABM, LXXV, 1968-1972, pp. 215-263.)

1112
ENTRAMBASAGUAS, J.: *Vanidad y temor en una actitud de Moratín.* (En AIEM, IX, 1973, pp. 387-399.)

1113
ESCOSURA, P. DE LA: *Moratín en su vida íntima.* (En IEA, 1877, pp. 207-210 y 305.)

1114
ESQUER TORRES, R.: *Leandro Fernández de Moratín y Pastrana. (Contribución al epistolario del dramaturgo del siglo XVIII.)* (En RLit, XXXVII, núms. 73-74, 1970, pp. 15-54.)

1115
FERNÁNDEZ NIETO, M.: *La estancia de Moratín en Peñíscola.* (En BSCC, L, 1974, pp. 1-7.)

1116
FERNÁNDEZ NIETO, M.: *«El sí de las niñas» de Moratín y la Inquisición.* (En RLit, núm. 35, 1960, pp. 3-32.)

1117
FERNÁNDEZ PAJARES, J. M.: *Autógrafo de la epístola de Moratín al Príncipe de la Paz.* (En Arch, X, 1960, pp. 370-384.)

1118
FERRERES, R.: *Moratín en Valencia (1812-1814).* (En RVF, VI, 1959-1962, pp. 143-209.)

1119
FORESTA, G.: *Viaggio attraverso l'Italia di L. F. de Moratin.* Firenze, Le Monnier, 1953.

1120
FUENTE, P. DE LA: *Moratín en las memorias de un discípulo.* (En Ins, núm. 167, 1960, p. 13.)

1121
GATTI, J. F.: *Anotaciones a «La derrota de los pedantes».* (En RFH, VI, 1944, pp. 77-82.)

1122
GATTI, J. F.: *Moratín y Marivaux.* (En RFH, III, 1941, pp. 140-149.)

1123
GLENDINNING, O. N. V.: *Rito y verdad en el teatro de Moratín.* (En Ins, núm. 161, 1960, pp. 6 y 15.)

1124
GLENDINNING, O. N. V.: *Moratín y el Derecho.* (En PSA, XLVII, 1967, pp. 123-148.)

1125
GOENAGA, A. y MAGUNA, J. P.: *Moratín y «El sí de las niñas».* (En *Teatro español del siglo XIX.* Madrid, Las Américas [1972], pp. 39-68.)

1126
GÓMEZ Y ACEVES, A.: *Juguetes críticos. Poesías líricas de D. Leandro F. de Moratín.* (En H, 17 y 18 de agosto de 1847.)

1127
GONZÁLEZ PALENCIA, A.: *Una ofuscación de Moratín.* (En RBAM, X, 1933, pp. 75-82.)

1128
GUENOUN, P.: *Un inédit de José Amador de los Ríos sur Leandro Fernández de Moratín.* (En MMJS, I, 1966, pp. 397-412.)

1129
HELMAN, E. F.: *The younger Moratín and Goya: On «duendes» and «brujas».* (En HR, 1959, pp. 103-122. Rep. en *Jovellanos y Goya,* pp. 157-181.)

1130
HELMAN, E. F.: *Moratín y Goya: actitudes ante el pueblo en la Ilustración española.* (En RUM, IX, núm. 35, 1960, pp. 591-605. Rep. en *Jovellanos y Goya,* 1970, pp. 237-256.)

1131
HELMAN, E. F.: *Moratín y Goya.* (En Ins, núm. 161, 1960, pp. 10 y 14.)

1132
HELMAN, E. F.: *Goya, Moratín y el teatro.* (En *Jovellanos y Goya.* Madrid, Taurus, 1970, pp. 257-271.)

1133
HIGASHITANI, H.: *Estructura de las cinco comedias originales de Leandro Fernández de Moratín: exposición, enredo y desenlace.* (En Seg, III, 1967, pp. 136-160.)

1134
HIGASHITANI, H.: *El teatro de Fernández de Moratín.* Madrid, Plaza Mayor Ediciones, 1973, 175 pp.

1135
HUARTE, J. M.: *Más sobre el epistolario de Moratín.* (En RABM, LXVIII, 1960, pp. 505-552.)

1136
JOHNSON, R.: *Moratin's Diary.* (En BHS, XLVII, 1970, pp. 24-36.)

1137
JUDICINI, J. V.: *The problem of the arranged marriage and the education of girls in Goldoni's «La figlia obbediente» and Moratin's «El sí de las niñas».* (En RLMC, XXIV, 1971, pp. 208-222.)

1138
KERSON, P. R.: *Don Leandro Fernández de Moratín y la polémica del teatro de su tiempo,* Univ. of Yale, 1965. (En DA, XXVII, pp. 210-A.)

1139
LABORDE, P.: *Un problème d'influence: Marivaux et «El sí de las niñas».* (En RLR, LXIX, 1946, pp. 127-145.)

1140
LADRA, D.: *Moratín, hoy.* (En PA, núm. 112, sept. 1969, pp. 13-33.)

1141
LÁZARO CARRETER, F.: *Moratín resignado.* (En Ins, núm. 161, 1960, pp. 1 y 12.)

1142
LÁZARO CARRETER, F.: *El afrancesamiento de Moratín.* (En PSA, LIII, 1961, pp. 145-160. Rep. en AUT, X, 1961, pp. 75-83.)

1143
LÁZARO CARRETER, F.: *Moratín en su teatro.* Oviedo, CCF, núm. 9, 1961, 41 pp.

1144
LEGARDA, A.: *Moratín y lo vasco.* (En BSV, XVIII, 1962, pp. 223-240.)

1145
LEGENDRE, M. R.: *Leandro Fernández de Moratín et le théâtre espagnol de la seconde moitié du XVIII*e *siècle.* Paris, Fac. des Lettres, 1960, 114 pp. (Memoria para el Diploma de Estudios Superiores. Hay ejemplar mecanografiado en el Inst. d'Etudes Hispaniques de Paris.)

1146
LEVI, C.: *Il riformatore del teatro espagnuolo.* (En *Studi di teatro.* Palermo, 1923.)

1147
LLANOS Y TORRIGLIA, F.: *Moratín retrata a Goya en casa de Silvela.* Madrid, 1946, 17 pp.

1148
LLORÉNS, V.: *Moratín y Blanco White.* (En Ins, núm. 161, 1960, pp. 3 y 13.)

1149
LLORÉNS, E.: *Moratín, Llorente y Blanco White. Un proyecto de revista literaria.* (En *Literatura, historia, política.* Madrid, 1967, pp. 57-73.)

1150
MADDALENA, E.: *Moratín e Goldoni.* (En PIstr, II, 1905, pp. 317-327.)

1151
MADRAZO, P.: *Los retratos de Moratín.* (En IEA, 1872, pp. 391-394.)

1152
MALDONADO, F. C. R.: *Leandro Fernández de Moratín y su tiempo. Nuevas vías para una interpretación.* (En EL, núm. 536, 15 de marzo de 1974, pp. 8-11.)

1153
MANCINI, G.: *Perfil de Leandro Fernández de Moratín.* (En *Dos estudios de literatura española.* Barcelona, Planeta, 1970, pp. 207-304.)

1154
MARÍAS, J.: *Isla y Moratín.* (En *Los españoles.* Madrid, Rev. de Occidente, 1962, pp. 73-78.)

1155
MARÍAS, J.: *España y Europa en Moratín.* (En *Los españoles,* 1962, pp. 79-120.)

1156
MARIUTTI, A.: *Un ejemplo de intercambio cultural hispano-italiano en el siglo XVIII: Leandro Fernández de Moratín y Pietro Napoli-Signorelli.* (En RUM, IX, 1960, pp. 763-808.)

1157
MARTÍNEZ RUIZ, J. [CÁNDIDO]: *Moratín. Esbozo.* Madrid, 1893, 55 pp.

1158
MARTÍNEZ RUIZ, J. [AZORÍN]: *Moratín.* (En *Los clásicos redivivos.* Buenos Aires, Espasa-Calpe, 1950, pp. 83-88.)

1159
MARTÍNEZ RUIZ, J. [AZORÍN]: *Moratín en su luneta.* (En Ins, núm. 161, 1960, pp. 1-2.)

1160
MATHIAS, J.: *Moratín.* Madrid, 1964, 224 pp. (Col. «Un autor en un libro», 16.)

1161
MELE, E.: *Napoli descritta da Leandro Fernández de Moratín.* Trani, 1906, 54 pp.

1162
MELÓN R. DE GORDEJUELA, S.: *Moratín por dentro.* Oviedo, CCF, núm. 16, 1964, 71 pp.

1163
MENDOZA, J.: *Una leyenda en torno a Moratín.* (En RyF, núms. 752-753, 1959, pp. 183-192; núm. 755, pp. 447-456.)

1164
MERIMÉE, P.: *El teatro de Leandro Fernández de Moratín.* (En RUM, IX, 1960, pp. 729-761.)

1165
MESONERO ROMANOS, M.: *Goya, Moratín, Meléndez Valdés y Donoso Cortés. Reseña histórica de los anteriores enterramientos y traslaciones de sus restos mortales al cementerio de San Isidro.* Madrid, 1900, 62 pp.

1166
MONTERO PADILLA, J.: *Moratín y su magisterio.* (En BBMP, XXXVIII, 1962, pp. 173-177.)

1167
MONTERO PADILLA, J.: *Leandro F. de Moratín. La vida del hombre y una comedia.* (En BBMP, XXXIX, 1963, pp. 180-194.)

1168
MONTERO PADILLA, J.: *De Leandro F. de Moratín a Gregorio Martínez Sierra: un tema y dos comedias.* (En *Historia y estructura de la obra literaria.* Madrid, C.S.I.C., 1971, pp. 243-251.)

1169
MORENO BÁEZ, E.: *Lo prerromántico y lo neoclásico en «El sí de las niñas».* (En HMRM, 1975, pp. 465-484.)

1170
MORGAN, R.: *Moratin's «Hamlet»*, Stanford Univ., 1965. (En DA, XXVI, 6719.)

1171
NÚÑEZ ARENAS, M.: *Moratín y Cabarrús.* En *La Voz,* Madrid, 6 de sept. de 1928. Rep. en *L'Espagne des Lumières au Romantisme.* Paris, 1963, pp. 347-351.)

1172
NÚÑEZ DE ARENAS, M.: *Preparando el centenario. Moratín, académico.* (En *La Voz,* 13 de junio de 1927. Rep. en *L'Espagne des Lumières au Romantisme.* Paris, 1963, pp. 353-356.)

1173
OBREGÓN, A.: *El sí de Moratín.* (En ROcc, XLIV, 1934, pp. 203-209.)

1174
ODRIOZOLA, A.: *Las ediciones «fantasmas» de obras de Moratín.* (En Ins, núm. 163, 1960, p. 6.)

1175
OLIVER, A.: *Verso y prosa en Leandro Fernández de Moratín.* (En RUM, IX, núm. 35, 1960, pp. 643-674.)

1176
OLIVER, M. S.: *Un viaje a Francia en 1792.* (En *Los españoles en la Revolución francesa.* Madrid, Ed. Renacimiento, 1914, pp. 9-114.)

1177
ORTEGA Y RUBIO, J.: *Vida y obras de Don Leandro Fernández de Moratín.* Madrid, 1904, 58 pp.

1178
ORTIZ ARMENGOL, P.: *Un chileno amigo de Moratín.* (En EL, núm. 574, 1975, pp. 4-7.)

1179
ORTIZ ARMENGOL, P.: *Viajes y entredichos de Moratín en Francia.* (En *Estudios románticos.* Valladolid, Casa-Museo de Zorilla, 1975, pp. 199-266.)

1180
PALACIO ATARD, V.: *La educación de la mujer en Moratín.* (En *Los españoles de la Ilustración.* Madrid, 1964, pp. 241-267.)

1181
PALOMO, M. P.: *Presencia de Tirso en Moratín.* (En SI, 1962, pp. 165-186.)

1182
PAPELL, A.: *Moratín y su época.* Palma de Mallorca, Ayuntamiento, 1958, 380 pp.

1183
PEÑUELAS, M. C.: *Semblanza de don Leandro F. de Moratín.* (En CA, XXI, 1962, pp. 151-171.)

1184
PÉREZ DE GUZMÁN, J.: *La primera representación de «El sí de las niñas».* (En Ep, 5 y 6 de diciembre de 1898. Rep. en EMod, núm. 168, 1902, pp. 103-137.)

1185
PÉREZ DE GUZMÁN, J.: *Los émulos de Moratín.* (En EMod, núm. 195, marzo 1905, pp. 41-46.)

1186
PÉREZ DE GUZMÁN, J.: *El centenario de «El sí de las niñas».* (En IEA, 1906, pp. 35-42, 67-68, 75-78, 98-99, 114-115, 131, 134-146, 169, 174, 176, 183 y 186.)

1187
REDICK, P. C.: *Interpretation of Leandro F. de Moratín. The Man,* Univ. of Pittsburg, 1959. (En DA, XX, 1793.)

1188
REIG SALVÁ, C.: *Correspondencia bibliográfica de Moratín a Salvá.* (En CE, I, 1940, pp. 290-292.)

1189
REVILLA, J.: *Juicio crítico de Don Leandro Fernández de Moratín como autor cómico y comparación de su mérito con el del célebre Molière.* Sevilla, 1833, 176 pp.

1190
[ROCA Y CORNET, J.] INARCO CORTEJANO: *Juicio crítico de Don Leandro Fernández de Moratín como autor cómico.* Barcelona, 1833, 58 pp.

1191
RODRÍGUEZ CEPEDA, E.: *Más cartas inéditas de Moratín.* (En ROcc, núm. 90, 1970, pp. 343-352.)

1192
ROMERO MURUBE, J.: *Moratín.* (En *Los cielos que perdimos.* Sevilla, 1964, pp. 69-73.)

1193
ROONEY, S. S. D.: *Realism in the Original Comedies of Leandro F. de Moratín,* Univ. of Minnesota, 1963. En DA, XXIV, 2040.)

1194
ROSSI, G. C.: *Leandro Fernández de Moratín. Introducción a su vida y obra.* Madrid, Ed. Cátedra [1974], 150 pp.

1195
RUIZ MORCUENDE, F.: *Moratín, dibujante.* (En RBAM, I, 1924, pp. 528-530.)

1196
RUIZ MORCUENDE, F.: *Moratín, secretario de la Interpretación de lenguas.* (En RBAM, X, 1933, pp. 273-290.)

1197
RUIZ MORCUENDE, F.: *Moratín, bibliotecario.* (En BBB, I, 1934, pp. 52-55.)

1198
RUIZ MORCUENDE, F.: *Vocabulario de don Leandro Fernández de Moratín.* Madrid, RAE, 1945, 2 vols.

1199
RUMEU DE ARMAS, A.: *Leandro Fernández de Moratín y Agustín de Betancourt. Testimonios de una entrañable amistad.* (En AEA, núm. 20, 1974, pp. 267-304.)

1200
SÁNCHEZ AGESTA, L.: *Moratín y el pensamiento político del Despotismo ilustrado.* (En RUM, IX, núm. 35, 1960, pp. 567-589.)

1201
S[ÁNCHEZ] C[ANTÓN], J. F.: *Moratín, josefino, en la Interpretación de lenguas.* (En CE, IV, 1946, p. 122.)

1202
SARRAILH, J.: *Note sur le «Café» de Moratín.* (En BHi, XXXVI, 1934, pp. 197-199.)

1203
SAZ, A.: *Moratín y su época.* (En RBAM, V, 1928, pp. 411-416.)

1204
SEPÚLVEDA, R.: *Moratín, censor de comedias.* (En su obra *El corral de la Pacheca.* Madrid, 1888. Cap. XIII.)

1205
SILVELA, M.: *Vida de D. Leandro Fernández de Moratín.* (En *Obras póstumas... de Moratín.* Madrid, 1867, pp. 1-58.)

1206
SILVELA, M.: *Reseña analítica de las obras poéticas de don Leandro F. de Moratín.* (En RE, IV, 1968, pp. 23-53.)

1207
SPAULDING, R. K.: *The text of Moratín's «Orígenes del Teatro español».* (En PMLA, XLVII, 1932, pp. 981-991.)

1208
TEJERINA, B.: *Fragmentos inéditos de los apuntes diarios de Don Leandro Fernández de Moratín en el Ms. de su viaje a Italia.* (En AFLLS, nuova serie, 1973-1974, pp. 301-325.)

1209
TORRE, G.: *Hacia una nueva imagen de Moratín.* (En PSA, XVI, 1960, pp. 337-350.)

1210
VALERA, J.: *Don Leandro Fernández de Moratín.* (En *Crítica literaria.* Tomo XXXII de sus *Obras completas,* 1912, pp. 256-265.)

1211
VARELA, J. L.: *Moratín dimite.* (En *La palabra y la llama.* Madrid, Prensa Española, 1967, pp. 75-80.)

1212
VARELA HERVIAS, E.: *Cartas de D. Leandro F. de Moratín.* (En RBAM, IV, 1927, pp. 364-365.)

1213
VASCO, A. LO: *Il viaggio in Italia di Leandro Fernández de Moratín.* Como, 1929, 162 pp.

1214
VÉZINET, F.: *Moratín et Molière. Molière en Espagne.* (En RHLF, XIV, 1907, pp. 193-230; XV, 1908, pp. 245-285.)

1215
V[IGNAU], V.: *Documentos referentes a D. Leandro F. de Moratín.* (En RABM, II, 1898, pp. 221-222.)

1216
VILANOVA, M.: *Moratín, un ilustrado cercano.* (En CHa, núm. 275, 1973, pp. 398-400.)

1217
VILLEGAS MORALES, J.: *Nota sobre Francisca Gertrudis Muñoz y Ortiz y «El sí de las niñas».* (En BFCh, 1963, pp. 343-347.)

1218
VIVANCO, L. F.: *Moratín y la Ilustración mágica.* Madrid, Ed. Taurus, 1971, 242 pp.

Ver, además, núms. 73, 86, 178, 182, 254, 261, 310, 544, 653, 658.

Nicolás FERNANDEZ DE MORATIN
(1737-1780)

Natural de Madrid. Hijo del guardajoyas de la reina Isabel de Farnesio. Graduado en Derecho por la Universidad de Valladolid, regentó la cátedra de Poética de los Reales Estudios de la corte y fue un activo fermento neoclásico en los círculos literarios madrileños, sobre todo en la famosa Fonda de San Sebastián. Su obra poética está integrada por anacreónticas, silvas, odas, sonetos y romances, más un poema didáctico, *La caza,* un canto épico, *Las naves de Cortés destruidas,* y otras dos composiciones, que son las que más celebridad le han dado, por su carácter popular: las quintillas *Fiesta de toros en Madrid* y la *Oda a Pedro Romero, torero insigne.* Mención aparte merece el *Arte de las putas,* en cuatro cantos, prohibido por la Inquisición en 1777 y sólo publicado en 1898 por un editor anónimo. Como dramaturgo, escribió *La Petimetra* (1762), *Lucrecia* (1763), *Hormesinda* (1770) y *Guzmán el Bueno* (1777), dentro de la más pura ortodoxia neoclásica. Sus poemas fueron reunidos y publicados por su hijo Leandro (Barcelona, 1821). Otras poesías inéditas lo fueron por R. Foulché-Delbosc (Madrid, 1892). Una nueva edición de sus *Obras* poéticas y dramáticas vio la luz, con la vida escrita por su hijo (BAE, II, 1846). No hay edición reciente y crítica de su teatro.

ESTUDIOS

1219
ALONSO CORTÉS, N.: *Sobre la «Fiesta de toros en Madrid».* (En RBAM, IX, 1932, pp. 323-327.)

1220
COSSIO, J. M.: *Don Nicolás Fernández de Moratín. La fiesta de toros en Madrid. Oda a Pedro Romero.* (En BBMP, VIII, 1926, pp. 234-242.)

1221
DOWLING, J.: *The Taurine Works of Nicolás Fernández de Moratín.* (En SCB, XXII, 1962, pp. 31-34.)

1222
FERNÁNDEZ GUERRA Y ORBE, A.: *Lección poética. Primer bosquejo y posterior refundición de las celebérrimas quintillas de don Nicolás F. de Moratín.* (En RHA, VIII, 1882, pp. 523-553.)

1223
GÓMEZ DE LA SERNA, G.: *Goya y los toros.* (En EL, núm. 484, 1972, pp. 4-9.)

1224
HELMAN, E. F.: *The elder Moratín and Goya.* (En HR, XXIII, 1955, pp. 219-230.)

1225
HELMAN, E. F.: *D. Nicolás Fernández de Moratín y Goya sobre «Ars amatoria».* (En *Jovellanos y Goya.* Madrid, Ed. Taurus, 1970, pp. 219-235.)

1226
LÁZARO CARRETER, F.: *La transmisión textual del poema de Moratín «Fiesta de toros en Madrid»*. (En Clav, núm. 21, mayo-junio, 1953, pp. 33-39.)

1227
PÉREZ DE GUZMÁN, J.: *El padre de Moratín*. (En EMod, núm. 138, 1900, pp. 16-33.)

1228
SIMÓN DÍAZ, J.: *Don Nicolás Fernández de Moratín, opositor a cátedras*. (En RFE, XXVIII, 1944, pp. 154-176.)

Fray Juan FERNANDEZ DE ROJAS
(1750?-1819)

Nacido en Colmenar de Oreja (Madrid). Ingresó en los agustinos y fue destinado a Salamanca, donde, con el nombre poético de «Liseno», participó en el movimiento poético encabezado por fray Diego González, cuyas poesías editó. Bajo el seudónimo de «Francisco Agustín Florencio», publicó una sátira anti-filosófica con el título de *Crotalogía o Arte de tocar las castañuelas* (1792), que originó una curiosa polémica. Aunque se ha puesto en duda su paternidad, lo cierto es que se publicó con este mismo seudónimo un *Libro de moda o ensayo de la historia de los currutacos, pirracas y madamitas del nuevo cuño* (1795), que constituye un documento social de gran valor histórico, por trazar, en forma satírica, un cuadro fidedigno de la juventud de la época. No hay edición moderna de sus obras.

ESTUDIOS

1229
HELMAN, E.: *Fray Juan Fernández de Rojas y Goya*. (En HRM, 1966, pp. 241-252. Rep. en *Jovellanos y Goya*. Madrid, Ed. Taurus, 1970, pp. 273-292.)

1230
HERGUETA, D.: *Un libro del P. Fernández Rojas*. (En CD, XLIII, pp. 99-107.)

1231
MORAL, B.: *P. Juan Fernández Rojas*. (En CD, LX, pp. 664-666; LXI, pp. 40-46.)

Rafael FLORANES
(1743-1801)

Nació en Liébana (Santander) pero vivió toda su vida en Valladolid, donde se graduó en leyes. Nunca ejerció la abogacía, sino que se dedicó a la investigación histórica y jurídica. No imprimió en vida ninguno de sus escritos, aunque varios autores se aprovecharon de sus noticias. La mayoría de su obra ha quedado inédita, publicándose en forma póstuma su *Vida literaria del canciller Ayala,* las *Memorias históricas de las Universidades de Castilla, Las Historias más principales de España puestas por orden cronológico* (1837), la *Supresión del obispado de Alava y sus derivaciones en la historia del País vasco* (1919) y las *Memorias y privilegios de la ciudad de Vitoria* (1922). Una antología de sus escritos, con un estudio preliminar de Luis Redonet, ha sido publicado recientemente (Santander, 1956). Su influencia, según Menéndez Pelayo, ha sido «póstuma, latente y rara vez confesada».

ESTUDIOS

1232
ARRIBAS ARRANZ, F.: *Un «humilde» erudito del siglo XVIII. D. Rafael de Floranes.* Discurso. Valladolid, Universidad, 1966, 76 pp.

1233
FERNÁNDEZ MARTÍN, P.: *Indice de los manuscritos de Floranes, en la Academia de la Historia, por Menéndez Pelayo.* (En BBMP, XLI, 1965, pp. 115-210.)

1234
FRAILE MIGUÉLEZ, M.: *Correspondencia entre D. Rafael Floranes y el P. Manuel Risco.* (En CD, XX, pp. 319-321.)

1235
GARCÍA SALINERO, F.: *Una omisión en la polémica forneriana: Rafael de Floranes.* (En REE, XXII, 1966, pp. 197-208.)

1236
GARRIDO, R.: *Memorias históricas de D. Rafael de Floranes, Vélez de Robles, Señor de Tavaneros, que pueden servir para formar su elogio, y publica Don..., su pariente y favorecido.* Valladolid, 1802, 16 pp.

1237
MENÉNDEZ PELAYO, M.: *Dos opúsculos inéditos de D. Rafael de Floranes y D. Tomás Antonio Sánchez sobre los orígenes de la poesía castellana.* (En BHi, XVIII, 1908, pp. 295-431.)

1238
PITOLLET, C.: *Datos biográficos sobre D. Pascual Rodríguez de Arellano y D. Rafael Floranes.* (En RFE, X, 1923, pp. 288-300.)

Fray Enrique FLOREZ
(1702-1773)

Agustino. Natural de Villadiego (Burgos). Estudió en Valladolid, Avila y Alcalá, en cuya Universidad regentó una cátedra de teología, que abandonó para dedicarse a la investigación de la historia eclesiástica de España. El primer fruto de este trabajo fue la *Clave historial* (1743), obra de divulgación sobre la cronología de la historia europea y pontificia. La fama internacional le sobrevino a consecuencia de la publicación de los tres tomos de *Medallas, municipios y pueblos antiguos de España* (1757, 1758 y 1773). En 1771 dio a la imprenta sus *Memorias de las Reinas católicas de Castilla,* con abundantes noticias inéditas. Aparte de otras obras menores, su nombre está vinculado a la monumental *España sagrada* (1747-1961), de la que llegó a imprimir en vida 27 volúmenes, que fueron continuados por los Padres Risco, Merino, La Canal y otros, hasta un total de 52. Es una historia eclesiástica nacional, por siglos y diócesis, labor de extraordinaria importancia en la historiografía española, proseguida con verdadero espíritu patrio, por encima de aconteceres políticos y sociales, hasta nuestros días. Para su más fácil manejo se han publicado una *Clave de la España sagrada* (1853) y un *Indice de la España sagrada* (1918).

ESTUDIOS

1239
ANTOLÍN, G.: *Datos biográficos del P. Flórez.* (En CD, LXXI, 1906, pp. 345-354.)

1240
BARREIRO, A.: *Los orígenes del Museo de Ciencias Naturales de Madrid y la intervención del P. Flórez en su establecimiento.* (En RyF, XXVII, 1934, pp. 263-275.)

1241
DOMÍNGUEZ DEL VAL, U.: *La «España sagrada» continuada por Angel Custodio Vega.* (En CD, CLXXI, 1958, pp. 277-295.)

1242
FRAILE MIGUÉLEZ, M.: *El P. Flórez y la numismática española.* (En CD, XIV, pp. 466-479, 542-551, 615-623 y 691-703.)

1243
GARCÍA, F.: *Enrique Flórez. Perfil de su figura.* (En LD, 1973, pp. 81-90.)

1244
MARTÍNEZ CABELLO, G.: *Biografía del R. P. Maestro Fray Enrique Flórez.* Burgos, Diputación Provincial, 1945, 221 pp.

1245
MÉNDEZ, F.: *Noticias de la vida y escritos del R. P. Enrique Flórez, con una relación individual de los viajes que hizo a las provincias y ciudades principales de España.* Madrid, 1780, 373 pp. (2.ª ed. Madrid, RAH, 1860.)

1246
MIER, A.: *El puesto del P. Flórez en la historiografía española.* (En RyC, núms. 74-75, 1973, pp. 163-176.)

1247
MUIÑOS SÁENZ, C.: *El P. Flórez, modelo de sabios cristianos.* (En CD, LXXI, 1906, pp. 361-383.)

1248
NOVOA, Z.: *Notas sobre los PP. Flórez, Risco y La Canal, con otras referencias.* (En ArA, XLVI, 1952, pp. 247-253.)

1249
OGANDO VÁZQUEZ, J. F.: *Dos cartas inéditas del P. Flórez.* (En RevBN, V, 1944, pp. 121-133.)

1250
RISCO, M.: *El R.P.M. Fr. Enrique Flórez, vindicado del Vindicador de la Cantabria, Don Hipólyto de Ozaeta y Gallaiztegui.* Madrid, 1779, 179 pp.

1251
RODRÍGUEZ-MOÑINO, A.: *Epistolario del P. Enrique Flórez con don Patricio Gutiérrez Bravo (1753-1773).* (En BRAH, CXXXIV, 1954, pp. 395-454.)

1252
SAGREDO FERNÁNDEZ, F.: *Enrique Flórez y su «España sagrada».* (En HMC, I, 1975, pp. 517-535.)

1253
SALVADOR Y BARRERA, J. M.: *El P. Flórez y su «España sagrada»*. Discurso. (En CD, CXVII, 1914, pp. 5-21 y 91-98.)

1254
VEGA, A. C.: *Centenario de los PP. Merino y La Canal, últimos continuadores de la «España sagrada»*. (En CD, CLVII, 1945, pp. 5-15.)

1255
VEGA, A. C.: *La «España sagrada» y los agustinos en la Real Academia de la Historia*. Discurso. El Escorial, 1950, 123 pp.

1256
VEGA, A. C.: *Catálogo de la biblioteca del R.P.M. Enrique Flórez*. (En BRAH, CXXVIII-CXXI, 1951-1952. Rep. por Ed. Mestre. Madrid, 1952, 309 pp.)

1257
VELA, G. DE S.: *El P. Flórez*. (En *Ensayo de una Biblioteca Ibero-Americana de la Orden de S. Agustín*. Madrid, II, 1915, pp. 506-607.)

1258
ZUMEL, G.: *Elogios tributados al P. Flórez*. (En CD, LXXI, 1906, pp. 384-390.)

1259
ZUNZUNEGUI, J.: *Correspondencia inédita del P. E. Flórez*. (En HS, I, 1948, pp. 13-19.)

Juan Pablo FORNER
(1756-1797)

Nació en Mérida (Badajoz) y falleció en Madrid, siendo fiscal del Consejo de Castilla, después de haberlo sido durante seis años de la Audiencia sevillana. Salió del anonimato literario merced a su *Cotejo de las églogas que ha premiado la Real Academia de la Lengua*. [Hay ed. de F. Lázaro Carreter, Salamanca, 1951.] Ataca duramente en este escrito al poeta Tomás de Iriarte. Ataque renovado en su *Sátira contra los vicios introducidos en la poesía castellana* (premiada en 1782) y sobre todo en *El asno erudito* (1782). [Edición moderna, por M. Muñoz Cortés, Valencia, 1948.] Otro libelo satírico contra Iriarte, *Los gramáticos. Historia chinesca,* que no logró ver la luz, ha sido publicado hace poco por J. H. Polt (Ed. Castalia, 1970) y J. Jurado («Clásicos castellanos», 1970). Sostuvo otras polémicas de carácter mordaz y agresivo con literatos como García de la Huerta, Trigueros, T. A. Sánchez y Vargas Ponce. Aprovechóse el conde de Floridablanca de este temperamento polémico y le encargó, en respuesta al enciclopedista Masson, su *Oración apologética por la España y su mérito literario,* editada modernamente por A. Zamora Vicente (Badajoz, Centro de Estudios Extremeños, 1945). Pero la fama de Forner como erudito hombre de letras está cimentada sobre las *Exequias de la lengua castellana,* editadas por el marqués de Valmar (BAE, LXIII, pp. 378-425), por P. Sainz Rodríguez («Clásicos castellanos», pp. 66) y A. Pérez del Hoyo (1972). Más recientemenete F. López ha publicado dos textos poco divulgados de Forner: *Discurso sobre el modo de escribir la historia de España* y un *Informe fiscal sobre los estudios universitarios* (Ed. Labor, 1973).

ESTUDIOS

1260
ALVAREZ GÓMEZ, J.: *Juan Pablo Forner (1756-1797), preceptista y filósofo de la Historia.* Madrid, Ed. Nacional, 1971, 586 pp.

1261
ARAUJO COSTA, L.: *Las influencias de Huet sobre Forner.* (En RLit, 1953, pp. 307-318.)

1262
GONZÁLEZ BLANCO, A.: *Ensayo sobre un crítico español del siglo XVIII.* (En NT, IV, 1917, pp. 157-170.)

1263
GUTIÉRREZ MACÍAS, V.: *Un extremeño de cuerpo entero: el formidable polemista Juan Pablo Forner.* (En Alc, VII, núm. 41, 1951, pp. 35-40.)

1264
JIMÉNEZ SALAS, M.: *Vida y obras de don Juan Pablo Forner y Segarra.* Madrid, C.S.I.C., 1944, 618 pp.

1265
JIMÉNEZ SALAS, M.: *La poesía de Forner.* (En REE, XVII, 1943, pp. 225-256; XVIII, 1944, pp. 33-52.)

1266
JURADO, J.: *Repercusiones del pleito con Iriarte en la obra literaria de Forner.* (En Th, XXIV, 1969, pp. 228-277.)

1267
LAUGHRIN, M. F.: *Juan Pablo Forner as a Critic.* Washington, Catholic University of America Press, 1943, 200 pp.

1268
LÓPEZ, F.: *Juan Pablo Forner et la crise de la conscience espagnole au XVIIIe siècle.* Bordeaux, Institut d'Etudes Iberiques, 1976, 725 páginas.

1269
MARAVALL, J. A.: *El sentimiento de nación en el siglo XVIII: la obra de Forner.* (En LT, núm. 57, 1967, pp. 25-56.)

1270
PEÑUELAS, M.: *Personalidad y obra de Forner.* (En Hispa, núm. 26, 1966, pp. 23-31.)

1271
POLT, J. H. R.: *Estudio preliminar a una edición de «Los gramáticos» de Forner.* (En REE, XXV, 1969, pp. 247-279.)

1272
POLT, J. H. R.: *Juan Pablo Forner, preceptista y filósofo de la Historia.* (En REE, 1970, pp. 213-241.)

1273
ROSSI, G. C.: *La teorica del teatro in Juan Pablo Forner.* (En FR, V, 1958, pp. 210-222. Rep. en *Estudios sobre las letras en el siglo XVIII.* Madrid, Ed. Gredos, 1967, pp. 122-136.)

1274
SÁINZ RODRÍGUEZ, P.: *Las polémicas en el siglo XVIII: Forner.* (En su libro *Evolución de las ideas sobre la decadencia española.* Madrid, Rialp, 1962, pp. 101-112.)

1275
SEBOLD, R. P.: *Menéndez Pelayo y el supuesto casticismo de la crítica de Forner en las «Exequias».* (En *El rapto de la mente.* Madrid, Prensa Española, 1970, pp. 99-122.)

1276
SIMÓN DÍAZ, J.: *[Documentos sobre Forner.]* (En RevBN, V, 1944, pp. 472-475.)

1277
SIMÓN DÍAZ, J.: *Los últimos trabajos de Forner.* (En RevBN, VII, 1946, pp. 376-378.)

1278
SORRENTO, L.: *Il Forner nobile defensore della Spagna: giudizi d'allora e d'oggi.* (En *Francia e Spagna,* pp. 229-248.)

1279
VERA CAMACHO, J. P.: *Tres escritores y una temática.* (En REE, XX, 1964, pp. 533-548.)

1280
ZAMORA VICENTE, A.: *Sobre Juan Pablo Forner.* (En REE, XIV, 1940, pp. 293-299.)

1281
ZAMORA VICENTE, A.: *La partida de bautismo de Juan Pablo Forner.* (En RFE, XXV, 1941, pp. 111-112.)

Ver, además, núms. 669, 866, 1235.

Valentín de FORONDA
(1760-1830)

Alavés, miembro de la Sociedad Vascongada de Amigos del País, profesor en el Seminario de Vergara, diplomático y escritor político. A los 18 años inicia su actuación pública con un discurso en Bilbao, sobre «lo honrosa que es la profesión del comercio», seguido de otro en Valladolid, dos años más tarde, sobre «la libertad de escribir». Desde entonces, no cesa de proclamar su ideología liberal, defendiendo los derechos humanos, en especial la libertad de expresión, como medio ineludible para el progreso. Aparte varias traducciones, publicó *Cartas sobre economía política* (1789-1794), *Cartas sobre policía* (1801) y *Observaciones sobre algunos puntos de la obra de D. Quijote* (Filadelfia, 1807).

ESTUDIOS

1282
BAIG BAÑOS, A.: *Alrededor del cervantófobo Don Valentín de Foronda.* (En RBAM, III, 1926, pp. 189-202.)

1283
BAIG BAÑOS, A.: *¿Qué se requirió para ser Don Valentín de Foronda Caballero de la Orden de Carlos III?* (En RABM, XXXI, 1927, pp. 393-420.)

1284
GÁRATE, J.: *El caballero Valentín de Foronda, ilustrado alavés (1751-1821).* (En BSV, XXIII, 1967, pp. 189-195; XXIV, 1968, pp. 385-399; BISS, XVI, 1972, pp. 325-351; XVIII, 1974, pp. 579-620.)

1285
ONÍS, J.: *Don Valentín de Foronda en los Estados Unidos.* (En CHa, núm. 207, 1967, pp. 448-464.)

1286
SMITH, R. S.: *Valentín de Foronda. Su carrera diplomática en los Estados Unidos (1801-1809).* (En BSV, XXV, 1969, pp. 191-219.)

1287
SMITH, R. S.: *Valentín de Foronda, diplomático y economista.* (En REcP, X, 1959, pp. 425-464.)

1288
SPELL, J. S.: *An Illustrious Spaniard in Philadelphia: Valentín de Foronda.* (En HR, IV, 1936, pp. 136-140.)

Vicente GARCIA DE LA HUERTA
(1734-1787)

Nacido en Zafra (Badajoz), se trasladó a Madrid, después de estudiar en Salamanca, como archivero del duque de Alba. Fue académico de la Española, de la Historia y de San Fernando. Enemistado con el conde de Aranda, por unas coplas satíricas, fue confinado en Orán, de donde no regresó hasta 1777. Como dramaturgo, Huerta escribió *La Raquel* (representada en Madrid con gran éxito), sometiendo a las reglas neoclásicas un tema heroico tradicional. Publicó una antología de teatro nacional, en 17 volúmenes, con el título de *Teatro español* (1785-86), que fue objeto de numerosas críticas. En la portada de sus *Obras poéticas* (1779) aparece como «oficial primero de la Real Biblioteca». Fue objeto de polémica y despiadadas sátiras por parte de Samaniego, Forner, Moratín, Iriarte y otros. Las ediciones más recientes de *La Raquel* son las de J. Fucilla (Ed. Anaya, 1965 y Ed. Cátedra, 1974) y la de R. Andioc (Castalia, 1971).

ESTUDIOS

1289
AGUILAR PIÑAL, F.: *Las primeras representaciones de la «Raquel» de García de la Huerta.* (En RLit, núms. 63-64, 1967, pp. 133-135.)

1290
ALONSO CORTÉS, N.: *Don Vicente García de la Huerta.* (En HR, V, 1937, pp. 333-343.)

1291
Alonso Cortés, N.: *García de la Huerta.* (En su obra *Sumandos biográficos,* 1939, pp. 91-109.)

1292
Andioc, R.: *«La Raquel» de Huerta y la censura.* (En HR, vol. 43, 1975, pp. 115-139.)

1293
Asensio, J.: *La tragedia «Raquel», de Huerta, fue estrenada en Orán.* (En Estud, 1962, pp. 507-511. Rep. en *Miscelánea hispánica.* Canadá, 1967, pp. 239-244.)

1294
Cazenave, J.: *Première representation de «Raquel».* (En LNL, núm. 118, 1951.)

1295
Fabri, M.: *Conflitto ideologico e polemica «anti-Raquel» nella tragedia «Mardoqueo» di Juan Clímaco de Salazar.* (En su libro *Finalità ideologiche e problematica letteraria in Salazar, Iriarte, Jovellanos.* Pisa, 1974, pp. 9-45.)

1296
Johnson, J. L.: *The Relevancy of «La Raquel» to it's Times.* (En RNo, XIV, 1972, pp. 1-6.)

1297
Mancini, G.: *Per una revisione critica di García de la Huerta.* (En SLS, 1964, pp. 267-274.)

1298
Mesonero Romanos, R.: *Don Vicente García de la Huerta.* (En SPE, 25 de septiembre de 1842. Rep. en *Obras completas,* II, pp. 352-356.)

1299
Sebold, R. P.: *Neoclasicismo y creación en la «Raquel» de García de la Huerta.* (En *El rapto de la mente.* Madrid, Prensa Española, 1970, pp. 235-254.)

1300
Segura Covarsi, E.: *La «Raquel» de García de la Huerta.* (En REE, 1951, pp. 197-234.)

1301
SIMÓN DÍAZ, J.: *Dos censuras de García de la Huerta.* (En *Aportación documental para la erudición española.* 1.ª serie, 1947, pp. 7-8.)

Fray Diego GONZALEZ
(1733-1794)

Agustino. Nacido en Ciudad Rodrigo, fue prior de su Orden en Salamanca, Pamplona y Madrid. En su celda de la primera de las ciudades citadas amparó y fomentó las vocaciones poéticas de jóvenes prometedores, que estimulados por Cadalso («Dalmiro»), comenzaron a cultivar una delicada y sensual poesía pastoril con nombres supuestos: Fray Juan Fernández Rojas («Liseno»), Fray Andrés del Corral («Andrenio»), Meléndez Valdés («Batilo»), Forner («Aminta»), Iglesias de la Casa y el propio Fray Diego («Delio»), que constituye el grupo conocido como «segunda escuela poética salmantina». Las poesías de este último, publicadas póstumamente (1796), son de carácter amoroso en su casi totalidad, destacando el poema *El murciélago alevoso,* editado íntegramente por L. Verger (RHi, 1917, pp. 294-300). En su conjunto, pueden leerse sus poesías en la colección del marqués de Valmar (BAE, LXI, p. 177).

ESTUDIOS

1302
COSSIO, J. M.: *Naturalismo, convencionalismo. Fray Diego González.* (En *Notas y estudios de crítica literaria. Poesía española. Notas de asedio.* Madrid, Espasa-Calpe, 1936, pp. 245-249.)

1303
DEMERSON, J.: *Para una biografía de Fray Diego González.* (En BRAE, LIII, 1973, pp. 377-390.)

1304
FERNÁNDEZ DE NAVARRETE, E.: *Fray Diego González.* (En SPE, 1845, pp. 385-388.)

1305
GÓMEZ Y ACEVES, A.: *Juguetes críticos. Poesías del M. F. Diego González, del Orden de San Agustín.* (En H, 8 de julio de 1847.)

1306
MONGUIÓ, L.: *Fray Diego Tadeo González and Spanish taste in poetry in the Eighteenth Century.* (En RR, LII, 1961, pp. 241-260.)

1307
RAOUX, M.: *Investigaciones acerca de Fray Diego Tadeo González.* (Memoria para el Diploma de Estudios Superiores. Hay ejemplar mecanografiedo en el Inst. de Estudios Hispánicos de Lyon.)

1308
VELA, G. S.: *Fray Diego González.* (En *Ensayo de una biblioteca de la Orden de San Agustín.* Madrid, III, 1917, pp. 146-156.)

Juan Ignacio GONZALEZ DEL CASTILLO
(1763-1800)

Gaditano, muerto en plena juventud a causa de la epidemia que arrasó Andalucía occidental en el año 1800. Aunque su fama como sainetero apenas rebasó el ámbito regional, es considerado como aventajado continuador de D. Ramón de la Cruz. Escribió 44 sainetes, de valor desigual, pero todos populares, como *La casa de vecindad, El desafío de la Vicenta, El día de toros en Cádiz,* etc. Fueron publicados después de su muerte, en la Isla de León (1812) y más tarde, en cuatro volúmenes, por Adolfo de Castro (Cádiz, 1845-1846). Sus *Obras completas* fueron editadas en tres volúmenes por la Real Academia Española, con un prólogo de Leopoldo Cano (1914).

ESTUDIOS

1309
FLECNIAKOSKA, J.: *Un sainetero olvidado: Juan Ignacio González del Castillo.* (Inédito. Presentado en el IV Congreso Internacional de Hispanistas. Salamanca, 1971.)

1310
GONZÁLEZ RUIZ, N. y GÓMEZ DE ORTEGA, R.: *Juan Ignacio González del Castillo y el teatro popular español del siglo XVIII.* (En BSS, I, 1924, pp. 135-140.)

1311
GONZÁLEZ RUIZ, N. y GÓMEZ ORTEGA, R.: *J. Ignacio González del Castillo: Catálogo crítico de sus obras completas.* (En BSS, II, 1924, pp. 35-50.)

1312
GATTI, J. F.: *Una imitación de Goldoni por Juan Ignacio González del Castillo.* (En RFH, V, 1943, pp. 158-161.)

1313
HANNAN, D.: *Tradition and Originality in the Dramatic Works of Juan Ignacio González del Castillo,* Univ. of Oregon, 1961. (En DA, XXII, 260.)

1314
SALA, J. M.: *Singular y plural en Juan Ignacio González del Castillo.* (En EE, núm. 19, abril de 1975, pp. 103-183.)

Lorenzo HERVÁS Y PANDURO
(1735-1809)

Natural de Horcajo de Santiago (Cuenca). Fue un jesuita de saber enciclopédico, aunque lo más importante de su obra reside en los estudios lingüísticos. En efecto, los seis volúmenes de su *Catálogo de las lenguas de las naciones conocidas* (1784-1787) son considerados como la primera aportación práctica a la filología comparada. Fueron publicados primero en italiano, como continuación de una obra global, *Idea del universo* (1778-1792), en 27 volúmenes, en la que se propuso historiar los más diversos aspectos de la vida humana. Pronto se editó en Madrid una traducción castellana (1789-1805). Dejó abundante material manuscrito sobre lingüística, que fue aprovechado parcialmente después de su muerte, acaecida en Roma. Es sumamente interesante, por ser obra casi de ciencia-ficción, su *Viaje estático al mundo planetario* en cuatro volúmenes (Madrid, 1793-1794). No hay que olvidar tampoco su gran aportación a la docencia: *Escuela española de sordomudos o Arte para enseñarles a escribir y hablar el idioma español* (1795). En edición reciente se ha publicado un estracto de su escrito *Causas de la Revolución de Francia* (Ed. Atlas, 1943).

ESTUDIOS

1315
BATLLORI, M.: *Segundo centenario del P. Hervás. Restos de su epistolario en la Alta Italia.* (En RyF, CIX, 1935, pp. 536-551. Rep. en *La cultura hispanoitaliana,* pp. 275-300.)

1316
BATLLORI, M.: *El archivo lingüístico de Hervás en Roma y su reflejo en Wilhelm von Humboldt.* (En AHSI, XX, 1951, pp. 59-116. Rep. en *La cultura hispanoitaliana,* pp. 201-274.)

1317
BATLLORI, M.: *Provençal i català en els escrits linguistics d'Hervas.* (En SOM, I, 1959. Rep. y trad. en *La cultura hispanoitaliana,* pp. 301-307.)

1318
BELTRÁN Y ROZPIDE, R.: *El «Catálogo de las lenguas de las naciones conocidas».* Discurso. (En BRAH, XCIII, 1928, pp. 68-136.)

1319
CABALLERO, F.: *Conquenses ilustres. I. Abate Hervás.* Madrid, 1868, 230 pp.

1320
GARCÍA, M.: *Hervás y Panduro, pedagogo de la Ilustración. Sus aportaciones a la ciencia pedagógica.* (En RUM, XIV, 1965, pp. 279-280.)

1321
GARCÍA GOLDÁRAZ, C.: *Un discurso inédito del P. Lorenzo Hervás y Panduro sobre códices de colecciones canónico-españolas en bibliotecas de Roma.* (En CTHA, XI, 1961, pp. 143-244.)

1322
GONZÁLEZ PALENCIA, A.: *Nuevas noticias bibliográficas del abate Hervás y Panduro.* (En RBAM, V, 1928, pp. 345-359. Rep. en *Miscelánea conquense,* 1929, y ampliado en *Eruditos y libreros,* 1948, pp. 195-279.)

1323
GONZÁLEZ PALENCIA, A.: *Dos cartas inéditas de Hervás y Panduro.* (En RFE, XXXVII, 1944, pp. 455-463. Rep. en *Eruditos y libreros,* pp. 181-192.)

1324
MURCIANO, C.: *Hervás y Panduro y los mundos habitados.* México, Pub. Candil, 1971, 47 pp.

1325
OLARRA, J.: *Hallazgo del tratado de Hervás y Panduro «División primitiva del tiempo entre los bascongados, usada aun por ellos».* (En BSV, III, 1947, pp. 303-354.)

1326
PORTILLO, E.: *Lorenzo Hervás. Su vida y sus escritos (1735-1809).* (En RyF, núm. 25, 1909, pp. 34-50, 277-292; núm. 26, 1910, pp. 307-324; núm. 27, pp. 176-185; núm. 28, pp. 59-72, 463-475;

núm. 29, 1911, pp. 329-339, 438-458; núm. 30, pp. 319-327; núm. 31, pp. 20-34, 331-339; núm. 32, 1912, pp. 14-28, 199-210; núm. 33, pp. 198-214 y 448-460.)

1327
RODRÍGUEZ DE MORA, C.: *Lorenzo Hervás y Panduro; su aportación a la filología española.* Madrid, Ed. Partenon, 1971, 117 pp.

1328
SÁNCHEZ GRANJEL, L.: *Las ideas antropológicas de Hervás y Panduro.* (En BISD-S, V, 1955, pp. 31-57.)

1329
SÁNCHEZ GRANJEL, L.: *Las ideas médicas de Hervás y Panduro.* (En OI, CXV, 1953, pp. 236-253.)

1330
SÁNCHEZ PÉREZ, J. A.: *Estudios sobre Lorenzo Hervás y Panduro. II. La escuela española de sordomudos.* Madrid, Asociación Nacional de Historiadores de la Ciencia Española, 1936, 43 pp.

1331
SIMÓN DÍAZ, J.: *[Documentos sobre Hervás y Panduro.]* (En RevBN, V, 1944, pp. 475-477.)

1332
URIBE, F.: *Lorenzo Hervás y Panduro.* (En AyLet, IX, 1952, pp. 1-8.)

1333
VIÑAS, C.: *Hervás y Panduro y la Filología comparada.* (En FyL-M, núm. 17, 1917.

1334
YELA UTRILLA, F.: *La antropología educativa de Hervás y Panduro.* (En ACIP, 1950, pp. 447-468.)

1335
ZARCO CUEVAS, J.: *Estudios sobre Lorenzo Hervás y Panduro. I. Vida y escritos.* Madrid, 1936, 156 pp.

José IGLESIAS DE LA CASA
(1748-1791)

Nacido en Salamanca, en cuya Universidad estudió teología, se ordenó de sacerdote a los 35 años. Cultivó la amistad del grupo de poetas salmantinos, escribiendo poesías festivas y pastoriles, letrillas, cantilenas, anacreónticas, de apreciable sentimentalismo. En vida sólo publicó tres poemas: *Llanto de Zaragoza* (1779), *La niñez laureada* (1785) y *La teología* (1790). Dos años después de su muerte se publicaron en Salamanca dos volúmenes de *Poesías póstumas* (1793). El marqués de Valmar lo incluye en su colección (BAE, LXI, 1869) y Foulché-Delbosc editó después algunas poesías inéditas (RHi, 1895).

ESTUDIOS

1336
MAZZEI, A.: *José Iglesias de la Casa.* (En BAAL, XIX, 1950, pp. 237-244.)

1337
SEBOLD, R. P.: *Dieciochismo, estilo místico y contemplación en «La esposa aldeana» de Iglesias de la Casa.* (En PSA, XLIX, 1968, pp. 117-144. Rep. en *El rapto de la mente,* 1970, pp. 197-220.)

Tomás de IRIARTE
(1750-1791)

Natural de Puerto de la Cruz (Tenerife) se trasladó a Madrid a los 14 años, protegido por su tío Juan de Iriarte, humanista bien instalado en la corte. Cuatro años después comenzó a traducir obras francesas para los teatros de los Reales Sitios y compuso una comedia original, *Hacer que hacemos.* En 1771 fue nombrado oficial traductor en la Secretaría de Estado y en 1776 archivero del Consejo Supremo de la Guerra. Convirtióse pronto en el prototipo de cortesano dieciochesco, elegante, culto y buen conversador. Comenzó a adquirir fama literaria con su sátira *Los literatos en cuaresma* (1773) y con la traducción en verso del *Arte poética* de Horacio (1777). Además de cultivar con acierto sus cualidades musicales (escribió un poema didáctico titulado *La música,* en 1779) se entregó de lleno a la poesía y al teatro. Publicó una colección de *Fábulas literarias* (1782) con intención satírica y moralizante. Por ellas fue vejado y atacado en su tiempo, pero permanecen como uno de los grandes éxitos del siglo XVIII, habiéndose traducido a cinco idiomas. Aparte otro corto número de poemas, escribió para el teatro las comedias neoclásicas *El señorito mimado* (1783), *La señorita mal criada* (1788) y *El don de gentes* (1790). Antes de morir vio publicada una *Colección de obras en verso y prosa* (1787). Sus poesías se pueden leer en la colección del marqués de Valmar (BAE, LXIII) y en la edición de A. Navarro («Clásicos castellanos», p. 136). Las principales ediciones de las *Fábulas* son las de A. Cioranescu (Ed. Goya, 1951) y J. Bergua (Ed. Ibéricas, 1955). Foulché-Delbosc publicó algunas *Poesías inéditas* (en RHi, 1895, pp. 70-76).

ESTUDIOS

1338
ALONSO, M. R.: *Errores sobre Tomás de Iriarte.* (En Ins, núm. 59, 1950, p. 8.)

1339
ALONSO, M. R.: *Los retratos de los Iriarte.* (En RH-LL, XVII, 1951, p. 136.)

1340
ALLUÉ Y MORER, F.: *Un precursor de las formas modernistas: Don Tomás de Iriarte.* (En PEsp, núm. 210, 1970, pp. 5-9.)

1341
APRAIZ, J.: *Iriarte y Samaniego.* (En EuE, I, 1898, pp. 25-29.)

1342
CIORANESCU, A.: *Sobre Iriarte, La Fontaine y fabulistas en general.* (En *Estudios de literatura española y comparada.* La Laguna, 1954, pp. 197-204.)

1343
CLARKE, D. C.: *On Iriarte's versification.* (En PMLA, LXVIII, 1952, pp. 411-419.)

1344
COSSIO, J. M.: *Las fábulas literarias de Iriarte.* (En RNE, I, septiembre de 1941, pp. 53-64.)

1345
COTARELO, E.: *Proceso inquisitorial contra D. Tomás de Iriarte.* (En RABM, IV, 1900, pp. 682-683.)

1346
COTARELO Y MORI, E.: *Iriarte y su época.* Madrid, 1897, 588 pp.

1347
COX, R. M.: *The Literary Maturation of Tomas de Iriarte.* (En RNo, núm. 13, 1971, pp. 117-123.)

1348
COX, R. M.: *Tomas de Iriarte.* New York, Twayne Pub. [1972], 161 pp.

1349
COX, R. M.: *Iriarte and the Neoclassical Theater: A Reappraisal.* (En REH-A, VIII, 1974, pp. 229-246.)

1350
[Foulche-Delbosc.] Aguirre, A.: *La notice de Carlos Pignatelli sur Thomas de Yriarte.* (En RHi, XXXVI, 1916, pp. 200-252.)

1351
Garelli, P.: *Originalità e significato del teatro comico di Tomas de Iriarte.* (En Fabbri, Garelli y Menarini, *Finalità ideologiche e problematica letteraria in Salazar, Iriarte, Jovellanos.* Pisa, 1974, pp. 48-90.)

1352
Guigou y Costa, D. M.: *El puerto de la Cruz y los Iriarte. Datos históricos y biográficos.* Tenerife, 1945, 310 pp.

1353
Lentzen, M.: *Tomás de Iriartes Fabeln und der Neoklassizismus in Spanien.* (En RF, LXXIX, 1967, pp. 603-620.)

1354
Navarro González, A.: *Temas humanos en la poesía de Iriarte.* (En RLit, núm. 1, 1952, pp. 7-24.)

1355
Rossi, G. C.: *La teorica del teatro in Tomas de Iriarte.* (EnFR, V, 1958, pp. 49-62. Rep. en *Estudios sobre las letras en el siglo XVIII.* Madrid, Ed. Gredos, 1967, pp. 106-121.)

1356
Ruiz Alvarez, A.: *En torno a los Iriarte.* (En RByD, V, 1951, pp. 255-275.)

1357
Sebold, R. P.: *Tomás de Iriarte, poeta de «rapto racional».* Oviedo, CCF, 1961, 68 pp. Rep. en *El rapto de la mente.* Madrid, 1970, pp. 141-196.)

1358
Simón Díaz, J.: *[Documentos sobre Iriarte.]* (En RevBN, V, 1944, pp. 477-478.)

1359
Subirá, J.: *Estudios sobre el teatro madrileño. Los melólogos de Rousseau, Iriarte y otros autores.* (En RBAM, V, 1928, pp. 140-161.)

1360
Subirá, J.: *El compositor Iriarte (1750-1791) y el cultivo español del melólogo.* Madrid, C.S.I.C., 1949-1950, 2 vols.

1361
SUBIRÁ, J.: *El filarmónico D. Tomás de Iriarte.* (En AEAtl, núm. 9, 1963, pp. 441-464.)
Ver, además, núms. 1266, 1571.

José Francisco de ISLA
(1703-1781)

Nació en Vidanes (León) de padres hidalgos. A los 16 años ingresó en el noviciado de la Compañía de Jesús (Villagarcía de Campos) y estudió después filosofía y teología en Salamanca, bajo la dirección del jesuita Luis de Losada, que lo inició en la filosofía moderna. Hasta 1754 desempeñó diversas cátedras de estas materias en colegios de la Compañía, dedicándose al mismo tiempo a la predicación y a la traducción de obras francesas, como el *Compendio de historia de España* del P. Duchesne y el *Año cristiano* del P. Croiset, en varios volúmenes (Madrid, 1753-1767). Al llegar la expulsión de los jesuitas residía en Pontevedra, desde donde pasó a Córcega primero y a Bolonia, después, donde falleció. Aparte de sus obras menores, que suman muchos tomos, entre los que destacan sus *Cartas familiares,* editadas por P. F. Monlau (BAE, XV), la obra que le ha dado fama es su novela satírica *Fray Gerundio de Campazas,* editada a nombre de «Francisco Lobón de Salazar» (Madrid, 1758). Su éxito fue fulminante, quedando agotada la primera edición en tres días. Como la sátira iba dirigida contra los malos predicadores, todas las órdenes religiosas que se sentían aludidas acudieron a la Inquisición, que prohibió el libro a los pocos días. La segunda parte, no obstante, apareció en edición clandestina, en 1768. El intento de Isla está en línea con los propósitos reformadores de los ilustrados, pero ceñido a un tema tan vidrioso como la oratoria sagrada. Hay edición moderna y completa del *Fray Gerundio* en la colección «Clásicos castellanos» (Madrid, Espasa-Calpe, 1960, núms. 148-151), con introducción y notas de R. P. Sebold. El P. L. Fernández ha publicado una voluminosa edición de *Cartas inéditas* (Madrid, Razón y Fe, 1957).

ESTUDIOS

1362
ALONSO CORTÉS, N.: *Datos genealógicos del P. Isla.* (En BRAE, XXIII, 1936, pp. 211-224.)

1363
ARCE MONZÓN, B.: *Sobre uno de los escritos del P. Isla en defensa del P. Feijoo.* (En RUO, LVII-LVIII, 1948, pp. 109-121.)

1364
BAUMGARTNER, A.: *Des Spanische humorist P. Joseph Franz de Isla, S. J.* (En SML, LXVIII, 1905, pp. 82-90, 182-205 y 309-315.)

1365
BLECUA, J. M.: *Décimas contra el P. Isla.* (En Cast, II, 1940, pp. 323-332.)

1366
BOTTEREAU, G.: *Historie des écrits du P. Claude Judde, S. J. (1661-1735).* (En RAM, XLVII, 1971, pp. 45-74.)

1367
CARVALHO, J. A.: *El «monstruo del púlpito» portugués criticado en el «Fray Gerundio de Campazas».* (En Arch, XVIII, 1968, pp. 349-376.)

1368
COLOMA, L.: *El P. Isla.* Discurso. Madrid, RAE, 1908, 61 pp.

1369
COSMO, U.: *Giuseppe Baretti e Jose Francisco de Isla.* (En GSLI, XLV, 1905, pp. 193-314.)

1370
DANIEL, J.: *La satire dans le «Fray Gerundio» du Padre Isla.* Paris, Fac. des Lettres, 1958, 148 pp. (Memoria para el Diploma de Estudios Superiores. Hay ejemplar mecanografiado en el Inst. d'Etudes Hispaniques de Paris.)

1371
EGUÍA RUIZ, C.: *Postrimerías y muerte del P. Isla en Bolonia.* (En RyF, núm. 100, 1932, pp. 305-321; núm. 101, 1933, pp. 41-61.)

1372
EGUÍA RUIZ, C.: *El padre Isla, tan buen religioso como literato. Historia verídica de su espíritu.* (En RyF, núm. 136, 1947, pp. 229-248.)

1373
EGUÍA RUIZ, C.: *El autor de «Fray Gerundio» expulsado de España.* (En Hisp, VIII, 1948, pp. 434-455.)

1374
EGUÍA RUIZ, C.: *El Padre Isla en Córcega.* (En Hisp, VIII, 1948, pp. 597-611.)

1375
EGUÍA RUIZ, C.: *El estilo humanístico del autor de «Fray Gerundio»*. (En HuC, III, 1951, pp. 262-277.)

1376
EGUÍA RUIZ, C.: *La predilecta hermana del P. Isla y sus cartas inéditas.* (En HuC, VII, 1955, pp. 255-268.)

1377
EZQUERRA ABADÍA, R.: *Obras y papeles perdidos del P. Isla.* (En EDMP, VII, 1957, pp. 417-446.)

1378
FERNÁNDEZ, L.: *La biblioteca particular del Padre Isla.* (En HuC, IV, 1952, pp. 128-141.)

1379
FIGUERA, G.: *Americanismos del P. Isla.* (En Bol, I, 1952, pp. 415-418.)

1380
FRIEIRO, E.: *Um Dom Quixote do púlpito.* (En *O alegre Arcipreste e outros temas de literatura espanhola.* Belo Horizonte, 1959, pp. 162-168.)

1381
GARCÍA ABAD, A.: *Correcciones y nuevos datos sobre la biografía del Padre Isla.* (En RLit, XXXV, 1969, pp. 39-54.)

1382
GAUDEAU, B.: *Les prêcheurs burlesques en Espagne au XVIIIe siècle: étude sur le P. Isla.* Paris, 1891, 568 pp.

1383
GILI GAYA, S.: *Contribución a la bibliografía del P. Isla.* (En RFE, X, 1923, pp. 65-70.)

1384
GUTIÉRREZ SESMA, J.: *La medicina y los médicos en la vida y en la obra literaria del P. José Francisco Isla.* (En RUM, XII, 1964, pp. 976-978.)

1385
H. V. B.: *Textos euskéricos en cartas y escritos del Padre Isla.* (En BSV, XVIII, 1962, pp. 332-333.)

1386
HELMAN, E. F.: *Padre Isla and Goya.* (En HispW, XXXVIII, 1955, pp. 150-158. Trad. y rep. en *Jovellanos y Goya.* Madrid, 1970, pp. 201-217.)

1387
LEGARDA, A.: *Donostiarras del siglo XVIII vistos desde el púlpito por el P. Isla.* (En BSV, XI, 1955, pp. 61-73.)

1388
MARTÍNEZ BARBEITO, C.: *Doña María Francisca de Isla y su romance en gallego al cura de Fruime.* (En CHa, núm. 130, 1960, pp. 84-98.)

1389
MENDOZA, F.: *Un libro. Un autor. Unas fiestas. «Fray Gerundio» en Vitoria.* (En HJUI, II, 1949, pp. 235-242.)

1390
MORO VELASCO, R.: *El centenario del P. Isla.* (En RyF, núm. 5, 1903, pp. 463-472.)

1391
PALMER, J. L.: *Elements of Social Satire in Padre Isla's «Fray Gerundio de Campazas».* (En KRQ, XVIII, 1971, pp. 195-205.)

1392
PALMER, J. L.: «*La juventud triunfante*» *and the origins of Padre Isla's satire.* (En HispW, vol. 56, marzo 1973, pp. 75-80.)

1393
PÉREZ DE CASTRO, J. L.: *Recuerdos y cartas de doña María Francisca de Isla en su solar de Asturias.* (En CEG, 1960, pp. 239-247.)

1394
PÉREZ GOYENA, A.: *Un falso origen del gerundianismo.* (En RyF, núm. 55, 1919, pp. 443-458.)

1395
PÉREZ PICÓN, C.: *El P. Isla, vascófilo. Un epistolario inédito.* (En MisCo, XLII, 1964, pp. 183-301; XLIII, 1965, pp. 342-505.)

1396
RODRÍGUEZ MÉNDEZ, J. M.: *Fray Gerundio o la inteligencia «camelística».* (En *Ensayo sobre la inteligencia española.* Barcelona, Ed. Península, 1972, pp. 59-92.)

1397
Roisin, C.: *La peinture de la société dans le «Fray Gerundio» du P. Isla.* Paris, Fac. des Lettres, 1967, 115 pp. (Memoria para el Diploma de Estudios Superiores. Hay ejemplar mecanografiado en el Inst. d'Etudes Hispaniques de Paris.)

1398
Sánchez Cantón, F. J.: *La celda del P. Isla en el colegio de la Compañía de Pontevedra.* (En VG, núm. 788, 1958. Rep. en MPont, XXV, 1971, pp. 168-172 y 173-175.)

1399
Sebaoun, C.: *Comique et satire dans le «Fray Gerundio» du Père Isla.* Paris, Fac. des Lettres, 1967, 59 pp. (Memoria para el Diploma de Estudios Superiores. Hay ejemplar mecanografiado en el Inst. d'Etudes Hispaniques de Paris.)

1400
Sebold, R. P.: *José Francisco de Isla, Jesuit Satirist of Pulpiteers in Eighteenth-Century Spain.* Princeton, 1953. (En DA, XIV, 360.)

1401
Sebold, R. P.: *Naturalistic tendencies and the Descent of the Hero in Isla's «Fray Gerundio».* (En HispCal, XLI, 1958, pp. 308-314.)

1402
Tellechea Idígoras, J. I.: *El Padre Francisco de Isla.* (En Salm, XX, 1973, pp. 85-89.)

1403
[Tolra, J. J.]: *Compendio histórico de la vida, carácter moral y literario del célebre P. José Francisco de Isla, con la noticia analítica de sus escritos, por José Ignacio de Salas* [seud.]. Madrid, Ibarra, 1803, 348 pp.

Ver, además, núms. 178, 1154.

Gaspar Melchor de JOVELLANOS
(1744-1811)

Nació en Gijón, de padres nobles pero de modesta posición económica. Estudió en la Universidad de Oviedo, en Avila y en Alcalá. Ingresó en la Magistratura, siendo destinado a la Audiencia de Sevilla (1767) como alcalde del crimen. En esta ciudad, donde coincidió con Olavide, participó en los proyectos de renovación cultural, en la fundación de la Sociedad Económica y en las tertulias literarias del Asistente, para las que compuso algunas obras dramáticas, como *El delincuente honrado* (1773). Al ser nombrado Alcalde de Casa y Corte (1778) hubo de abandonar la ciudad andaluza, donde pasara los mejores años de su vida, como refleja su nostálgica *Epístola de Jovino a sus amigos de Sevilla.* Con este seudónimo pastoril de «Jovino» firmó sus poesías y era conocido en los círculos literarios de Madrid, Sevilla y Salamanca. Los doce años que pasó en Madrid (1778-1790) son los de mayor actividad reformadora: ingresó en la Sociedad Económica, en las Academias Española, de la Historia, de San Fernando, de Cánones y de Derecho y formó parte de la Real Junta de Comercio, Moneda y Minas, instituciones para las que redactó gran número de informes, memorias y censuras de libros. Después de la muerte de Carlos III fue desterrado a su ciudad natal (1790-1798) lo que le dio ocasión de fundar allí el Instituto Asturiano de Náutica y de redactar algunas de sus obras más importantes, como el *Informe sobre el expediente de la ley agraria* y la *Memoria sobre espectáculos.* Recuperada eventualmente la gracia regia, fue nombrado ministro de Gracia y Justicia (1797) pero a los pocos meses fue desterrado de nuevo a Gijón y más tarde a la isla de Mallorca (1801-1808) donde escribió unas *Memorias del castillo de Bellver,* un *Tratado teórico-práctico de enseñanza,* un comentario de la crónica del rey D. Jaime y varias composiciones poéticas. Liberado en marzo de 1808, resistió las presiones de sus amigos para que abrazara la causa napoleónica y formó parte de la Junta Central, sufriendo penalidades sin cuento hasta que falleció al regresar por barco desde Cádiz a su tierra natal, en el pequeño puerto asturiano de Vega. Para justificar su conducta política escribió una patriótica *Memoria en defensa de la Junta Central,* que no puede ser leída sin emoción. Si la rectitud moral, la firmeza de sus convicciones y sus nobles propósitos reformadores hacen de Jovellanos una personalidad señera en la época de la Ilustración, que él encarna de forma ejemplar, su excesiva timidez y moderación le impidieron influir de forma eficaz en los destinos de la patria. «El miedo al error —diagnostica acertadamente J. Marías— fue en él más fuerte que el afán de alcanzar la verdad». Las *Obras* de Jovellanos fueron publicadas, en siete volúmenes, por R. M. Cañedo, con una introducción biográfica (Madrid, 1830-1832) y después por C. Nocedal (BAE, XLVI y L, 1865), continuada por M. Artola (BAE, LXXXV, 1956). Nuevas ediciones se hicieron en Madrid, cinco volúmenes (1845-1846) y Logroño, ocho tomos (1846-1847). Con apuntes biográficos de T. Sala, aparecieron tres tomos de *Obras escogidas* (Barcelona, 1884-1886), otro de E. Ovejero y Maury (Madrid, 1930) y otros dos de A. del Río (Col. «Clásicos castellanos», 1966). Con introducción de P. Peñalver Simó hay una edición de *Obras sociales y políticas* (Madrid, 1963) y con prólogo de P. Laín Entralgo, una *Antología* (Gijón, 1969). J. Somoza preparó una edición de *Escritos inéditos* (Barcelona, 1891) y M. Adellac otra de *Manuscritos inéditos* (Gijón, 1915). Su *Epistolario* ha sido recopilado por J. Caso

González (Barcelona, Labor, 1970), quien ha preparado también una edición de *Obras en prosa* (Madrid, Castalia, 1970) y otra de *Poesías* (Oviedo, 1962). Los *Diarios* de Jovellanos fueron publicados, en tres volúmenes, por J. Somoza, con estudio preliminar de A. del Río (Oviedo, 1953-1956). Hay selección de los mismos, por J. Marías (Madrid, Alianza Editorial, 1967). En ediciones separadas han visto la luz algunos de sus trabajos sobre Mallorca (Palma, 1945), el *Informe sobre la ley agraria* (Madrid, Int. de Estudios Políticos, 1955 y Barcelona, 1968), su memoria sobre *Espectáculos y diversiones públicas* (Madrid, col. Austral, 1367, 1966) y en edición de C. González Suárez (Salamanca, Anaya, 1967). El *Reglamento para el Colegio de Calatrava* ha sido editado por J. Caso González (Gijón, 1964).

ESTUDIOS

1404
ADARO RUIZ-FALCÓ, L.: *Noticias y comentarios sobre asuntos y realizaciones asturianas (pasado, presente y futuro de Asturias)*. Gijón, Cámara Oficial de Comercio, Industria y Navegación, 1969, 554 pp.

Véase la segunda parte: «Algunas facetas de la gran labor de Jovellanos» (pp. 183-347).

1405
AGRAMONTE, R.: *Jovellanos, planificador*. (En LT, núm. 49, 1965, pp. 155-169.)

1406
ALBERTI, J.: *Gijón proyectado. A la busca y descubrimiento de Jovellanos.* (En LNE, 9 de febrero de 1960.)

1407
ALCOVER GONZÁLEZ, R.: *El edificio de nuestro Ayuntamiento y Jovellanos.* (En BCOCN-PM, núm. 649, pp. 274-278.)

1408
A[LONSO] BONET, J.: *Grandeza y desventuras de don Gaspar Melchor de Jovellanos.* Madrid, Afrodisio Aguado, 1944, 358 pp.

1409
A[LONSO] BONET, J.: *Asturias en el pensamiento de Jovellanos.* Oviedo, Instituto de Estudios Asturianos, 1947, 280 pp.

1410
ALVAREZ, E.: *Antigüedades romanas que se recogen y comentan en los «Diarios» de Jovellanos.* (En Zeph, XIII, 1962, pp. 107-110.)

1411
ALVAREZ, N.: *Jovellanos en Mallorca.* (En BIEA, núm. 54, 1965, pp. 103-122.)

1412
ALVAREZ GENDIN, S.: *Jovellanos, didáctico.* (En BIEA, núm. 1, 1947, pp. 3-20.)

1413
ALVAREZ GENDIN S.: *La didáctica según Jovellanos.* [s. l.] [Gráficas Urpe, 1962, 20 pp.]

1414
[ALVAREZ] SANTULLANO, L.: *Jovellanos. Siglo XVIII.* Madrid, Aguilar, 1935, 263 pp.

1415
ANES, G.: *El informe sobre la ley agraria y la Real Sociedad Económica Matritense de Amigos del País.* (En HRC, 1963, pp. 21-56.)

1416
ANTILLÓN, I.: *Noticias históricas de don Gaspar Melchor de Jovellanos.* Palma de Mallorca, 1812. (2.ª ed. Cádiz, 1813.)

1417
ARANGUREN, J. L.: *Jovellanos desde el castillo de Bellver.* (En PSA, núm. 50, 1960, pp. 221-237.)

1418
ARCE FERNÁNDEZ, J.: *Jovellanos y la sensibilidad prerromántica.* (En BBMP, XXXVI, 1960, pp. 139-177.)

1419
ARCE FERNÁNDEZ, J.: *La poesía de Fray Luis de León en Jovellanos.* (En RUO, 1974, pp. 41-55.)

1420
ARCO, R. DEL: *Jovellanos y las Bellas Artes.* (En RIE, IV, 1946, pp. 31-64.)

1421
ARIAS, M. A.: *Jovellanos, pedagogo.* (En BIEA, núm. 82, 1974, pp. 323-373.)

1422
ARTIGAS, M.: *Los manuscritos de Jovellanos en la Biblioteca* [de Menéndez Pelayo]. (En BBMP, III, 1921, pp. 118-152.)

1423
Artiñano y Galdácano, G.: *Jovellanos y su España.* Madrid, Academia de Ciencias Morales y Políticas, 1913, 186 pp.

1424
Artola, M.: *El pensamiento político de Jovellanos según la instrucción inédita a la Junta de la Real Hacienda y Legislación.* (En Arch, XII, 1962, pp. 210-216.)

1425
Ayala, F.: *Jovellanos, sociólogo.* (En *Jovellanos. Su vida y su obra.* Homenaje del Centro Asturiano de Buenos Aires en el bicentenario de su nacimiento. Buenos Aires, 1945.)

1426
Azcárate, G.: *Jovellanos, juzgado por un alemán.* (En IGA, núm. 35, 1880, p. 437.)

1427
Balil Illana, A.: *Los manuscritos epigráficos de Jovellanos.* (En Zeph, XIV, 1963, pp. 101-102.)

1428
Ballesteros Gaibrois, M.: *Colección de Asturias, reunida por Jovellanos.* Madrid, 1947-1949, 3 vols.

1429
Barcia Trelles, A.: *Jovellanos, político.* (En *Jovellanos. Su vida y su obra.* Homenaje del Centro Asturiano de Buenos Aires en el bicentenario de su nacimiento. Buenos Aires, 1945.)

1430
Barcia Trelles, A.: *El pensamiento vivo de Jovellanos.* Buenos Aires, 1951.

1431
Bareño, F.: *Ideas pedagógicas de Jovellanos.* Gijón, 1910, 86 pp.

1432
Baudiot, M.: *Jovellanos et la linguistique.* Paris, Fac. des Lettres, 1965, 112 pp. (Memoria para el Diploma de Estudios Superiores. Hay ejemplar mecanografiado en el Inst. d'Etudes Hispaniques de Paris.)

1433
Becker, J.: *La prisión de Jovellanos.* (En IEA, núms. 246-247, 30 de abril de 1904.)

1434
BEVERLEY, J.: *The dramatic logic of «El delincuente honrado»*. (En RHM, XXXVII, 1972-1973, pp. 155-161.)

1435
BLANCO WHITE, J. M.: *Fallecimiento del señor Jovellanos.* (En EEsp-L, IV, 1811, pp. 230-239.)

1436
BLASCO GARZÓN, M.: *Jovellanos, literato.* (En *Jovellanos. Su vida y su obra.* Homenaje del Centro Asturiano de Buenos Aires en el bicentenario de su nacimiento. Buenos Aires, 1945.)

1437
BONET, J.: *Proyección nacional de la villa de Jovellanos.* Gijón, Ayuntamiento, 1959, 324 pp., 27 láms.

1438
BUYLLA, J. B.: *La traducción de Jovellanos del libro primero del «Paraíso perdido» de Milton.* (En FM, núm. 10, 1963, pp. 1-47.)

1439
CABEZAS, J. A.: *Jovellanos, el hombre ilustrado.* (En HyV, núm. 66, septiembre de 1973, pp. 76-91.)

1440
CABOT LLOMPART, J.: *Jovellanos, confinado en Mallorca.* Palma de Mallorca, 1936, 94 pp.

1441
CAMACHO Y PEREA, A. M.: *Estudio crítico de las doctrinas de Jovellanos en la referente a las ciencias morales y políticas.* Madrid, 1913, 296 pp.

1442
CANELLAS SECADES, F.: *Dos estudios sobre la vida de Jovellanos.* Gijón, 1886, 56 pp.

1443
CAÑEDO, R. M.: *Noticias de los principales hechos de la vida de Jovellanos.* Madrid, 1830.

1444
CARDENAL IRACHETA, M.: *Jovellanos, autor dramático.* (En Sí, 9 de enero de 1944. Rep. en *Comentarios y recuerdos.* Madrid, Rev. Occ., 1972.)

1445
CARDENAL IRACHETA, M.: *Jovellanos* [con una selección de textos sobre arte]. (En RIE, V, 1947, pp. 221-239.)

1446
CASARIEGO, J. E.: *Jovellanos o el equilibrio. (Ideas, desventuras y virtudes del inmortal hidalgo de Gijón)*. Madrid, 1943, 202 pp.

1447
CASARIEGO, J. E.: *Jovellanos, defensor de la fe y de las tradiciones de España.* (En Sí, 9 de enero de 1944.)

1448
CASIELLES, R.: *Jovellanos y Casal.* (En BIEA, núm. 43, 1963, pp. 137-148.)

1449
CASO GONZÁLEZ, J.: *Una sátira inédita de Jovellanos.* (En Arch, III, 1953, pp. 49-62.)

1450
CASO GONZÁLEZ, J.: *Jovellanos y la Inquisición.* (En Arch, VII, 1957, pp. 231-259; IX, 1959, pp. 91-94.)

1451
CASO GONZÁLEZ, J. y DEMERSON, G.: *La sátira de Jovellanos sobre la mala educación de la nobleza. (Versión original, corregida por Meléndez Valdés.)* (En BHi, LXI, 1959, pp. 365-385.)

1452
CASO GONZÁLEZ, J.: *Notas críticas de bibliografía jovellanista (1950-1959)*. (En BBMP, XXXVI, 1960, pp. 185-213.)

1453
CASO GONZÁLEZ, J.: *Teorías métricas de Jovellanos en dos cartas inéditas.* (En BIEA, XIV, 1960, pp. 125-154.)

1454
CASO GONZÁLEZ, J.: *«Entretenimientos juveniles de Jovino». Un manuscrito de Menéndez Pelayo y una versión inédita de la «Epístola del Paular».* (En BBMP, XXXVI, 1960, pp. 109-138.)

1455
CASO GONZÁLEZ, J.: *El pre-romanticismo de Jovellanos.* (En RUM, X, 1961, pp. 841-842.)

1456
CASO GONZÁLEZ, J.: *Notas sobre la prisión de Jovellanos en 1801.* (En Arch, XII, 1962, pp. 217-237.)

1457
Caso González, J.: *Cartas inéditas de Jovellanos.* (En Arch, XIII, 1963, pp. 292-310.)

1458
Caso González, J.: *Las Humanidades en el pensamiento pedagógico de Jovellanos.* (En *Memoria del curso 1961-1962.* Real Instituto de Jovellanos. Gijón, 1963, pp. 105-131.)

1459
Caso González, J.: *«El delincuente honrado» drama sentimental.* (En Arch, XIV, 1964, pp. 103-133.)

1460
Caso González, J.: *Escolásticos e innovadores a finales del siglo XVIII. (Sobre el catolicismo de Jovellanos.)* (En PSA, XXXVII, 1965, pp. 25-48.)

1461
Caso González, J.: *Jovellanos y la nueva religiosidad.* (En EL, núms. 402-404, 1968, pp. 14-17.)

1462
Caso González, J.: *La poética de Jovellanos.* Madrid, Ed. Prensa Española, 1972, 235 pp.

1463
Caso González, J.: *Jovellanos y Mieres.* Mieres del Camino, Inst. Bernaldo de Quirós, 1973, 93 pp.

1464
Caso González, J.: *Una biografía inédita de Jovellanos: las «Memorias» de González de Posada.* (En BOCES XVIII, núm. 2, 1974, pp. 57-92.)

1465
Caso González, J.: *El castillo de Bellver y el prerromanticismo de Jovellanos.* (En HMRM, 1975, pp. 147-156.)

1466
Caso González, J.: *La justicia, los jueces y la libertad humana según Jovellanos.* (En *Libro del bicentenario del Colegio de Abogados.* Oviedo, 1975, pp. 45-47.)

1467
Castañón, L.: *Recuerdo de Jovellanos en el aniversario de su fallecimiento.* (En ECom, 27 de noviembre de 1959.)

1468
CASTILLEJO, J. L.: *La casa de Jovellanos.* (En HM, 9 de agosto de 1895.)

1469
CASTRO, A.: *Jovellanos.* (En Sol, 21 de julio de 1933. Rep. en *Españoles al margen.* Madrid, Ed. Júcar, 1973, pp. 73-83.)

1470
CEAN BERMÚDEZ, A.: *Memorias para la vida del Excmo. Sr. D. Gaspar de Jovellanos y noticias analíticas de sus obras.* Madrid, 1814, 395 pp.

1471
CIENFUEGOS, F.: *Jovellanos y la carretera de Castilla.* Gijón, Ayuntamiento, 1970, 199 pp.

1472
CIMORRA, C.: *La obra asturianista de Jovellanos.* (En *Jovellanos. Su vida y su obra.* Homenaje del Centro Asturiano de Buenos Aires en el bicentenario de su nacimiento. Buenos Aires, 1945.)

1473
CHAMORRO, B.: *Breve historia de la biblioteca de Jovellanos.* (En BH, núm. 11, 1944, pp. 744-776.)

1474
DEFOURNEAUX, M.: *Pablo de Olavide et sa famille. A propos d'une «Ode» de Jovellanos.* (En BHi, LVI, 1954, pp. 249-259.)

1475
DELGADO, J.: *Jovellanos, poeta.* (En EyA, XXXI, 1911, pp. 481-492.)

1476
DEMERSON, G.: *Quatre poèmes inédites de Jovellanos.* (En BHi, LVIII, 1956, pp. 36-47.)

1477
DEMERSON, G.: *Sur Jovellanos et Campomanes.* (En BOCES XVIII, núm. 2, 1974, pp. 37-55.)

1478
DÍAZ-JIMÉNEZ Y MOLLEDA, E.: *Jovellanos en León.* (En BRAE, XII, 1925, pp. 606-639.)

1479
DIEGO, G.: *Jovellanos y el paisaje.* (En Sí, 9 de enero de 1944.)

1480
DIEGO, G.: *De Asturias a Mallorca.* (En Nac, 6 de agosto de 1944.)

1481
DIEGO, G.: *La poesía de Jovellanos.* (En BBMP, XXII, 1946, pp. 209-235.)

1482
DOERING, J. A.: *Un precursor español de las ideas modernas sobre el desarrollo de la agricultura: Gaspar Melchor de Jovellanos.* (En FH, III, 1965, pp. 631-639.)

1483
DOMERGUE, L.: *Une censure inédite de Jovellanos.* (En MCV, II, 1966, pp. 311-331.)

1484
DOMERGUE, L.: *Les démêlés de Jovellanos avec l'Inquisition et la bibliothéque de l'Instituto.* Oviedo, Cátedra Feijoo, 1971, 108 pp.

1485
DOMERGUE, L.: *Jovellanos à la Société Economique des Amis du Pays de Madrid. 1778-1795.* Toulouse, France-Ibérie Recherche, 1971, 373 pp.

1486
DOMERGUE, L.: *El fondo náutico de la biblioteca del Real Instituto Asturiano de Gijón, en 1796.* (En RGM, julio de 1970, pp. 23-27.)

1487
DOTOR, A.: *Jovellanos.* Madrid, Cía. Bibliográfica Española, 1964, 340 pp.

1488
DOWDLE, H. L.: *The Humanitarianism of Gaspar Melchor de Jovellanos,* Stanford Univ., 1954. (En DA, XIV, 1718.)

1489
ENTRAMBASAGUAS, J.: *La musa didáctica de Jovellanos.* (En RUO, 1940, pp. 5-43. Rep. en *Estudios y ensayos de investigación y crítica.* Madrid, C.S.I.C., 1973, pp. 481-509.)

1490
ENTRAMBASAGUAS, J.: *La más alta empresa de Jovellanos.* (En Sí, 9 de enero de 1944.)

1491
FERNÁNDEZ AVELLO, M.: *Versos inéditos de Jovellanos. Primeras noticias de otros escritos.* (En BIEA, XXVII, 1973, pp. 523-548.)

1492
FERNÁNDEZ AVELLO, M.: *Papeles de Jovellanos. Un autógrafo acerca de Campomanes.* (En BIEA, XXVIII, 1974, pp. 91-96.)

1493
FERNÁNDEZ AVELLO, M.: *Más noticias sobre algunos escritos de Jovellanos, entre ellos las reflexiones del sacristán Cristóbal de la Mordaza.* (En LNE, 13 de abril de 1975.)

1494
FERNÁNDEZ LUANCO, J. F.: *Postrimerías y recuerdos de Jovellanos.* (En IGA, 4 de noviembre de 1881.)

1495
FERNÁNDEZ VILLEGAS, F.: *Jovellanos.* (En Ep, 3 de agosto de 1891.)

1496
FRAILE MIGUÉLEZ, M.: *Fisonomía moral de Jovellanos.* (En CD, LXXXVII, 1911, pp. 241-250; LXXXVIII, 1912, pp. 321-332; LXXXIX, 1913, pp. 163-177.)

1497
FRAILE MIGUÉLEZ, M.: *Documentos inéditos sobre la guerra de la Independencia y las Cortes de Cádiz.* (En CD, LXXXVIII, 1912, pp. 401-415; LXXXIX, 1913, pp. 18-24 y 90-97.)

1498
FRANCÉS, J.: *Jovellanos, escultor de su alma.* (En el libro *Madre Asturias.* Madrid, 1945, pp. 31-36.)

1499
FRANQUET, W.: *Doctrinas religiosas, morales, políticas y literarias de Jovellanos.* (En RIPLC, núms. 1, 5, 8, 11 y 17, 1859 y 1860.)

1500
GALINDO GARCÍA, F.: *El espíritu del siglo XVIII y la personalidad de Jovellanos. Su criterio de la ganadería en el «Informe sobre la ley agraria».* Oviedo, Instituto de Estudios Asturianos, 1971, 309 pp.

1501
GÁRATE, J.: *Jovellanos.* (En Eusk, XIII, 1968, pp. 107-118.)

1502
GARCÍA PRADO, J.: *Jovellanos en la Rioja.* (En Ber, III, 1947, pp. 275-302.)

1503
García Prado, J.: *Jovellanos, geógrafo.* (En EG, X, 1949, pp. 477-496.)

1504
García Prado, J.: *Las ideas geográficas de Jovellanos.* (En BIEA, XI, 1950, pp. 233-291.)

1505
García Prado, J.: *La geografía local en Jovellanos.* (En BIEA, VI, 1952, pp. 413-424; VII, 1953, pp. 82-91.)

1506
García Puertas, M.: *Jovellanos.* Montevideo, Organización Medina, 1954, 87 pp.

1507
García Rendueles, E.: *Jovellanos y las ciencias morales y políticas.* Madrid, 1913, 82 pp.

1508
Giménez Caballero, E.: *En el centenario de Jovellanos. Su mensaje a Arnesto.* (En REP, IX, 1944, pp. 149-169.)

1509
Glendinning, N.: *Jovellanos en Bellver y su «Respuesta al mensaje de Don Quijote».* (En MMJS, II, 1966, pp. 379-395.)

1510
Gómez, I. M.: *Monasterios y monjes en los «Diarios» de Jovellanos.* (En Yer, IV, 1966, pp. 107-213.)

1511
Gómez, M.: *Jovellanos, magistrado.* (En *Jovellanos. Su vida y su obra.* Homenaje del Centro Asturiano de Buenos Aires en el bicentenario de su nacimiento. Buenos Aires, 1945.)

1512
Gómez Centurión, J.: *Jovellanos en el Real Consejo de las Ordenes Militares.* (En BRAH, LIX, 1911, pp. 487-525.)

1513
Gómez Centurión, J.: *Jovellanos. Apuntes biográficos, inéditos, por Ceán Bermúdez.* (En BRAH, LIX, 1911, pp. 483-487.)

1514
Gómez Centurión, J.: *Jovellanos en la guerra de la Independencia. Invitación del general francés Horacio Sebastiani y patriótica respuesta.* (En BRAH, LIX, 1911, pp. 231-235.)

1515
GÓMEZ, CENTURIÓN, J.: *Jovellanos y las Ordenes Militares. Colección de documentos interesantes, en su casi totalidad inéditos.* Madrid, 1912, 348 pp.

1516
GÓMEZ CENTURIÓN, J.: *Jovellanos y los Colegios de las Ordenes Militares en la Universidad de Salamanca.* Madrid, 1913, 389 pp.

1517
GÓMEZ CENTURIÓN, J.: *Causas del destierro de Jovellanos.* (En BRAH, LXIV, 1914, pp. 227-231.)

1518
GÓMEZ MARÍN, J. A.: *La reforma agraria y la mentalidad ilustrada.* (En CHa, núm. 229, 1969, pp. 151-161.)

1519
GÓMEZ DE LA SERNA, G.: *Jovellanos entre cuatro fuegos.* Madrid, Colegio Mayor Covarrubias, 1964, 43 pp.

1520
GÓMEZ DE LA SERNA, G.: *Asturianismo de Jovellanos: su raíz, su obra, su nostalgia.* (En EL, núm. 402, 1968, pp. 18-20.)

1521
GÓMEZ DE LA SERNA, G.: *Jovellanos, el español perdido.* Madrid, Ed. Sala, 1975, 2 vols., 365 y 325 pp.

1522
GONZÁLEZ, J. V.: *Influencia de las ideas de Jovellanos en la gesta emancipadora argentina.* (En *Jovellanos. Su vida y su obra.* Homenaje del Centro Asturiano de Buenos Aires en el bicentenario de su nacimiento. Buenos Aires, 1945.)

1523
GONZÁLEZ ANTUÑA, C.: *Jovellanos y la idea de unir Sama con Gijón.* (En VA, 1 de junio de 1975.)

1524
GONZÁLEZ BLANCO, E.: *Jovellanos. Su vida y su obra.* Madrid, 1911, 154 pp.

1525
GONZÁLEZ GARCÍA, F.: *Charlas jovellanistas.* (Serie de 37 artículos publicados en ECom, de Gijón, entre el 2 de julio de 1943 y el 30 noviembre de 1944, cuyo desglose puede verse en la bibliografía de Simón Díaz y Martínez Cachero, citada más abajo.)

1526
GONZÁLEZ PALENCIA, A.: *Tonadilla mandada recoger por Jovellanos.* (En RBAM, I, 1924, pp. 138-142. Rep. en *Entre dos siglos.* Madrid, C.S.I.C., 1943, pp. 125-135.)

1527
GONZÁLEZ PALENCIA, A.: *Jovellanos y el patriotismo.* (En Cons, IV, núm. 38, pp. 37-38.)

1528
GONZÁLEZ PRIETO, F.: *Monografía de Jovellanos. Vida y obras.* Gijón, 1911.

1529
GONZÁLEZ VALDÉS GRANDA, J.: *Noticia de la función fúnebre con que se solemnizaron el 20 de abril de 1842 en la Villa de Gijón las exequias del Excmo. Sr. D. Gaspar Melchor de Jovellanos... y la oración fúnebre que dijo el presbítero D....* Madrid, 1842, 51 pp.

1530
GOUZIEN, C.: *Le théâtre de Jovellanos.* Paris, Fac. des Lettres, 1967, 113 pp. (Memoria para el Diploma de Estudios Superiores. Hay ejemplar mecanografiado en el Inst. d'Etudes Hispaniques de Paris.)

1531
GUTIÉRREZ ALONSO, M. P.: *El humanismo de Jovellanos.* Madrid, Fac. de Letras, 1962. Tesis de licenciatura.

1532
HELMAN, E.: *Some consequences of the publication of the «Informe de la ley agraria» by Jovellanos.* (En EH, 1952, pp. 253-273.)

1533
HELMAN, E.: *El humanismo de Jovellanos.* (En NRFH, XV, 1961, pp. 519-528. Rep. en *Jovellanos y Goya.* Madrid, Ed. Taurus, 1970, pp. 15-31.)

1534
HELMAN, E.: *Una sátira de Jovellanos sobre teatro y toros.* (En PSA, núm. 157, 1969, pp. 9-30. Rep. en *Jovellanos y Goya.* Madrid, Ed. Taurus, 1970, pp. 71-90.)

1535
HELMAN, E.: *Jovellanos y el pensamiento inglés.* (En *Jovellanos y Goya.* Madrid, Ed. Taurus, 1970, pp. 91-109.)

1536
HELMAN, E.: *Algunos antecedentes de la persecución de Jovellanos.* (En *Jovellanos y Goya.* Madrid, Ed. Taurus, 1970, pp. 33-69.)

1537
HUESO CHÉRCOLES, R.: *En torno a Jovellanos.* (En BIEA, XXV, 1971, pp. 349-370.)

1538
HUICI MIRANDA, V.: *Miscelánea de trabajos inéditos, varios y dispersos de Don G. Melchor de Jovellanos.* Barcelona, 1931, 311 pp.

1539
INFIESTA, R.: *Jovellanos en los orígenes de la nacionalidad cubana.* (En *Jovellanos. Su vida y su obra.* Homenaje del Centro Asturiano de Buenos Aires en el bicentenario de su nacimiento. Buenos Aires, 1945.)

1540
INSAUSTI, S.: *Visita a la iglesia del convento de San Francisco, de Tolosa, en compañía de Jovellanos.* (En BSV, IX, 1953, pp. 537-544.)

1541
JUDERÍAS, J.: *Don Gaspar Melchor de Jovellanos. Su vida, su tiempo, sus obras, su influencia social.* Madrid, Academia de Ciencias Morales y Políticas, 1913, 136 pp.

1542
KNOWLTON, J. F.: *Two Epistles: Núñez de Arce and Jovellanos.* (En RNo, VII, 1966, pp. 130-133.)

1543
LAFUENTE FERRARI, E.: *Catálogo de la colección de dibujos del Instituto Jovellanos de Gijón. Con una introducción de...* Madrid, 1969, XXIV+184 pp.+320 láms.

1544
LAMA Y LEÑA, R.: *Reseña histórica del Instituto de Jovellanos de Gijón.* Gijón, 1902, 167 pp.

1545
LANDEIRA Y SÁNCHEZ DE MOVELLÁN, F.: *Notas viejas valdesanas. El «auto de buen gobierno», el concejo de Valdés y Don Gaspar de Jovellanos.* Luarca, 1957, 57 pp.

1546
LIRA URQUIETA, P.: *Jovellanos y Bello. (Un paralelo jurídico.)* Santiago de Chile, Imp. Universitaria, 1944, 68 pp.

1547
[LÓPEZ DE AYALA, J.] VIZCONDE DE PALAZUELOS: *Jovellanos como cultivador de la historia.* Madrid, 1891, 58 pp.

1548
LÓPEZ CUESTA, T.: *El pensamiento económico de Jovellanos.* (En BIEA, LXI, 1967, pp. 67-92.)

1549
LUCA, F.: *Tres aspectos en la obra de Jovellanos.* Madrid, Playor, S. A. [1974], 69 pp.

1550
LLABRÉS BERNAL, J.: *Diario de D. Gaspar Melchor de Jovellanos en el castillo de Bellver.* (En BSAL, XXII, 1929, pp. 373-382; XXIII, 1930, pp. 75-79, 173-176 y 187-191.)

1551
M. S. y S.: *Cartas y memoriales de Don Gaspar Melchor de Jovellanos y de sus hermanas Sor Josefa de San Juan Bautista y de Doña Catalina de Sena Antonia Jovellanos.* (En RABM, 1906, pp. 65-72.)

1552
M. V.: *Homenaje a Jovellanos de los montañeros asturianos de Torrecerredos.* (En BIEA, XVI, 1962, pp. 153-155.)

1553
MADDENS-MENELEON, C.: *Les voyages de Jovellanos d'après les «Diarios».* Paris, Fac. des Lettres, 1966, 109 pp. (Memoria para el Diploma de Estudios Superiores. Hay ejemplar mecanografiado en el Inst. d'Etudes Hispaniques de Paris.)

1554
MARAÑÓN, G.: *Jovellanos.* Conferencia. Gijón, 1968, 28 pp.

1555
MARÍAS, J.: *Jovellanos: concordia y discordia de España.* (En *Los españoles.* Madrid, Rev. de Occidente, 1963, pp. 23-71.)

1556
MARICHAL, J.: *La originalidad histórica de Jovellanos.* (En *La voluntad de estilo.* Barcelona, Biblioteca Breve, 1957, pp. 199-214.)

1557
MARTÍNEZ, B.: *Jovellanos.* (En EyA, XXXI, 1911, pp. 385-395; XXXII, pp. 25-34 y 502-511; XXXIV, 1912, pp. 414-422; XXXV, pp. 119-120, 301-313 y 502-510; XXXIV, pp. 416-426.)

1558
MARTÍNEZ CACHERO, J. M.: *Menéndez Pelayo y Asturias.* Oviedo, Instituto de Estudios Asturianos, 1957, 322 pp.

1559
MARTÍNEZ CACHERO, J. M.: *Jovellanos ante la poesía.* (En *Memoria del curso 1961-1962,* del Real Instituto de Jovellanos. Gijón, 1963, pp. 78-90.)

1560
MARTÍNEZ ELORZA, J.: *Orígenes y estado actual de la biblioteca del Instituto de Jovellanos.* Gijón, 1902, 200 pp.

1561
MARTÍNEZ FERNÁNDEZ, J.: *Los niños en la obra de Jovellanos.* (En BIEA, XVII, 1963, pp. 106-119.)

1562
MARTÍNEZ FERNÁNDEZ, J.: *La lealtad de Jovellanos.* (En BIEA, XVIII, 1964, pp. 63-82.)

1563
MARTÍNEZ FERNÁNDEZ, J.: *El último viaje de Jovellanos.* (En BIEA, XX, 1966, pp. 27-36.)

1564
MARTÍNEZ FERNÁNDEZ, J.: *Jovellanos: Patobiografía y pensamiento biológico.* Oviedo, Instituto de Estudios Asturianos, 1966, 288 pp.

1565
MARTÍNEZ FERNÁNDEZ, J.: *La traslación de los restos mortales de Jovellanos.* (En BIEA, XXIV, 1970, pp. 75-81.)

1566
MARTÍNEZ FERNÁNDEZ, J.: *La última carta de Jovellanos.* (En BIEA, núm. 78, 1973, pp. 203-223.)

1567
MARTÍNEZ KLEISER, L.: *Luz y sobras de una figura patria.* (En ABC de Madrid, 11 de abril de 1949.)

1568
[MARTÍNEZ RUIZ, J.] AZORÍN: *Jovellanos.* (En *Los clásicos redivivos.* Madrid, 1950, pp. 78-92.)

1569
[MARTÍNEZ RUIZ, J.] AZORÍN: *Las ideas antiduelísticas.* (En *Los valores literarios.* Madrid, 1913, pp. 205-212.)

1570
[MARTÍNEZ RUIZ, J.] AZORÍN: *Rasgos de Jovellanos.* (En EEsp-M, 30 de enero de 1943.)

1571
MENARINI, P.: *Tre contemporanei e il duello: Jovellanos, Iriarte, Montengón.* (En SMod, núm. 2, 1973, pp. 53-79.)

1572
MENARINI, P.: *Una commedia politica dell'Illuminismo: «El delincuente honrado» di Jovellanos.* (En Fabbri, Garelli y Menarini, *Finalità ideologiche e problematica letteraria in Salazar, Iriarte, Jovellanos.* Pisa, 1974, pp. 93-168.)

1573
MÉNDEZ CALZADA, L.: *Vida de Jovellanos.* (En *Jovellanos. Su vida y su obra.* Homenaje del Centro Asturiano de Buenos Aires en el bicentenario de su nacimiento. Buenos Aires, 1945.)

1574
MÉNDEZ RODRÍGUEZ, M. I.: *Relaciones de Francisco Arango y Parreño con Gaspar Melchor de Jovellanos y con Alejandro Ramírez.* La Habana, 1943, 383 pp.

1575
MENÉNDEZ PELAYO, M.: *Jovellanos en Mallorca.* (En *Estudios y discursos de crítica histórica y literaria.* IV, Madrid, C.S.I.C., 1942, pp. 223-228.)

1576
MÉRIMÉE, E.: *Jovellanos.* (En RHi, I, 1894, pp. 34-68.)

1577
MIRAMON, A.: *De Gaspar Melchor de Jovellanos a Camilo Torres.* (En BCB, IX, 1966, pp. 2150-2165.)

1578
MIRAMON, A.: *Dos originales perdidos de Jovellanos.* (En BCB, X, 1967, pp. 1054-1062.)

1579
MORÁN BAYO, J.: *Hacia la revolución agraria española. Tres agraristas españoles: Jovellanos, Fermín Caballero, Costa.* Córdoba, 1931, 126 pp.

1580
Mulas Sánchez, J.: *Jovellanos y la naturaleza.* (En *Memoria del curso 1961-1962,* del Real Instituto Jovellanos. Gijón, 1963, pp. 90-105.)

1581
Muñiz Vigo, A.: *Arbol genealógico y rasgos biográficos de Jovellanos.* Oviedo, 1911, 39 pp.

1582
Nocedal, C.: *Vida de Jovellanos.* Madrid, 1865, 265 pp.

1583
Oliver, M. de los S.: *Jovellanos.* (En *Hoja del sábado.* Barcelona, Ed. Gili, II, 1918, pp. 5-28.)

1584
Osorio y Gallardo, A.: *Jovellanos, jurista.* (En *Jovellanos. Su vida y su obra.* Homenaje del Centro Asturiano de Buenos Aires en el bicentenario de su nacimiento. Buenos Aires, 1945.)

1585
P. de A.: *Fe de erratas cometidas en la transcripción e impresión del «Diario» de Jovellanos.* (En BBMP, V, 1923, pp. 102-116, 241-258 y 325-339; VI, 1924, pp. 20-35, 134-150 y 250-258.)

1586
Padilla, A.: *La intimidad, velada, de Jovellanos.* (En HyV, núm. 67, octubre de 1973, pp. 127-129.)

1587
Palacios, J. M.: *La vida de Jovellanos al alcance de los muchachos.* Gijón, 1917, 34 pp. (2.ª ed. Gijón, 1970, 185 pp.)

1588
Pardo Canalis, E.: *Fray Manuel Bayeu y Jovellanos.* (En RIE, XXIV, 1966, pp. 315-327.)

1589
Patac, I.: *Jovellanos y la minería.* (En Sí, 9 de enero de 1944.)

1590
Paulsen, R.: *Les Poésies de Jovellanos.* Paris, Fac. des Lettres, 1967, 143 pp. (Memoria para el Diploma de Estudios Superiores. Hay ejemplar mecanografiado en el Inst. d'Etudes Hispaniques de Paris.)

1591
PEMÁN, J. M.: *Jovellanos, el gran asturiano.* (En EL, núms. 402-404, 1968, pp. 12-13.)

1592
PENZOL, P.: *Jovellanos, padre de la patria.* (En EIU, IV, 1933, pp. 148-162.)

1593
PENZOL, P.: *Jovellanos en el diario español de Lady Holland.* (En BIEA, VII, 1953, pp. 570-576. Rep. en *Escritos de Pedro Penzol,* II, Oviedo, 1974, pp. 103-108.)

1594
PENZOL, P.: *Divagaciones jovellanistas* y *Segundas divagaciones.* (En *Escritos de Pedro Penzol,* II, Oviedo, 1974, pp. 85-101.)

1595
PEÑALVER SIMÓ, P.: *Modernidad tradicional en el pensamiento de Jovellanos.* Sevilla, C.S.I.C., 1953, 165 pp.

1596
PÉREZ DE CASTRO, J. L.: *Hallazgo e identificación de un manuscrito de Jovellanos.* Madrid, Pub. de la Real Sociedad Geográfica, serie B, núm. 386, 1957, 36 pp.

1597
PÉREZ DE CASTRO, J. L.: *Deseo y esfuerzo de Jovellanos por Gijón.* (En BIEA, núm. 61, 1967, pp. 93-126; núm. 62, pp. 157-183.)

1598
PÉREZ EMBID, F.: *Jovellanos, pensador tradicional y moderno.* (En Arb, XXVI, 1953, pp. 307-313.)

1599
PITOLLET, C.: «*El delincuente honrado*» de *Jovellanos et* «*L'Honnête criminel*». (En LMér, XXX, 1935, núm. 87, pp. 19-21.)

1600
POLT, J. H. R.: *Jovellanos «El delincuente honrado».* (En RR, L, 1959, pp. 170-190.)

1601
POLT, J. H. R.: *Jovellanos and his English Sources: Economic, Philosophical and Political Writings.* (En TAPS, vol. 54, part. 7, 1964, 74 pp.)

1602
POLT, J. H. R.: *Una nota jovellanista: Carta «A desconocida persona»*. (En HRM, II, 1966, pp. 81-86.)

1603
POLT, J. H. R.: *Jovellanos y la educación.* (En CCF, II, núm. 18, pp. 315-338.)

1604
POLT, J. H. R.: *Gaspar Melchor de Jovellanos.* New York, Twayne Pub., 1971, 163 pp.

1605
POLT, J. H. R.: *Versos en torno a Jovellanos.* (En BOCES XVIII, núm. 2, 1974, pp. 3-35.)

1606
PRADOS ARRARTE, J.: *Jovellanos, economista.* Madrid, Ed. Taurus, 1967.

1607
PRIETO BANCES, R.: *Campomanes y Jovellanos ante el régimen agrario de Asturias.* (En AHDE, XXX, 1964, pp. 269-280.)

1608
REAL DE LA RIVA, C.: *El magisterio incomprensible de Jovellanos.* (En BBMP, XXIV, 1948, pp. 358-361.)

1609
REDONDO, E.: *La tendencia secularizadora de Jovellanos.* (En REPed, núm. 95, 1966, pp. 195-212.)

1610
RICARD, R.: *Una cita franco-africana de Jovellanos.* (En Tam, III, 1951, pp. 122-124.)

1611
RICARD, R.: *L'Espagne et la fabrication des «bonnets tunisiens». A propos d'un texte du XVIIIe siècle.* (En RAf, C, 1956, pp. 423-432.)

El texto es de Jovellanos.

1612
RICARD, R.: *De Campomanes a Jovellanos. Les courants d'idées dans l'Espagne du XVIIIe siècle d'après un ouvrage récent.* (En LR, XI, 1957, pp. 31-52.)

1613
RICARD, R.: *Jovellanos et l'Afrique du Nord.* (En Tam, V, 1957, pp. 315-323.)

1614
RICARD, R.: *Références portugaises chez l'écrivain espagnol Jovellanos.* (En BBU, 1961, pp. 1-10.)

1615
RICARD, R.: *Jovellanos y la nobleza.* (En Atl, III, 1965, pp. 456-472. Rep. en francés en la RFr-Esp, núm. 119, enero de 1966, pp. 6-14.)

1616
RÍO, A. DEL: *Los estudios de Jovellanos sobre el dialecto de Asturias. (Notas acerca de la dialectología en el siglo XVIII.)* (En RFH, V, 1943, pp. 209-243 y 367-368.)

1617
RÍO, A. DEL: *El sentimiento de la naturaleza en los «Diarios» de Jovellanos.* (En NRFH, VII, 1953, pp. 630-637.)

1618
RÍO ALONSO, F.: *Ideas pedagógicas de Jovellanos.* León, 1909, 23 pp.

1619
RÍOS, J. A. DE LOS: *Gaspar Melchor de Jovellanos.* (En ELab, II, núm. 4, 1844, pp. 49-53.)

1620
RODRÍGUEZ CARRACIDO, J.: *Jovellanos. Ensayo dramático-histórico.* Madrid, 1893, 199 pp.

1621
ROSALES, L.: *La poesía de Jovellanos.* (En Sí, 9 de enero de 1944.)

1622
ROSSI, G. C.: *Jovellanos e l'emancipazione sudamericana.* (En FR, I, 1954, pp. 79-88.)

1623
ROSSI, G. C.: *Jovellanos nella storia del «despotismo ilustrado» in Spagna.* (En FR, II, 1955, pp. 212-220.)

1624
Rubió y Ors, J.: *Jovellanos considerado como poeta y como prosista.* (En RCo, CI, 1896, pp. 5-21, 132-147, 267-277, 358-375 y 480-491.)

1625
Salas, X.: *Dos cartas de Jovellanos.* (En AEArte, IX, 1933, pp. 65-69.)

1626
Sampol y Ripoll, P.: *Jovellanos en Mallorca.* (Seis cajas con impresos y cartas de Jovellanos y Somoza sobre el mismo tema. En la Biblioteca de B. March Servera, Palma de Mallorca, est. 69, tab. III.)

1627
Sánchez, X. X.: *El bable en Jovellanos.* (Memoria de lincenciatura. Hay ejemplar mecanografiado en la Universidad de Oviedo.)

1628
Sánchez Agesta, L.: *Jovellanos y la Crisis del despotismo ilustrado.* (En ADP-G, IV, 1951, pp. 89-122.)

1629
Sánchez Agesta, L.: *Madurez y crisis del siglo. Jovellanos.* (En *El pensamiento político del despotismo ilustrado.* Madrid, 1953, pp. 187-232.)

1630
Sánchez Albornoz, C.: *Jovellanos y la historia.* (En *Jovellanos. Su vida y su obra.* Homenaje del Centro Asturiano de Buenos Aires en el bicentenario de su nacimiento. Buenos Aires, 1945, pp. 549-593. Rep. en *Españoles ante la Historia.* Buenos Aires, 1958, pp. 161-212.)

1631
Sánchez Albornoz, C.: *Jovellanos historiador. Tres fobias de Jovellanos.* (En *De ayer y de hoy.* Madrid, 1958, pp. 57-64 y 65-71.)

1632
Sánchez Alonso, J. B.: *Jovellanos y la geología.* (En LNE, 14 de octubre de 1973.)

1633
Sarrailh, J.: *A propos du «Delincuente honrado» de Jovellanos.* (En MEPLG, 1949, pp. 337-351.)

1634
SAVELON, J. L.: *Jovellanos et le problème des universités espagnoles.* Paris, Fac. des Lettres, 1965, 119 pp. (Memoria para el Diploma de Estudios Superiores. Hay ejemplar mecanografiado en el Inst. d'Etudes Hispaniques de Paris.)

1635
SECO, C.: *Godoy y Jovellanos.* (En Arch, XII, 1962, pp. 238-266.)

1636
SIERRA, R.: *Jovellanos y la picaresca mercantil. Seguros en el siglo XVIII.* (En VE, 7 de octubre de 1969.)

1637
SILVA MELERO, V.: *Actualidad del pensamiento de Jovellanos.* (En BIEA, XIV, 1960, pp. 183-194.)

1638
SIMÓN DÍAZ, J.: *Una pretensión fracasada de Jovellanos.* (En *Aportación documental para la erudición española,* 1.ª serie, 1947, p. 6.)

1639
SIMÓN DÍAZ, J. y MARTÍNEZ CACHERO, J. M.: *Bibliografía de Jovellanos (1902-1950).* (En BIEA, V, 1951, pp. 131-152.)

1640
SOMOZA, J.: *Jovellanos. Nuevos datos para su biografía.* Madrid, 1885, 246 pp.

1641
SOMOZA, J.: *Catálogo de los manuscritos e impresos notables del Instituto de Jovellanos de Gijón. Seguido de un índice de otros documentos inéditos.* Oviedo, 1888, XVIII+257 pp.

1642
SOMOZA, J.: *Las amarguras de Jovellanos.* Gijón, 1889.

1643
SOMOZA, J.: *Inventario de un jovellanista, con variada y copiosa noticia de impresos y manuscritos, publicaciones periódicas, traducciones, epigrafía, grabado, escultura, etc.* Madrid, 1901, 301 pp.

1644
SOMOZA, J.: *Cartas de Jovellanos y Lord Vassall Holland sobre la guerra de la Independencia (1808-1811).* Madrid, 1911, 608 pp., 2 vols.

1645
SOMOZA, J.: *Documentos para escribir la biografía de Jovellanos.* Madrid, 1911, 590 pp., 2 vols.

1646
SOMOZA, J.: *Manuscritos inéditos, raros o dispersos.* Madrid, 1913, 432 pp.

1647
SOUBEYROUX, J.: *L'Alcalde de Casa y Corte Gaspar Melchor de Jovellanos et les problèmes de l'Assistance à Madrid (1778-1780).* (En Carav, núm. 21, 1973, pp. 105-114.)

1648
SUÁREZ, C.: *Jovellanos.* (En *Escritores y artistas asturianos,* IV, Oviedo, 1955, pp. 532-616.)

1649
SUREDA BLANES, J.: *Jovellanos en Bellver.* (En BIEA, I, 1947, pp. 29-105.)

1650
TAMAYO, J. A.: *Jovellanos y el romanticismo.* (En Sí, 9 de enero de 1944.)

1651
TARDIEU, G.: *Recherches sur la correspondance de G. M. de Jovellanos.* Paris, Fac. des Lettres, 1964, 90 pp. (Memoria para el Diploma de Estudios Superiores. Hay ejemplar mecanografiado en el Inst. d'Etudes Hispaniques de Paris.)

1652
TÉLLEZ, T.: *Un ministro asturiano del siglo XVIII.* (En ECar, 28 de agosto de 1897.)

1653
TORO Y DURÁN, R.: *Jovellanos y la reforma del teatro español en el siglo XVIII.* Gijón, 1892.

1654
TORRES RIOSECO, A.: *Gaspar Melchor de Jovellanos, poeta romántico.* (En REH-M, I, 1928, pp. 146-161.)

1655
TRUSSO, F. E.: *Jovellanos y su pensamieneto.* (En CI, núm. 4, 1966, pp. 77-78.)

1656
URÍA, V. L.: *Jovellanos, político e historiador.* (En LNE, 1 de junio de 1975.)

1657
VALDÉS, M.: *Bocetos del Instituto de Jovellanos.* (En Ep, 15 de septiembre de 1879.)

1658
VALERA, J.: *Dos Gaspar Melchor de Jovellanos.* (En *Crítica literaria.* Tomo XXXII de las *Obras completas* [1912], pp. 245-253.)

1659
VELA, F.: *Un día de Jovellanos.* (En *El grano de pimienta.* Buenos Aires, Espasa-Calpe, 1950, pp. 28-30.)

1660
VELASCO DÍAZ, F.: *Jovellanos y Asturias.* (En Sí, 9 de enero de 1944.)

1661
VILLAR Y GRANJEL, D.: *Jovellanos y la reforma agraria.* Madrid, 1912, 35 pp.

1662
VILLOTA ELEJALDE, J. L.: *Doctrinas filosófico-jurídicas y morales de Jovellanos.* Oviedo, Instituto de Estudios Asturianos, 1958, 219 pp.

1663
YABEN YABEN, H.: *Juicio crítico de las doctrinas de Jovellanos en lo referente a las ciencias morales.* Madrid, 1913, 415 pp.

1664
YABEN YABEN, H.: *Algo más sobre Jovellanos.* (En Ecc, 12 de julio de 1944, núm. 158.)

1665
ZAVALA, I. M.: *Jovellanos y la poesía burguesa.* (En NRFH, XVIII, 1965-1966, pp. 47-64.)

Ver, además, núms. 108, 153, 169, 178, 182, 183, 261, 654, 944.

Manuel LANZ DE CASAFONDA
(1721-?)

Nacido en Peñaranda de Bracamonte (Salamanca). A los 27 años ingresó en el colegio de abogados de Madrid, llegando a ser fiscal del Consejo de Indias en la época reformadora de Carlos III, cargo en el que demostró ampliamente sus ideas regalistas y su antijesuitismo. El único escrito literario que se le conoce, conservado en tres manuscritos de Madrid, Toledo y Londres, *Del estado presente de la literatura española,* ha sido publicado con el título de *Diálogos de Chindulza,* con introducción y notas por F. Aguilar Piñal (Oviedo, Cátedra Feijoo, 1972).

ESTUDIOS

1666
Bertini, G. M.: *Conversazioni di due italiani dopo un viaggio in Ispagna (sec. XVIII).* (En Conv, 1932, p. 740.)

Manuel Fermín de LAVIANO

Dramaturgo, cuyos datos biográficos se ignoran casi por completo. Fue secretario del duque de Híjar y oficial de la Real Hacienda. Cultivó el drama histórico *(El Sol de España en su oriente y toledano Moisés, La afrenta del Cid vengada, El Sigerico, Los Pardos de Aragón, Triunfos de valor y honor en la corte de Rodrigo)* y comedias de época *(La viuda indiferente, La loca por amor, La suegra y la nuera).* De Goldoni tradujo *La bella guayanesa* y *La buena casada.* Se conservan manuscritas algunas poesías de circunstancias.

ESTUDIOS

1667
Entrambasaguas, J.: *Don Manuel Fermín de Laviano y unas composiciones suyas inéditas.* (En AUM, I, 1932, pp. 167-176 y 505-519.)

Alberto LISTA
(1775-1848)

Sevillano. Después de realizar estudios teológicos, se ordenó de sacerdote (1804). Se interesó por las matemáticas, asignatura de la que fue profesor en repetidas ocasiones. Esta vocación docente le ayudó a vivir, tanto en España como en el exilio, consiguiendo fama de pedagogo competente y moderno. A su lado se formaron las que llegarían a ser primeras figuras del romanticismo español: Espronceda, Patricio de la Escosura, el conde de Cheste, el marqués de Molins, Eugenio de Ochoa, Bécquer, Amador de los Ríos y otros. Destacó como periodista y crítico literario, al servicio siempre de la ideología liberal. Su condición de afrancesado le valió cuatro años de destierro en Francia. Volvió a España en 1817, instalándose sucesivamente en Bilbao, Pamplona, Madrid, Cádiz y Sevilla, donde falleció, siendo canónigo y decano de la recién creada Facultad de Filosofía. Desde su juventud cultivó la poesía, en la sevillana Academia de Letras Humanas, al lado de sus íntimos amigos Blanco, Reinoso, Sotelo, Arjona, etc. Sus versos, de transición entre el neoclasicismo y el romanticismo, siguen la huella de Horacio, Rioja y Herrera, aunque penetrados de ideas plenamente «ilustradas». El grupo más considerable de sus poemas es de índole religiosa, aunque lo más original de su obra lírica está representado por sus poesías filosóficas, sociales y amorosas, según el gusto de la época. Estas fueron editadas en forma antológica en pleno trienio liberal (Madrid, 1822). Más tarde, el marqués de Valmar lo incluyó ampliamente en su colección (BAE, LXVII, pp. 269-361) y J. M. de Cossío contribuyó a su conocimiento con unas *Poesías inéditas* (Madrid, 1927).

ESTUDIOS

1668
AGUILAR PIÑAL, F.: *Alberto Lista, estudiante de matemáticas.* (En AHisp, núm. 106, 1961, pp. 219-221.)

1669
AGUILAR PIÑAL, F.: *Joaquín Domínguez Bécquer y el retrato de Lista.* (En RFE, LII, 1969, pp. 11-13.)

1670
[ANÓNIMO]: *Don Alberto Lista y Aragón.* (En CP, 17 de junio de 1852.)

1671
BARRAS DE ARAGÓN, F.: *D. Alberto Lista y D. Rafael de Aragón. Ocho cartas inéditas de Lista.* (En BRAS, 1917, 16 pp.)

1672
CAPOTE, H.: *Un posible antecedente de la «Oda a la muerte de Jesús» de Lista.* (En AHisp, núm. 14, 1945, pp. 361-366.)

1673
CLARKE, D. C.: *On the versification of Alberto Lista.* (En RR, vol. 43, 1952, pp. 109-116.)

1674
COSSIO, J. M.: *Don Alberto Lista, crítico teatral de «El Censor».* (En BRAE, XVII, 1930-1931, pp. 396-422. Rep. en *El Romanticismo a la vista.* Madrid, 1942, pp. 83-168.)

1675
CHAVES, M.: *Don Alberto Rodríguez de Lista. Conferencia ilustrada con documentos y cartas inéditas, acerca de su vida y de sus obras.* Sevilla, 1912, 124 pp.

1676
FERRER DEL RÍO, A.: *Don Alberto Lista.* (En *Galería de la literatura española.* Madrid, 1846, pp. 13-29.)

1677
GUARNER, L.: *Una leyenda castellonense escrita por un poeta sevillano.* (En BSCC, XXXVIII, 1962, pp. 129-147.)

1678
GUENOUN, P.: *Alberto Lista, Hans Juretschke et la Real Academia Sevillana de Buenas Letras.* (En LNL, núm. 169, 1964, 6 pp.)

1679
JOVER, J. M.: *Alberto Lista y el romanticismo español.* (En Arb, XXI, núm. 73, 1952, pp. 127-136.)

1680
JURETSCHKE, H.: *Alberto Lista, representante del régimen liberal.* (En Arb, XIX, núms. 67-68, 1951, pp. 389-407.)

1681
JURETSCHKE, H.: *Vida, obra y pensamiento de Alberto Lista.* Madrid, C.S.I.C., 1951, 717 pp.

1682
MARRAST, R.: *Lista et Espronceda. Fragments inédits du «Pelayo».* (En MMB, 1962, pp. 526-537.)

1683
MERRY Y COLÓN, M.: *Lista y Aragón. Sus obras: su mérito como poeta y escritor.* Discurso. Sevilla [1953?], 18 pp.

1684
METFORD, J. C. J.: *Alberto Lista and the Romantic Movement in Spain,* Liverpool Studies, I, 1940.

1685
OCHOA, E.: *Don Alberto Lista.* (En H, 20 de octubre de 1848.)

1686
RUIZ CRESPO, M.: *Observaciones analíticas sobre las poesías de D. Alberto Lista.* (En RCLA, VI, 1860, pp. 321-332 y 385-396.)

Ver, además, núm. 667.

Eugenio Gerardo LOBO
(1679-1750)

Nacido en Cuerva (Toledo) siguió la carrera militar, tomando parte en la Guerra de Sucesión y en varias campañas de Africa e Italia, al servicio de Felipe V, que le nombró gobernador de Barcelona, ciudad en la que murió con el grado de teniente general. Sus poesías festivas y romances le valieron el apodo de «Capitán Poeta», gozando de enorme popularidad. Fueron publicadas sus obras en Sevilla (1713), en Cádiz (1717), en Pamplona (1724) y en Madrid (1738, 1758 y 1769). También escribió para el teatro dos obras: *El más justo Rey de Grecia* y *Los mártires de Toledo y tejedor Palomeque.* No hay edición moderna del conjunto de sus obras.

ESTUDIOS

1687
RUBIO, J.: *Algunas aportaciones a la biografía y obras de Eugenio Gerardo Lobo.* (En RFE, XXXI, 1947, pp. 19-85.)

Ver, además, núm. 395 bis.

Ignacio LOPEZ DE AYALA
(?-1789)

Nacido en Grazalema (Cádiz), falleció en Tarifa. Fue catedrático de Poética en los Reales Estudios de San Isidro de Madrid. Erudito humanista, publicó obras originales y traducidas de muy varia significación: *Historia de Federico el Grande, rey de Prusia* (1767), *Filosofía moral,* de Aristóteles (1772). *Historia de Gibraltar* (1782). [Hay ed. moderna en Barcelona, 1957.] Sempere y Guarinos le atribuye varios folletos de polémica literaria, publicados con los seudónimos de «Bachiller Gil

Porras Machuca» (1781), «Licenciado Cosme Berruguete y Maza» (1783) y «Doctor Fulgencio de Rajas y Peñalosa» (1784). Su tragedia *Numancia destruida* fue leída en 1775 en la Fonda de San Sebastián y representada con bastante éxito. [Hay ed. moderna de R. P. Sebold, en Salamanca, Ed. Anaya, 1971.] En la Biblioteca Nacional se conserva manuscrito su drama social *Habides.* El conde de Aranda le nombró corrector y censor de comedias, para modernizar el teatro nacional según el gusto neoclásico, cargo en el que permaneció hasta 1788.

ESTUDIOS

1688
COUGHLIN, E. V.: *«Habides» de Ignacio López de Ayala.* Barcelona, Ed. Hispam, 1974, 136 pp. (Col. «Tirant lo Blanc».)

José Julián LOPEZ DE CASTRO
(1723-1763)

Coplero madrileño, autor de romances populares, villancicos, relaciones satíricas, piezas breves de teatro y un poema titulado *La comedia triunfante* (1760). Anteriormente había publicado una colección de chistes y refranes con el título de *El aparador del gusto* (1757). Pero su mundo era el teatro y a él se debe una interesante composición poética en que da noticia de la mayor parte de los escritores dramáticos españoles, desde Juan del Encina hasta su época. Va inserta como preliminar en el libro de M. García Villanueva, *Origen, épocas y progresos del Teatro español* (1802). Fue celebrado entremesista, con piezas como *Más vale tarde que nunca, Los áspides de Cleopatra, Los sastres desastrosos, El informe sin forma* y *El derecho de los tuertos.* No hay estudio monográfico de su obra literaria.

Juan José LOPEZ DE SEDANO
(1730-1796)

Natural de Villoslada (Logroño). Siendo oficial de la Real Biblioteca, hizo algunos viajes de investigación arqueológica por España y publicó varios escritos sobre inscripciones y medallas. Aunque la selección está hecha con escaso gusto y endeble criterio literario, fue de gran utilidad en su época la antología de poetas castellanos que publicó con el título de *Parnaso español,* en nueve volúmenes (Madrid, 1768-1778). Como hombre de teatro, se alineó entre los reformadores neoclásicos, traduciendo a Molière *(El misántropo)* y a Goldoni *(La posadera feliz)* y escribiendo tragedias originales, como *La Silesia, La Jahel* y *Cerco y ruina de Numancia,* además del drama *La pasión ciega a los hombres.* Intervino en las polémicas literarias de la época con sus folletos periódicos *El Belianís literario* (1765) publicados con el seudónimo de «Patricio Bueno de Castilla» y con los *Coloquios de la Espina* (Málaga, 1785) a nombre de «Juan María Chevero y Eslava de Ronda».

ESTUDIOS

1689
ALONSO CORTÉS, N.: *López de Sedano.* (En *Sumandos biográficos,* 1939, pp. 111-117.)

Ignacio de LUZÁN
(1702-1754)

Zaragozano, educado en Italia (cursó jurisprudencia en Palermo y se graduó en ambos derechos en Catania). A su regreso a España, en 1733, venía adornado de una selecta formación humanística, que le permitió publicar su obra más importante, la *Poética* (1737), de enorme influencia en la evolución posterior de la lírica castellana. Perteneció a las Academias Española, de la Historia y de San Fernando, ocupando en 1747 el cargo de Secretario de la Embajada española en París y siendo nombrado posteriormente miembro del Consejo de Hacienda y de la Junta de Comercio, superintendente de la Casa de la Moneda y tesorero de la Real Biblioteca. Siguiendo el gusto escénico europeo y en consonancia con sus propios preceptos literarios, tradujo a Metastasio *(La clemencia de Tito)* y a Nivelle de la Chaussée *(La razón contra la moda).* Escribió varios discursos académicos y un libro de sumo interés, *Memorias de París* (1751), donde inserta muchas noticias culturales del vecino país, árbitro de Europa. En la citada *Poética* establece las bases de la renovación neoclásica, que no tendrá pleno efecto hasta la segunda edición (1789), donde se incluye una noticia biográfica del autor, escrita por su hijo y editor, que sirve de base a los estudios posteriores. Ha sido reeditada por L. de Filippo (Barcelona, 1956) y más recientemente por I. Cid Sirgado (Madrid, Ed. Cátedra, 1974). Polemizó con Iriarte en el *Discurso apologético* que publicó a nombre de «Iñigo de Lanuza» (Pamplona, 1741).

ESTUDIOS

1690
ALVAR, M.: *Un texto de Luzán sobre el rético.* (En RF, núm. 69, 1957, pp. 49-57.)

1691
ARCO, R. DEL: *La estética poética de Ignacio de Luzán y los poetas líricos castellanos.* (En RIE, VI, 1948, pp. 27-57.)

1692
CANO, J.: *La poética de Luzán.* Toronto, Univ. Press, 1928, 141 pp.

1693
CERRETA, F. V.: *An Italian Source of Luzán's Theory of Tragedy.* (En MLN, LXXII, 1957, pp. 518-523.)

1694
FILIPPO, L. DE: *Las fuentes italianas de la «Poética» de Ignacio de Luzán.* (En Univ-Z, XXXIII, 1956, pp. 207-239.)

1695
HUARTE, A.: *Sobre la segunda impresión de la «Poética» de Luzán.* (En RevBN, IV, 1943, pp. 247-265.)

1696
JURADO, J.: *La imitación en la «Poética» de Luzán.* (En LT, XVII, 1969, pp. 113-124.)

1697
LÁZARO CARRETER, F.: *Ignacio de Luzán y el neoclasicismo.* (En Univ-Z, XXXVII, 1960, pp. 48-70.)

1698
MCCLELLAND, I. L.: *Ignacio de Luzán.* New York, Twayne Pub., 1973, 198 pp.

1699
MAKOWIECKA, G.: *Luzán y su poética. Algunas aportaciones a la biografía y la obra de Ignacio de Luzán.* (En RUM, X, 1961, pp. 856-857.)

1700
MAKOWIECKA, G.: *Un canónigo literato en la Segovia del siglo XVIII.* (En ESeg, XIX, 1967, pp. 5-25.)

1701
MAKOWIECKA, G.: *Luzán y su «Poética».* Barcelona, Ed. Planeta [1973], 259 pp.

1702
[MARTÍNEZ RUIZ, J.] AZORÍN: *Luzán en París.* (En *Entre España y Francia.* Barcelona, 1917, pp. 75-80.)

1703

OZANAM, D.: *L'ideal académique d'un poète éclairé: Luzán et son projet d'Académie Royal des Sciences, Arts et Belles-Lettres (1750-1751)*. (En MMB, 1962, pp. 188-208.)

1704

PUPPO, M.: *Fonti italiane settecentesche della «Poética» di Luzán.* (En LI, XIV, núm. 3, 1962, pp. 249-268.)

1705

ROBERTSON, J. G.: *Italian influence in Spain: Ignacio de Luzán.* (En su libro *Studies in the Genesis of Romantic Theory in the Eighteenth Century.* Cambridge, 1923.)

1706

SEBOLD, R. P.: *A Statistical Analysis of the Origins and Nature of Luzán's Ideas on Poetry.* (En HR, XXXV, 1967, pp. 227-251.)

1707

SEBOLD, R. P.: *Análisis estadístico de las ideas poéticas de Luzán: sus orígenes y su naturaleza.* (En *El rapto de la mente.* Madrid, Prensa Española, 1970, pp. 57-59.)

Ver, además, núms. 176, 252, 386.

Francisco Javier LLAMPILLAS
(1731-1810)

Jesuita, nacido en Mataró (Barcelona). Profesor de retórica en el colegio barcelonés de la Compañía de Jesús y de teología en Ferrara, después de la expulsión. Para hacer frente a las opiniones de los italianos Betinelli, Tiraboschi y otros, que acusaban a los escritores españoles de corruptores del buen gusto, publicó en Génova los seis volúmenes de su *Ensayo apologético de la literatura española* (1778-1781), que fueron vertidos al castellano por doña Josefa Amar y Borbón. No está exento de exageraciones, dado su carácter polémico, pero contribuyó al mejor conocimiento de la literatura española en el extranjero.

ESTUDIOS

1708

DAMONTE, M.: *Due note ispano-genovesi. L'atto di morte di F. X. Lampillas.* (En SLS, 1967, pp. 282-283.)

1709
Gibson, M. C.: *Xavier Lampillas: His Defense of Spanish Literature and His Contributions to Literary History.* (En DA, XXI, 2713.)

1710
U. M.: *Nota biográfico-crítica del P. Francisco Javier Llampillas, S. J.* (En SemM, 1 de diciembre de 1894.)
Ver, además, núm. 387.

Melchor de MACANAZ
(1670-1760)

Natural de Hellín (Albacete). Estudió leyes en Valencia y Salamanca, llegando a ser fiscal del Consejo de Castilla en los primeros años del reinado de Felipe V. Fue incansable activista y escritor político, defensor acérrimo de las regalías de la Corona y pionero de la reforma universitaria. Al cambiar el rumbo de la política española, fue acusado por sus numerosos enemigos y perseguido por la Inquisición, que consiguió hacerle perder el favor del rey. Desde 1714 hasta 1748 estuvo exiliado en Francia, y desde esta fecha hasta poco antes de su muerte, encarcelado en Pamplona y La Coruña. Algunos de sus escritos fueron publicados a finales de siglo por Valladares, pero la mayoría, en abrumadora cantidad de 200 volúmenes, permanecen inéditos. Existe una pequeña edición de *Obras escogidas* (Madrid, 1877) y otra de las *Regalías de los señores Reyes de Aragón,* publicada en la «Biblioteca jurídica de autores españoles» (Madrid, 1879) con interesante prólogo biográfico por su descendiente J. Maldonado Macanaz. En nuestros días se ha reeditado este prólogo en la edición del *Testamento* y *Pedimento fiscal* que ha hecho F. Maldonado de Guevara (Madrid, Instituto de Estudios Políticos, 1972).

ESTUDIOS

1711
Kamen, H.: *Melchor de Macanaz and the foundations of Bourbon power in Spain.* (En EHR, LXXX, 1965, pp. 699-716.)

1712
Maldonado de Guevara, F.: *Un panfleto del siglo XVIII contra Macanaz.* (En FyCH, 1969, pp. 289-297.)

1713
Martín Gaite, C.: *El proceso de Macanaz. Historia de un empapelamiento.* Madrid, Ed. Moneda y Crédito, 1970, 404 pp.

1714
MARTÍN GAITE, C.: *En el centenario de don Melchor de Macanaz (1670-1760)*. (En ROcc, XXXII, núm. 94, enero de 1971, pp. 49-60.)

José MARCHENA
(1768-1821)

Nacido en Utrera (Sevilla). Estudió en Sevilla, Madrid y Salamanca, donde fue alumno de Meléndez Valdés. A los 24 años marchó a Francia y participó en los sucesos revolucionarios del vecino país, volviendo a España en 1808 como secretario del general Murat. Acompañó a José Bonaparte en su viaje a Andalucía y volvió a emigrar a Francia (Nimes, Montpellier, Burdeos). En 1820 regresó a Sevilla, haciendo alarde de sus ideales revolucionarios y de gran fogosidad como propagandista ideológico, sin temor a las represalias. El activista político no ahogó al literato y en medio de sus correrías Marchena encontró tiempo para escribir una tragedia original, *Polixena* (1808) y tradujo *El hipócrita* y *La escuela de las mujeres* de Molière, las *Cartas persas* de Montesquieu, *El Emilio* y *La nueva Eloisa* de Rousseau, los *Cuentos* de Voltaire, *De la libertad religiosa* de Benoit y otras varias obras de enciclopedistas franceses. Su trabajo más notable es la colección antológica que tituló *Lecciones de filosofía moral y elocuencia* (1820), con un criterio rígidamente neoclásico. Algunas de sus poesías fueron publicadas por el marqués de Valmar (BAE, LXVII, pp. 621-633) y otras, inéditas, se conservan en la biblioteca parisina de la Sorbona. Diverso interés, por sus anotaciones históricas, presenta su traducción del *Manual de Inquisidores* de Nicolao Eymeric (Montpellier, 1821). Menéndez Pelayo publicó, con un estudio crítico-biográfico, sus *Obras literarias recogidas de manuscritos y raros impresos,* en dos volúmenes (Sevilla, 1892-1896), y trató de él ampliamente en su *Historia de los heterodoxos* (Madrid, 1965, pp. 432-469). A. Elorza ha reeditado hace poco su arenga *A la nación española* (en *Pan y toros y otros papeles sediciosos de fines del siglo XVIII)*. (Madrid, Ed. Ayuso, 1971, pp. 33-41.)

ESTUDIOS

1715
ALARCOS GARCÍA, E.: *El abate Marchena en Salamanca.* (En HMP, II, 1925, pp. 457-465. Rep. en HEAG, I, pp. 567-576.)

1716
BONO SERRANO, G.: *El abate Marchena.* (En su *Miscelánea religiosa, política y literaria.* Madrid, 1870, pp. 308-322.)

1717
CASTRO, A. DE: *Un girondino español. El abate Marchena.* (En EMod, I, 1889, pp. 37-71.)

1718
DEMERSON, G.: *Marchena à Perpignan (1814).* (En BHi, LIX, 1957, pp. 284-303.)

1719
DOMERGUE, L.: *Notes sur la première édition en langue espagnole du «Contrat social» (1799).* (En MCV, III, 1967, pp. 375-416.)

1720
FROLDI, R.: *Il «Discurso sobre la literatura española» di José Marchena.* (En SMod, I, 1972, 32 pp.)

1721
GÓMEZ IMAZ, M.: *Un escrito del abate Marchena.* (En Cl, 23 de diciembre de 1900.)

1722
GUAZZELLI, F.: *Un neoclassico spagnolo: José Marchena.* (En MSI, núm. 16, 1968, pp. 257-288.)

1723
LATOUR, A.: *L'abbé Marchena.* (En *Espagne.* Paris, Didier, 1869, pp. 51-76.)

1724
LÓPEZ, F.: *Les premiers écrits de José Marchena.* (En MMJS, II, 1966, pp. 55-67.)

1725
[MARTÍNEZ RUIZ, J.] AZORÍN: *Las temeridades de Marchena.* (En *Los valores literarios.* Madrid, 1913, pp. 265-271.)

1726
MENÉNDEZ PELAYO, M.: *Nueva biografía del abate Marchena.* (En EMod, XC, 1896, pp. 59-84; XCVI, pp. 17-54; XCVIII, 1897, pp. 36-91.)

1727
MONTIEL, I.: *El abate Marchena, traductor de Ossian.* (En Hispa, núm. 30, 1967, pp. 15-20.)

1728
MOREL-FATIO, A.: *José Marchena et la propagande révolutionnaire en Espagne en 1792 et 1793.* (En RHi, XLIV, 1890, pp. 72-89.)

1729
MOREL-FATIO, A.: *Une lettre de Marchena.* (En BHi, IV, 1902, pp. 254-255.)

1730
MOREL-FATIO, A.: *Documents sur Marchena.* (En BHi, XXI, 1919, pp. 231-242.)

1731
NÚÑEZ ARENAS, M.: *Impresos españoles publicados en Burdeos hasta 1850.* (En su libro *L'Espagne des Lumières au Romantisme.* Paris, 1963, pp. 309-347.)

1732
PICÓN, J. O.: *Menéndez Pelayo y el abate Marchena.* (En Imp, 29 de noviembre de 1897.)

1733
SCHEVILL, R.: *El abate Marchena and the French Thought of the Eighteenth Century.* (En RLC, XVI, 1936, pp. 180-194.)

Manuel María del MARMOL
(1769-1840)

Nació en Sevilla, en cuya Universidad se licenció en filosofía (1786) y se doctoró en teología (1793) después de ser ordenado sacerdote. Perteneció a la Academia de Letras Humanas y a la Sevillana de Buenas Letras. Fue capellán real y catedrático de filosofía experimental. Sufrió una grave y duradera enfermedad entre 1806 y 1813, de la que finalmente se repuso, dando como fruto literario su conjunto de poemas *Intervalos de mi enfermedad* (1816). Durante el trienio liberal llegó a ser rector de la Universidad hispalense y director de la Sociedad Económica, donde fomentó la enseñanza de las humanidades y de las ciencias naturales. Para sus alumnos publicó la *Idea de los barcos de vapor* (Sanlúcar, 1817), *El sistema de Copérnico en verso* (Sevilla, 1818), un tratado de *Taquigrafía* (Sevilla, 1828) y un resumen latino de *Lógica* (Sevilla, 1842). Su dedicación a la poesía, no obstante sus preocupaciones docentes, es sincera y constante. Desde los poemas de juventud, leídos en la Academia de Letras Humanas (y conservados en la Biblioteca Universitaria de Sevilla) hasta la publicación de su *Romancero* (Sevilla, 1834) sigue un proceso evolutivo que merece ser estudiado, por tratarse precisamente de una época de transformación de la lírica española. Estudio no intentado desde la lejana fecha (1876) de la *Historia y juicio crítico de la escuela sevillana de los siglos XVIII y XIX* de Lasso de la Vega.

ESTUDIOS

1734
AGUILAR PIÑAL, F.: *Don Manuel María del Mármol y la restauración de la Real Academia Sevillana de Buenas Letras en 1820.* Discurso. Sevilla, 1965, 40 pp.

1735
LISTA, A.: *Recuerdos del Dr. Mármol.* Sevilla, 1841, 38 pp.

Juan Pedro MARUJAN
(1708-1770)

Gaditano, de «claro ingenio» y sin profesión conocida, fue muy aplaudido en su época por sus poesías satíricas y festivas, gran parte de las cuales se conservan inéditas en la Real Academia Española y en la Biblioteca de Menéndez Pelayo. Para los teatros de Sevilla y Cádiz tradujo a Goldoni y a Metastasio *(La buena hija, La Cenobia, La Olimpiada, El mercado de Malmantile, El maestro de capilla, La Andrómaca, El astrólogo fingido)*. Todas estas obras fueron impresas, aunque hoy son difícilmente localizables. No existe ningún estudio de su obra como poeta ni como traductor.

Juan Francisco MASDEU
(1744-1817)

Jesuita, nacido en Palermo, de familia catalana. Pasó casi toda su vida en Italia, viniendo a morir en Valencia. Tradujo al italiano muchas poesías castellanas del Siglo de Oro, que publicó en dos tomos (Roma, 1788). Al igual que el P. Llampillas, intentó rebatir las opiniones adversas de los italianos sobre España, con su monumental *Historia crítica de España y de la cultura española,* en 20 volúmenes (Madrid, 1783-1805), de los que sólo dos publicó en italiano, sin pasar, pese a su extensión, del siglo XI. Además, escribió un *Arte poética fácil* (Valencia, 1801), una *Colección de lápidas y medallas* (Madrid, 1789), una traducción de la *Vida del Beato José Oriol* (Barcelona, 1807) y otras varias obras de tema religioso y polémico.

ESTUDIOS

1736
BATLLORI, M.: *La edición italiana de la «Historia» del P. Masdeu.* (En Hisp, III, 1943, pp. 612-630. Rep. en *La cultura hispano-italiana...*, pp. 413-435.)

1737
GOVANTES, A. C.: *Disertación contra el nuevo sistema establecido por el abate Masdeu en la cronología de los ocho primeros Reyes de Asturias.* (En MRAH, VIII, 1852, 20 pp.)

1738
MARTÍNEZ SARRIÓN, A.: *Desahogos de Masdeu.* (En CE, III, 1943, p. 216.)

1739
PÉREZ, N.: *El censor de la Historia de España, o Censura fundada de la Historia crítica de España del abate Masdeu.* Madrid, 1802, 47 pp.

1740
SIERRA, L.: *El padre Juan Francisco Masdeu y la «Chronica Roderici», con una referencia a Menéndez Pidal.* (En RUM, XIX, 1970, pp. 249-264; 1972, pp. 195-209.)

Ver, además, núm. 252.

Justino MATUTE
(1764-1830)

Sevillano. Estudió medicina, pero se consagró enteramente a los estudios históricos y literarios. Formó parte, en su ciudad natal, de las Academias Horaciana, de Letras Humanas y de Buenas Letras. Fundó el periódico *Correo literario y económico de Sevilla* (1803), donde vieron la luz muchas de sus poesías. Se conservan de él interesantes manuscritos inéditos, como un *Discurso sobre la tragicomedia* (1799), una *Memoria sobre la escuela poético-arábiga sevillana* (1798), la traducción de seis odas de Horacio y otros muchos poemas. Publicó en vida el *Aparato para escribir la historia de Triana* (Sevilla, 1818) y el *Bosquejo de Itálica* (Sevilla, 1827). Muchos años después de su muerte se han ido publicando sus notables trabajos de historia local: *Adiciones y correcciones al tomo IX del Viaje de D. Antonio Ponz,* sus *Anales de Sevilla* y sus *Hijos de Sevilla ilustres en santidad, letras y artes.* En la Biblioteca Nacional de Madrid se conservan tres sainetes inéditos *(Las boleras, Los duelos* y *Los palos de Segura).*

ESTUDIOS

1741
VÁZQUEZ RUIZ, J.: *Apuntes biográficos del erudito sevillano D. Justino Matute y Gaviria y breve noticia de sus trabajos literarios.* Sevilla, 1885, 48 pp.

Gregorio MAYANS Y SISCAR
(1699-1781)

Nació en Oliva (Valencia). Estudió leyes en las Universidades de Valencia y Salamanca. Ocupó el cargo de bibliotecario real durante algunos años (1733-1739) retirándose después a su pueblo natal, desde donde mantuvo una activísima correspondencia erudita con los principales intelectuales de la época, siendo en la oscuridad de su retiro uno de los motores más potentes de la ideología ilustrada. Se dedicó al estudio y divulgación de los grandes escritores del Siglo de Oro: Saavedra Fajardo, Juan de Valdés, Nebrija, Luis Vives, el Brocense, Fray Luis de León, Nicolás Antonio, el marqués de Mondéjar. Escribió la primera biografía de Cervantes (1737). Reed. por A. Mestre en «Clásicos castellanos», núm. 172 (Madrid, 1972). Publicó, además, como obras propias, una *Oración que exhorta a seguir la verdadera idea de la elocuencia española* (1727); *El orador cristiano* (1737), para corregir los abusos de la oratoria sagrada; los *Orígenes de la lengua española* (1737); una *Retórica* (1757), con excelente selección de autores castellanos; una *Gramática latina* (1768) en cinco volúmenes. Pero, aun contando con la importancia de estas obras, no llegaríamos a apreciar en su justa medida la valía intelectual, crítica y desmitificadora de Mayáns, si no tuviéramos en cuenta su riquísimo *Epistolario,* que ahora sale a luz por ejemplar decisión del Ayuntamiento de Oliva, en muy cuidadas ediciones. El tomo I (Valencia, 1972) está dedicado a *Mayáns y los médicos,* con estudio preliminar de V. Peset; el II a *Mayáns y Burriel* (Valencia, 1972), y el III a *Mayáns y Martí* (Valencia, 1973), ambos con introducción de A. Mestre; el IV a *Mayáns y Nebot* (Valencia, 1975), preparado por M. Peset. La biografía de Mayáns, escrita en latín por él mismo y publicada por C. Strodtman (1756) ha sido reeditada por A. Mestre. Su título es *Gregorii Mayansii, Generosi Valentini, Vita* (Valencia, 1974). Usó en sus polémicas literarias los seudónimos de «Justo Vindicio», «Plácido Veranio», «Aulo Amnis», «Miguel Sánchez», «Gerónimo Grayas», «Vigilancio Cosmopolitano» y otros.

ESTUDIOS

1742
Aguilar Piñal, F.: *Mayáns y la Ilustración.* (En Ins, núm. 270, 1969, p. 11.)

1743
Alventosa, J.: *Gregorio Mayáns y Siscar y su «Opera omnia» de Luis Vives.* (En ACCV, IV, 1929, pp. 38-41 y 81-83.)

1744
Alventosa, J.: *Una edición de la «Introducción a la sabiduría» de Luis Vives, por Don Gregorio Mayáns y Siscar.* (En ACCV, IV, 1929, pp. 115-122.)

1745
Blanco Trías, P.: *De la correspondencia epistolar del P. Mateo Aymerich, S. J., con Gregorio Mayans, 1757-1767.* (En AP, 1948, páginas 179-188.)

1746
Brines, F.: *El primer cervantista: Mayáns y Siscar.* (En CHa, núm. 297, marzo de 1975, pp. 582-592.)

1747
Castañeda Alcover, V.: *Variedades. Cartas familiares y eruditas del Padre Luis Galiana, dominico, a don Gregorio Mayans y Siscar con las respuestas de éste.* (En BRAH, LXXXIII, 1923, pp. 159-233.)

1748
Castañeda Alcover, V.: *Don Gregorio Mayáns y Siscar.* Discurso. Madrid, Instituto de España, 1946, 18 pp.

1749
Castañeda Alcover, V.: *Noticia de algunos de los libros que integran la biblioteca de Don Gregorio Mayáns.* Valencia [s. a.], 16 pp.

1750
Cervino, M.: *Voltaire y Mayáns.* (En BSEE, VII, 1899, pp. 172-175.)

1751
Cobo de la Torre, J. M.: *Reflexiones sobre los «Orígenes de la lengua castellana».* (En BBMP, XXXVII, 1961, pp. 319-418.)

1752
CRUZADO, J.: *La polémica Mayáns-«Diario de los literatos». Algunas ideas gramaticales y una cuestión estética.* (En BBMP, XXI, 1945, pp. 133-151.)

1753
GONZÁLEZ VALLS, M.: *Elogio histórico de D. Gregorio Mayáns y Siscar.* Valencia, Monfort, 1832, 35 pp.

1754
GUARNER, L.: *Cómo vivía un erudito en el siglo XVIII: Gregorio Mayáns y Siscar.* (En RevBN, VII, 1946, pp. 231-243.)

1755
GUARNER, L.: *El primer biógrafo de Cervantes.* (En RByD, II, 1948, pp. 57-72.)

1756
HOYOS RUIZ, A.: *Notas a la vida y obra de D. Gregorio Mayáns y Siscar.* (En AUMur, núms. 3-4, 1955, pp. 233-278.)

1757
HOYOS RUIZ, A.: *Embargo de los manuscritos de Don Gregorio Mayáns y Siscar.* (En RABM, 1956, pp. 795-802.)

1758
JULIA MARTÍNEZ, E.: *Breve reflexión sobre Mayáns y Siscar.* (En ACCV, XIII, 1952, pp. 314-321.)

1759
LÓPEZ MARCIAL, A.: *Elogio de D. Gregorio Mayáns y Siscar.* Valencia, 1832.

1760
MERCADER, J.: *Mayáns, el solitari d'Oliva.* (En *Historiadors i erudits a Catalunya i Valencia en el segle XVIII.* Barcelona, Rafael Dalmau, 1966, pp. 36-62.)

1761
MESTRE, A.: *Ilustración y reforma de la Iglesia. Pensamiento político-religioso de Don Gregorio Mayáns y Siscar.* Valencia, Pub. del Ayuntamiento de Oliva, 1968, 509 pp.

1762
MESTRE, A.: *Historia, fueros y actitudes políticas. Mayáns y la historiografía del siglo XVIII.* Valencia, Pub. del Ayuntamiento de Oliva, 1970, 607 pp.

1763
MESTRE, A.: *Un masón reconciliado en casa del erudito Mayáns.* (En AA, XVIII, 1971, pp. 685-718.)

1764
MESTRE, A.: *La carta de Mayáns al pavorde Calatayud: dificultades con la censura.* (En CH, núm. 5, 1975, pp. 459-486.)

1765
MONTIEL, I.: *Cobo de la Torre, crítico de Mayáns, en los «Orígenes de la lengua castellana».* (En BBMP, XXXVII, 1961, pp. 299-315.)

1766
MOREL-FATIO, A.: *Un érudit espagnol au XVIIIe siècle: Don Gregorio Mayáns y Siscar.* (En BHi, XVII, 1915, pp. 157-226.)

1767
NAVARRO BROTÓNS, V.: *Inventario de los manuscritos científicos que figuran en la biblioteca mayansiana.* (En *Primer Congreso de Historia del País Valenciano,* I, 1973, pp. 591-606.)

1768
PESET, M.: *Correspondencia de Gregorio Mayáns y Siscar con Ignacio Jordán de Asso del Río y Miguel de Manuel Rodríguez (1771-1780).* (En AHDE, XXXVI, 1966, pp. 547-574.)

1769
PESET, M.: *Inéditos de Gregorio Mayáns y Siscar sobre el aprendizaje del Derecho.* (En ASV, VI, 1966, pp. 40-110.)

1770
PESET, M. y J. L.: *Gregorio Mayáns y la reforma universitaria.* Valencia, Pub. del Ayuntamiento de Oliva, 1975, 358 pp.

1771
PESET, V.: *Gregorio Mayáns y la historia de la Medicina.* (En CHME, IV, 1965, pp. 3-53.)

1772
PESET, V.: *Un ensayo sobre Mayáns.* (En *Primer Congreso de Historia del País Valenciano,* I, 1973, pp. 119-147.)

1773
PESET, V.: *Gregori Mayans i la cultura de la Ilustració.* Valencia, 1975, 519 pp.

1774
SÁNCHEZ DIANA, J. M.: *Ideas españolas sobre la ciencia de la historia en el siglo XVIII.* (En Theo, II, 1954, pp. 51-64.)

1775
SIMÓN DÍAZ, J.: *Informe inédito sobre textos de Gramática griega.* (En RevBN, V, 1944, pp. 481-483.)

1776
TAMAYO, J. A.: *Mayáns y la «Ortografía» de Bordázar.* (En RFE, XXV, 1941, pp. 204-224.)

1777
TAMAYO, J. A.: *Una traducción de Mayáns.* (En M, I, 1943, pp. 108-111.)

1778
VIDART, L.: *El primer biógrafo de Cervantes.* (En IEA, 1885, pp. 233 y 243-246.)

Ver, además, núms. 387, 395, 986, 1011.

Juan MELÉNDEZ VALDÉS
(1754-1817)

Natural de Ribera del Fresno (Badajoz). Estudió leyes en Salamanca. Sus primeros éxitos literarios los obtuvo en Madrid, donde fue premiado por la Real Academia Española por su égloga *Batilo* (1780) y por su comedia *Las bodas de Camacho* (1784). Después de dedicarse durante algunos años a la enseñanza universitaria en Salamanca, pasó a ejercer la magistratura, como alcalde del crimen en Zaragoza (1789), como oidor en Valladolid (1791) y como fiscal en Madrid (1797). La caída política de su protector Jovellanos hizo que fuese desterrado a Medina del Campo (1798) y a Zamora (1800). Dos años después, ya en libertad, volvió a Salamanca. Con José Bonaparte aceptó el cargo de Ministro de Instrucción Pública (1811), por lo que hubo de emigrar, como afrancesado, en 1814, muriendo finalmente en Montpellier. Sus restos, trasladados a España en 1866, pasaron en 1900 al Panteón de Hombres Ilustres de Madrid. Meléndez, cabeza de la «escuela salmantina», es, sin duda, el poeta más importante de nuestro siglo XVIII, tanto en el aspecto de la lírica pastoril y amorosa, como en el de la filosófica y religiosa. Sus *Poesías* fueron editadas en Madrid (1785), en Valladolid, en tres volúmenes (1797) y de nuevo en Madrid, por Quintana, en cuatro volúmenes (1820). Ediciones modernas son la de Pedro Salinas («Clásicos castellanos», p. 64) y la de J. H. R. Polt y J. Demerson (en prensa, por el Centro de Estudios del siglo XVIII). Foulché-Delbosc publicó sus poesías eróticas *Los besos de amor* (en RHi, I, 1894, pp. 73-83 y 166-195). Algunas *Poesías inéditas* fueron dadas a conocer por M. Serrano y Sanz (en RHi, IV, 1897, pp. 266-313) y otras por María Brey Mariño (en REE, VI, 1950, pp. 343-352) y por A. Rodríguez-Moñino (Madrid, Real Academia Española, 1954). Sus *Discursos forenses* fueron publicados por Quintana (Madrid, 1821).

ESTUDIOS

1779
ALARCOS GARCÍA, E.: *Meléndez Valdés en la Universidad de Salamanca.* (En BRAE, XIII, 1926, pp. 49-75, 144-177 y 364-370. Rep. en HEAG, I, 1965, pp. 491-548.)

1780
ALCALÁ GALIANO, A.: *Juicios críticos sobre nuestros poetas más célebres de fines del siglo XVIII: Meléndez Valdés.* (En ELab, I, núm. 3, 1843, pp. 29-31.)

1781
[ANÓNIMO]: *Necrología: D. Juan Meléndez Valdés.* (En Min, X, 1818, pp. 44-48.)

1782
ARAUJO COSTA, L.: *Don Juan Meléndez Valdés.* (En Alc, núm. 87-89, 1955, pp. 3-15.)

1783
ARIAS DE MIRANDA, J.: *Meléndez Valdés y el Conde del Pinar en Oviedo, 1808.* (En Am, VII, 1863, pp. 15-17.)

1784
ARTIGAS, M.: *La «oda al otoño» de Meléndez Valdés.* (En BTer, IV, 1918, pp. 53-57.)

1785
BERMEJO, I.: *Políticos de antaño: El poeta Don Juan Meléndez Valdés.* (En HM, 5 de junio de 1892.)

1786
CALVO REVILLA, J.: *El nuevo sentido del campo en la poesía de Meléndez Valdés.* (En Ins, núm. 179, 1961, p. 6.)

1787
COLFORD, W. E.: *Juan Meléndez Valdés. A Study in the transition from Neo-Classicism to Romanticism in Spanish Poetry.* New York, Hispanic Institute, 1942, 369 pp.

1788
Contreras Carrión, M.: *Los poetas extremeños del siglo XVIII hasta la época presente.* Sevilla, 1927, 68 pp.

1789
Cossio, J. M.: *Un dato de la fortuna de las «Noches» de Young en España.* (En BBMP, V, 1923, pp. 344-345.)

1790
Cossio, J. M.: *Un poeta sensual. Meléndez Valdés.* (En *Notas y estudios de crítica literaria. Poesía española. Notas de asedio.* Madrid, Espasa-Calpe, 1936, pp. 253-257.)

1791
Cossio, J. M.: *El agua y el paisaje. Meléndez Valdés.* (Id., pp. 259-263.)

1792
Cossio, J. M.: *En torno a la poesía de Meléndez Valdés.* (En BBMP, VII, 1925, pp. 65-75.)

1793
Cox, R. M.: *Juan Meléndez Valdés.* New York, Twayne Pub., 1974, 179 pp.

1794
Cros, E.: *Meléndez Valdés. Les vicissitudes d'un philosophe espagnol,* 1954. (Tesis universitaria. Hay ejemplar mecanografiado en el Centro de Estudios del Siglo XVIII de la Universidad de Oviedo.)

1795
Deleito y Piñuela, J.: *Meléndez Valdés en Montpellier: una casa de historia.* (En CEA, 1936, pp. 413-433.)

1796
Demerson, G.: *Meléndez Valdés. Quelques documents inédits pour compléter sa biographie.* (En BHi, LV, 1953, pp. 252-295.)

1797
Demerson, G.: *Sur seize odes d'Horace traduites par Meléndez Valdés.* (En BHi, LX, 1958, pp. 62-72.)

1798
Demerson, G.: *Sur une oeuvre perdue de Meléndez Valdés: la traduction de l'Eneide.* (En MMB, 1962, pp. 424-436.)

1799
DEMERSON, G.: *Don Juan Meléndez Valdés et son temps.* Paris, Lib. Klincksieck, 1962, 666 pp.

1800
DEMERSON, G.: *Investigación sobre una familia extremeña: la de Meléndez Valdés.* (En REE, XX, 1964, pp. 447-455.)

1801
DEMERSON, G.: *D. Juan Meléndez Valdés: Correspondance relative à la réunion des Hôpitaur d'Avila. Textes en prose inédits publiés avec une introduction, des notes et appendices.* Bordeaux, Feret fils, 1964, 198 pp.

1802
DEMERSON, G.: *Un amateur d'estampes au XVIIIe siècle: Meléndez Valdés.* (En *Nouvelles de l'Estampe.* Paris, núm. 7, julio de 1964.)

1803
DEMERSON, G.: *Un extremeño: D. Cristóbal Meléndez Valdés, sobrino del «restaurador de la poesía».* (En Arch, XV, 1965, pp. 112-125.)

1804
DEMERSON, G.: *Tres cartas, dos de ellas inéditas, de Meléndez Valdés a don Ramón Cáseda.* (En BRAE, XLV, 1965, pp. 117-139.)

1805
DEMERSON, G.: *El poeta extremeño D. Juan Meléndez Valdés en la Real Sociedad Económica Matritense.* (En REE, XXV, 1969, pp. 215-232.)

1806
DEMERSON, G.: *Don Juan Meléndez Valdés y su tiempo (1754-1817).* Madrid, Ed. Taurus [1971], 2 vols., 578+494 pp. (Trad. ampliada de la ed. francesa. París, 1961.)

1807
DEMERSON, G.: *Más sobre Meléndez Valdés en Montpellier y Nimes (1814-1815).* (En StLa, 1974, pp. 203-211.)

1808
ENTRAMBASAGUAS Y PEÑA, J.: *Un hurtillo poético de Meléndez Valdés.* (En GLA, 1943, pp. 146-147.)

1809
FERNÁNDEZ ALMAGRO, M.: *Meléndez Valdés, clásico y romántico.* (En Clav, núm. 26, 1954, pp. 1-8.)

1810
FESS, G. M.: *Meléndez Valdés «Vanidad de las quejas del hombre contra su hacedor» and the «Pensées» de Pascal.* (En MLN, XXXIX, 1924, pp. 282-284.)

1811
FORCIONE, A.: *Meléndez Valdés and the «Essay on Man».* (En HR, XXXIV, 1966, pp. 291-306.)

1812
FROLDI, R.: *Un poeta illuminista: Meléndez Valdés.* Milán, Ist. Editoriale Cisalpino, 1967, 147 pp.

1813
GONZÁLEZ DELEITO, N.: *El bicentenario del jurista Meléndez Valdés.* (En RRAJL, VII, 1954, pp. 21-39.)

1814
GONZÁLEZ PALENCIA, A.: *Meléndez Valdés y la literatura de cordel.* (En RBAM, VIII, 1931, pp. 117-136.)

1815
GONZÁLEZ PALENCIA, A.: *Javier de Burgos y Meléndez Valdés.* (En RCEE, VII, 1933, pp. 1-10.)

1816
HAVARD, R. G.: *The romances of Meléndez Valdés.* (En *Studies of the Spanish and Portuguese Ballad.* London, Tamesis Book, 1972, 180 pp.)

1817
KENWOOD, A.: *The Seasons and Some of their Sources in Meléndez Valdés.* (En AULLA, Proceedings and Papers of the Thirteenth Congress, 1971, pp. 464-483.)

1818
LAMARQUE, M. P.: *Nota sobre Juan Meléndez Valdés.* (En RBAM, VII, 1930, pp. 189-193.)

1819
LÁZARO CARRETER, F.: *Meléndez Valdés.* (En ABC de Madrid, 4 de marzo de 1954.)

1820
MARCO, J.: *El nuevo sentido del campo en la poesía de Meléndez Valdés.* (En *Ejercicios literarios.* Barcelona, Ed. Taber, 1969, pp. 15-26.)

1821
MATHOREZ, J.: *Les refugiés espagnoles dans l'Orne au XIXe siècle.* (En BHi, XVII, 1915, pp. 260-279.)

1822
MÉRIMÉE, E.: *Meléndez Valdés.* (En RHi, I, 1894, pp. 217-235.)

1823
MESONERO ROMANOS, M.: *Goya, Moratín, Meléndez Valdés y Donoso Cortés.* Madrid, 1900, 62 pp.

1824
MUNSURI, F.: *Un togado-poeta: Meléndez Valdés.* Reus, 1929, 80 pp.

1825
NOCEDAL, C.: *Noticias sobre el fallecimiento y exhumación de don Juan Meléndez Valdés.* (En MRAE, VIII, 1902, pp. 267-270.)

1826
OSSORIO Y BERNARD, M.: *Meléndez Valdés y la censura.* (En IEA, 1897, pp. 391-395.)

1827
QUINTANA, J. M.: *Noticia histórica y literaria de Meléndez.* (En *Obras completas.* Madrid, BAE, vol. XIX, nueva ed. 1946, pp. 107-121.)

1828
RODRÍGUEZ MOÑINO, A.: *Juan Meléndez Valdés. Nuevos y curiosos documentos para su biografía (1798-1801).* (En RBAM, IX, 1932, pp. 357-380. Rep. en *Relieves de erudición.* Valencia, 1959, pp. 291-310.)

1829
SALINAS, P.: *Los primeros romances de Meléndez Valdés.* (En HMP, 1925, II, pp. 447-456.)

1830
SALINAS, P.: *La poesía de Meléndez Valdés.* (En *Ensayos de literatura hispánica.* Madrid, Ed. Aguilar, 1958 (2.ª ed. 1967), pp. 236-272.)

1831
SALVADOR, G.: *El tema del árbol caído en Meléndez Valdés.* Oviedo, CCF, núm. 19, 1966, 38 pp.

1832
SEBOLD, R. P.: *El texto de una de las perdidas «Cartas de Ibrahim» de Meléndez Valdés.* (En *El rapto de la mente.* Madrid, Ed. Prensa Española, 1970, pp. 257-264.)

1833
SEGURA COVARSI, E.: *Caracteres excepcionales de la lírica de Meléndez Valdés.* (En REE, I, 1945, pp. 77-97.)

1834
SIMÓN DÍAZ, J.: *[Documentos sobre Meléndez Valdés.]* (En Rev. BN, V, 1944, pp. 483-485.)

1835
TERRÓN DE LA GANDARA, R.: *Homenaje a la memoria de don Juan Meléndez Valdés, restaurador y príncipe de la poesía castellana,* 1900, 160 pp.

1836
VALERA, J.: *Don Juan Meléndez Valdés.* (En *Crítica literaria.* Tomo XXX de sus *Obras completas,* 1912, pp. 83-94 y tomo XXXII, pp. 241-245.)

1837
XIMÉNEZ DE SANDOVAL, F.: *Una carta conocida de Meléndez Valdés.* (En REE, XVI, 1960, pp. 177-183.)

Ver, además, núms. 182, 1165, 1451.

Luis MONCIN

Autor dramático, traductor y refundidor, de bastante éxito en su época, pero hoy totalmente olvidado. Se desconocen sus datos biográficos, excepto que nació en Barcelona y que en 1767 se trasladó a Madrid, donde actuó como apuntador, actor, poeta y comediógrafo. Tradujo a Goldoni *(El feliz encuentro)* y compuso sainetes y comedias originales, como *A pícaro, pícaro y medio, La mujer más vengativa por unos injustos celos, La más heroica piedad más noblemente pagada* y varias más, entre ellas una de figurón, *Un montañés sabe bien dónde el zapato le aprieta.* En la Biblioteca Nacional de Madrid se conservan algunas comedias suyas inéditas.

Pedro MONTENGÓN
(1745-1824)

Nació en Alicante, ingresando en 1759 en la Compañía de Jesús. Expatriado en Italia, se secularizó en 1773. Bajo el seudónimo de «Filopatro», publicó un volumen de odas, en seis libros (Ferrara, 1776; Madrid, 1794). Tradujo en verso los poemas épicos del falso Ossián (Madrid, 1800) y publicó en italiano un *Compendio de la historia romana* (Roma, 1802). Poco antes de morir vertió al castellano seis tragedias de Sófocles (Nápoles, 1820). Su nombre, sin embargo, está vinculado a la novela de fines del siglo XVIII, con cinco títulos: *Eusebio* (1786), *Antenor* (1788), *Eudoxia* (1793), *Rodrigo* (1793) y *El mirtilo o los pastores trashumantes* (1795). La primera, que tuvo más resonancia, está claramente influida por las ideas naturalistas de Rousseau, y fue prohibida por la Inquisición. No hay edición moderna de sus obras.

ESTUDIOS

1838
ALARCOS LLORACH, E.: *Montengón, el Hamlet y nuestra literatura del Siglo de Oro.* (En Cast, I, 1941, pp. 157-160.)

1839
ALARCOS LLORACH, E.: *El senequismo de Montengón.* (En Cast, I, 1941, pp. 149-156.)

1840
CATENA, E.: *Noticia bibliográfica sobre las obras de Don Pedro Montengón y Paret.* (En HMRM, 1975, pp. 195-204.)

1841
FABBRI, M.: *Un aspetto dell'Illuminismo spagnuolo: l'opera letteraria di Pedro Montengón.* Pisa, Ed. Libreria Goliardica, 1972, 171 pp.

1842
GARCÍA SÁEZ, S.: *Montengón, un prerromántico de la Ilustración.* Alicante [Caja de Ahorros Provincial], 1974, 245 pp.

1843
GONZÁLEZ PALENCIA, A.: *Pedro Montengón y su novela «El Eusebio».* (En RBAM, III, 1962, pp. 343-365. Rep. en *Entre dos siglos.* Madrid, 1943, pp. 137-180.)

1844
LAVERDE RUIZ, G.: *Apuntes acerca de la vida y poesías de Don Pedro Montengón.* (En *Ensayos críticos.* Lugo, 1868, pp. 35-40, 67-78, 131-136 y 174-183.)

1845
MARZILLA, M. T.: *Las dos redacciones del «Eusebio» de Montengón.* (En EABM, LXXVII, 1974, pp. 335-346.)

1846
MONTERO Y PÉREZ, A.: *Ensayo biográfico-bibliográfico de escritores de Alicante y su provincia.* Alicante, I, 1888, pp. 225-240.

Ver, además, núms. 82, 1571.

Agustín MONTIANO Y LUYANDO
(1697-1764)

Nacido en Valladolid, fue secretario de la Cámara de Gracia y Justicia, miembro de la Academia Española y director de la Academia de la Historia, durante el reinado de Fernando VI. Aunque sus poemas de juventud, *La lira de Orfeo* (1719) y *El robo de Dina* (1727) muestran influencias del siglo anterior, reacciona al ponerse en contacto con la Academia del Buen Gusto y se convierte en fervoroso neoclásico, de gran influencia por su posición política y social. En sus *Discursos sobre las tragedias españolas* (1750 y 1753) quiso probar que en España se había cultivado la tragedia según los preceptos clásicos, poniendo como ejemplos a los humanistas del siglo XVI. Imprimió en estos libros dos tragedias originales, *Virginia* y *Ataulfo,* ajustadas a las unidades, que no llegaron a representarse. En el tomo 67 de la BAE figuran algunas de sus poesías.

ESTUDIOS

1847
ALONSO CORTÉS, N.: *Don Agustín de Montiano.* (En RCHA, I, 1915, pp. 109-119.)

1848
BOUSSAGOL, G.: *Montiano et son «Athaulfo».* (En MMB, 1962, pp. 336-346.)

1849
TIRRY Y TIRRY, G. (MARQUÉS DE LA CAÑADA): *Elogio fúnebre de Don Agustín de Montiano,* 1765, 27 hs. (Conservado en la biblioteca de la Real Academia Sevillana de Buenas Letras, 25-2-1.)

1850
TRIGUEROS, C. M.: *Elogio histórico de Don Agustín de Montiano y Luyando y juicio crítico de sus obras.* (En MASBL, II, 1843, pp. 69-94.)

1851
[UHAGON, F.] MARQUÉS DE LAURENCÍN: *Don Agustín Montiano y Luyando, primer Director de la Real Academia de la Historia.* Madrid, 1926, 369 pp.

José MOR DE FUENTES
(1762-1848)

Nació y murió en Monzón (Huesca). Publicó tres tomos de *Poesías* (Madrid, 1796; Zaragoza, 1797; Madrid, 1800), obras teatrales y la novela *Serafina* (1798) que tuvo algún éxito. Ha sido reeditada por I. M. Gil (Zaragoza, Universidad, 1959). Tradujo algunas obras de Horacio y Salustio, *La nueva Eloísa* de Rousseau, el *Werther* de Goethe y la *Historia de la decadencia y ruina del Imperio romano* de Gibbon. Es interesante su libro autobiográfico *Bosquejillo de la vida y escritos de don José Mor de Fuentes, delineado por él mismo* (1836) que ha sido reeditado, con prólogo y notas, por M. Alvar (Granada, Universidad, 1952) y por M. Artola (BAE, 97, 1957).

ESTUDIOS

1852
ALEMÁN SAINZ, F.: *Hellín y Mor de Fuentes.* (En Mont, núm. 10, 1955, pp. 12-18.)

1853
ARCO, R. DEL: *Ideario literario y estético de José Mor de Fuentes.* (En RIE, V, 1947, pp. 395-436.)

1854
BONO SERRANO, G.: *D. José Mor de Fuentes.* (En RCLA, III, 1857, pp. 159-166.)

1855
GIL, I. M.: *Polémica sobre teatro.* (En AFA, IV, 1952, pp. 113-128.)

1856
GIL, I. M.: *Mor de Fuentes, poeta.* (En Univ-Z, XXXIII, 1956, pp. 22-76.)

1857
GIL, I. M.: *Vida de don José Mor de Fuentes.* (En Univ-Z, XXXVII, 1960, pp. 71-116 y 495-566.)

1858
GIL, I. M. y PAGEARD, R.: *Mor de Fuentes et la France.* (En RLC, XXXV, 1961, pp. 353-376.)

1859
GIL, I. M.: *El teatro de Mor de Fuentes.* (En MJML, 1968, pp. 279-289.)

1860
GIL NOVALES, A.: *El múltiple Mor de Fuentes.* (En *Las pequeñas Atlánticas.* Barcelona, Seix Barral, 1959, pp. 107-112.)

1861
[MARTÍNEZ RUIZ, J.] AZORÍN: *Mor de Fuentes.* (En *Lecturas españolas.* Madrid, 1912, pp. 81-105.)

Gaspar María de NAVA ALVAREZ DE NOROÑA
(1760-1815)

Conde de Noroña. Natural de Castellón de la Plana. Militar y diplomático. Escribió una tragedia *(Mudarra González)* y dos comedias *(El hombre marcial* y *El cortejo enredador)*. Como poeta gozó en su tiempo de cierto renombre. Sus *Poesías* fueron publicadas en Madrid, en dos volúmenes (1799-1800). Su colección de *Poesías asiáticas,* publicadas póstumamente (1833) han dado origen a diversidad de opiniones sobre el exotismo como elemento prerromántico en la literatura española a finales del Siglo Ilustrado.

ESTUDIOS

1862
FITZMAURICE-KELLY, J.: *Noroña's «Poesías asiáticas».* (En RHi, XVIII, 1908, pp. 439-467.)

Francisco Mariano NIFO
(1719-1803)

Nació en Alcañiz (Teruel) pero residió casi toda su vida en Madrid, donde se entregó de lleno a la actividad periodística, profesión de escasa historia, que él contribuyó en gran medida a perfilar y modernizar. Introdujo en España el periódico diario y el político a la manera francesa, además de ofrecer al público la difusión de los avances científicos, las nuevas ideas y los problemas nacionales. Fundó y dirigió sucesivamente el *Diario noticioso* (1758) con el seudónimo de «Manuel Ruiz de Uribe», el *Cajón de sastre* (1760), *El murmurador imparcial* (1761), la *Estafeta de Londres* (1762), el *Correo general de Europa* (1763), *El bufón de la Corte* (1767), el *Correo general de España* (1770) y *El Correo de Madrid* (1786), entre otros. Intervino en la polémica teatral contra los neoclásicos, aunque él mismo tradujo algunas obras de Metastasio. Su obra de traductor, que es muy extensa, sirvió para dar a conocer en español casi todas las obras del marqués de Caracciolo *(El idioma de la religión, La grandeza del alma, El goce o posesión de sí mismo, El clamor de la verdad contra la seducción y engaños del mundo, Verdaderos intereses de la patria, El idioma de la razón, La religión del hombre de bien contra los nuevos sectarios de la incredulidad,* etc.) y los 15 volúmenes del *Diccionario apostólico* de Fr. Jacinto Montargon, entre otras obras de carácter religioso, que le produjeron pingües beneficios.

ESTUDIOS

1863
ENCISO RECIO, L. M.: *Nipho y el periodismo español del siglo XVIII.* Valladolid, Universidad, 1956, XVII+430 pp.

1864
ENTRAMBASAGUAS, J.: *Algunas notas relativas a don Francisco Mariano Nipho.* (En RFE, XXVIII, 1944, pp. 357-377. Rep. en *Estudios y ensayos de investigación y crítica.* Madrid, C.S.I.C., 1973, pp. 461-480.)

1865
GASCÓN, D.: *Don Francisco Mariano Nipho y su «Diario curioso».* Zaragoza, 1904, 29 pp.

1866
GUINARD, P. J.: *Un journaliste espagnol du XVIIIe siècle: Francisco Nipho. A propos d'une publication récente.* (En BHi, LIX, 1957, pp. 263-283.)

1867
PROFETI, M. G.: *Il «Cajón de sastre»: Scelte litterarie e pubblico.* (En MSI, núm. 16, 1968, pp. 229-256.)

Pablo de OLAVIDE
(1725-1803)

Natural de Lima, pero avecindado en España desde los 20 años, colaboró activamente en la política ilustrada de Carlos III, en Madrid, primero, y en Sevilla, después, hasta que fue procesado por la Inquisición, condenado y encarcelado (1776). Huido a Francia, fue perdonado por Carlos IV y pudo morir junto a sus familiares en Baeza (Jaén). Fue la más visible «piedra de escándalo» para los reaccionarios del momento, que vieron en él al típico «afrancesado», despreciador de las costumbres tradicionales. Aunque inicia su vida pública y sus relaciones sociales en la corte, abriendo los salones de su casa a los más destacados políticos y literatos, su verdadera imagen de organizador y reformista la ofrece con motivo de su nombramiento (1767) como Superintendente de las Nuevas Poblaciones de Andalucía y como Asistente de Sevilla. En esta ciudad, aparte de su labor administrativa, renueva las tertulias literarias, fomenta el teatro, crea la primera escuela nacional de actores, reforma la Universidad, funda la Sociedad Económica y da a conocer las ideas europeas prestando y discutiendo los libros de su selecta biblioteca. En el terreno literario, escribe una zarzuela original, *El celoso burlado* (1764) y traduce obras dramáticas de Racine, Lemierre, du Belloy, Mercier, Regnard y Voltaire. A su vuelta a España publica un libro desconcertante, apologético de la religión cristiana, en el que parece desdecirse de su actuación anterior, *El evangelio en triunfo* (Valencia, 1797) que tuvo enorme éxito editorial (ocho ediciones en tres años). Siguiendo esta misma línea, publica sus *Poemas cristianos* (1799) y el *Salterio español* (1800). Recientemente se han reeditado seis novelas de sus últimos años, por E. Núñez (Lima, 1971), de tono sentimental y moralizante, muy del gusto de la época, en las que sigue la moda de la novelística inglesa. F. Aguilar Piñal ha editado su *Plan de estudios para la Universidad de Sevilla* (Barcelona, Cultura Popular, 1969).

ESTUDIOS

1868
AGUILAR PIÑAL, F.: *La Sevilla de Olavide (1767-1778)*. Sevilla, Ayuntamiento, 1966, 248 pp.

1869
AGUILAR PIÑAL, F.: *Un paseo por la Sevilla de Olavide*. Conferencia. (En el libro colectivo *Historia del urbanismo sevillano*. Sevilla, Academia de Bellas Artes, 1972, pp. 109-132.)

1870
AGUILAR PIÑAL, F.: *Olavide, escritor*. (En Ins, núms. 314-315, febrero de 1973, p. 27.)

1871
ALCÁZAR MOLINA, C.: *Don Pablo de Olavide, el colonizador de Sierra Morena.* Madrid, Ed. Voluntad, 1927, 280 pp.

1872
ALCÁZAR MOLINA, C.: *La colonización alemana de Sierra Morena.* Madrid, 1926, 15 pp.

1873
ANDERSON IMBERT, E.: *Don Guindo Cerezo y Pablo de Olavide.* (En NRFH, XI, 1957, pp. 65-66.)

1874
[ANÓNIMO]: *Olavide, creador del primer polo de España.* (En ICE, núm. 9, 1965, pp. 122-127.)

1875
BAQUERO, G.: *El peruano Pablo Olavide, renovador de Sevilla.* (En MHisp, núm. 307, 1973, pp. 34-36.)

1876
BARRANTES, V.: *Nuevas noticias del filósofo Olavide.* (En EMod, mayo de 1891, pp. 39-63.)

1877
BOOY, J.: *A propos de l'Encyclopédie en Espagne. Diderot, Miguel de Gijón et Pablo de Olavide.* (En RLC, XXXV, núm. 4, 1961, pp. 596-616.)

1878
CAPEL MARGARITO, M.: *Papeles y documentos de Pablo Antonio José de Olavide y Jáuregui.* (En BIEG, XI, 1957, 11 pp.)

1879
CAPEL MARGARITO, M.: *Escritos inéditos de Pablo Antonio José de Olavide y Jáuregui.* (En *La Carolina, capital de las Nuevas Poblaciones.* Madrid, Inst. de Estudios Gienenses, 1970, pp. 247-357.)

1880
CARO BAROJA, J.: *Las Nuevas Poblaciones de Sierra Morena y Andalucía. Un experimento sociológico en tiempos de Carlos III.* (En Clav, núm. 18, 1952, pp. 52-64.)

1881
CASTAÑEDA, V.: *Relación del auto de fe en el que se condenó a Don Pablo de Olavide, caballero del hábito de Santiago.* (En RABM, XX, 1916, pp. 93-111.)

1882
CATANZARO, T.: *El precursor Pablo Olavide y las organizaciones secretas.* (En RILRC, núm. 9, 1971-1972, pp. 50-52.)

1883
DEFOURNEAUX, M.: *Pablo de Olavide et sa famille.* (En BHi, LVI, 1954, pp. 249-260.)

1884
DEFOURNEAUX, M.: *Le problème de la terre en Andalousie et les projets de reforme agraire.* (En RHi, CLVII, 1957, pp. 42-47.)

1885
DEFOURNEAUX, M.: *Pablo de Olavide ou l'Afrancesado (1725-1803).* Paris, Presses Universitaires de France, 1959, 500 pp. [Hay trad. castellana en México, Ed. Renacimiento, 1965.]

1886
DEFOURNEAUX, M.: *La historia religiosa de la Revolución francesa vista por Pablo de Olavide. (Un capítulo inédito de «El evangelio en triunfo».)* (En BRAH, núm. 156, 1965, pp. 113-190.)

1887
DEFOURNEAUX, M.: *Las amistades francesas de Pablo de Olavide.* (En MP, núms. 443-444, 1964, pp. 35-48.)

1888
DEFOURNEAUX, M.: *Pablo de Olavide: l'Homme et le Mythe.* (En Carav, núm. 7, 1966, pp. 167-178.)

1889
DEFOURNEAUX, M.: *Nouvelles recherches sur Pablo de Olavide.* (En Carav, núm. 17, 1971, pp. 111-132.)

1890
DUFOUR, G.: *Recherches sur «El evangelio en triunfo» de Pablo de Olavide.* Paris, Fac. des Lettres, 1966, 220 pp. (Tesis para el tercer ciclo. Hay ejemplar mecanografiado en el Inst. d'Etudes Hispaniques de Paris.)

1891
DUFOUR, G.: *Du «Plan de estudios para la Universidad de Sevilla» (1768) à «El evangelio en triunfo», une même préoccupation d'Olavide.* (En RLNL, núm. 202, 1972, pp. 34-44.)

1892
HAUBEN, P. J.: *Pablo de Olavide and disunity in the Spanish Enlightenment.* (En HJ, VIII, 1965, pp. 112-116.)

1893
LAVALLE, J. A.: *Don Pablo de Olavide. Apuntes sobre su vida y su obra.* Lima, 1859.

1894
LOHMANN VILLENA, G.: *La destitución del oidor limeño Pablo de Olavide.* (En RInd, núms. 28-29, 1947, pp. 497-500.)

1895
LOHMANN VILLENA, G.: *Pedro de Peralta y Pablo de Olavide.* Lima, 1964, 104 pp.

1896
MAPELLI LÓPEZ, L.: *La colonización de Sierra Morena por Carlos III.* Córdoba, 1962, 57 pp.

1897
MARAÑÓN, G.: *Vida y andazas de Don Pablo de Olavide.* (En *Seis temas peruanos.* Madrid, Espasa-Calpe, 1960. Col. Austral, núm. 1.297, pp. 99-113.)

1898
MESONERO ROMANOS, R.: *Pablo de Olavide.* (En SEsp, VII, 1847, pp. 108-110.)

1899
MOREL-FATIO, A.: *Les allemands en Espagne du XV au XVIIIe siècles.* (En RFE, 1922, pp. 277-297.)

1900
NÚÑEZ, E.: *Consideraciones en torno a la obra literaria de don Pablo de Olavide.* (En ATCIH, 1970, pp. 643-647.)

1901
NÚÑEZ, E.: *El nuevo Olavide. Una semblanza a través de sus textos ignorados.* Lima, 1970, 156 pp.

1902
ORTEGA COSTA, A.: *Catalanes en la colonización de Sierra Morena. (Correspondencia entre Olavide y Capmany.)* (En BCNE, núm. 43, 1964, pp. 3-12.)

1903
OZANAM, D.: *Nouveaux documents sur le séjour d'Olavide à Toulouse (nov. 1780-janvier 1781).* (En MCV, I, 1965, pp. 279-287.)

1904
Palacio Atard, V.: *Los alemanes en las «Nuevas Poblaciones» andaluzas.* (En SFG, 1962. Rep. en *Los españoles de la Ilustración,* pp. 163-208.)

1905
Palacio Atard, V.: *Olavide, el afrancesado arquetípico.* (En *Los españoles de la Ilustración,* 1964, pp. 147-161.)

1906
Pinta Llorente, M. de la: *Don Pablo de Olavide. (Al margen de un libro.)* (En *Letras e Historia.* Madrid, 1966, pp. 35-44.)

1907
Pinta Llorente, M. de la: *Un documento histórico del P. José Gómez de Avellaneda en defensa del escolasticismo. (Al margen del proceso inquisitorial contra don Pablo de Olavide.)* (En *Crítica y Humanismo.* Madrid, 1966, pp. 29-48.)

1908
Puente Candamo, J. A.: *El sentido precursor de Olavide.* (En MP, XLI, núm. 396, 1960, pp. 156-159.)

1909
Rodríguez Casado, V.: *Alcance político de las obras públicas y de la colonización interior en la España de Carlos III.* (En MP XLI, 1960, pp. 204-216.)

Ver, además, núms. 86, 178, 1474.

Francisco **PEREZ BAYER**

(1711-1794)

Ilustre erudito valenciano, presbítero y catedrático de hebreo en Salamanca, que consagró gran parte de su vida a las investigaciones numismáticas y lingüísticas en archivos españoles y extranjeros. Fue canónigo de Valencia, de Toledo y de Barcelona, bibliotecario real y preceptor de los infantes. Reeditó la *Bibliotheca Vetus* de Nicolás Antonio y publicó varios tratados de erudición, siendo los más conocidos el catálogo de manuscritos de El Escorial, un estudio sobre el alfabeto y lengua de los fenicios (1772) y otro sobre las monedas hebreo-samaritanas (1781). Participó activamente en la reforma de los Colegios Mayores, a que dio origen su memorial *Por la libertad de la literatura española* (1770).

ESTUDIOS

1910
AGUILAR PIÑAL, F.: *Pérez Bayer en Sevilla.* (En *Temas sevillanos,* 1972, pp. 63-67.)

1911
BONO Y SERRANO, G.: *Elogio del Ilmo. Pérez Bayer.* (En *Miscelánea.* Madrid, 1870, pp. 280-308.)

1912
CANTO BLASCO, F.: *El humanista Pérez Bayer y el pueblo de Benicasim.* (En BSCC, VII, 1926, pp. 309-316.)

1913
CANTO BLASCO, F.: *Biografías de Francisco Pérez Bayer y José Iborra García.* (En AUV, IX, 1928-1929, 52 pp.)

1914
JUAN Y GARCÍA, L.: *Un retrato de Pérez Bayer.* (En BTer, III, 1916, pp. 33-44.)

1915
JUAN Y GARCÍA, L.: *Pérez Bayer y Salamanca. Datos para la bio-bibliografía del hebraísta valenciano.* Salamanca, 1918, 270 pp.

1916
LAULHE Y TISNÉ, J. M.: *Elogio histórico del Ilmo. Sr. D. Francisco Pérez Bayer.* Valencia, Benito Montfort [s. a.]. (Vid. Salvá, núm. 3.462.)

1917
MATEU Y LLOPIS, F.: *Pérez Bayer i les inscripcions ibèriques i hebraiques de Molvedre.* (En BSCC, XII, 1931, pp. 248-257.)

1918
MATEU Y LLOPIS, F.: *En torno a Pérez Bayer, numísmata y bibliotecario.* Discurso. Valencia, 1953, 118 pp.

1919
RÓDENAS, P. G.: *Elogio histórico del Ilmo. Sr. D. Francisco Pérez Bayer (1829).* 34 fols. (Ms. en la RAH, 11-3-1-8236/17.)

1920
SALA BALUST, L.: *Visitas y reforma de los Colegios Mayores de Salamanca en el reinado de Carlos III.* Valladolid, Universidad, 1958, 454 pp.

1921
SIDRÓ VILLAROIG, J. F.: *Vida literaria de D. Francisco Pérez Bayer, extractada.* (En ML, noviembre de 1797, pp. 145-160.)

José Antonio PORCEL
(1715-1794)

Sacerdote y poeta granadino, que fue canónigo del Sacromonte y uno de los miembros más activos de la Academia del Príncipe, en su ciudad natal, y de la Academia del Buen Gusto, en Madrid. Perteneció a las Academias Española y de la Historia. Escribió varios poemas de circunstancias y otros de más altos vuelos, como el *Adonis* y las fábulas *Alfeo y Aretusa* y *Acteón y Diana,* de clara influencia gongorina. (Pub. por Valmar, en BAE, LXXV.) Tradujo *El facistol* de Boileau, el *Tratado de la educación pública* de Guiton de Morveau, la tragedia *Mérope* y la comedia antifeminista *La dama doctor,* en la que se ataca el jansenismo.

ESTUDIOS

1922
ARCO, A. DEL: *El mejor ingenio granadino del siglo XVIII, don José Antonio Porcel y Salablanca.* (En Alh, núms. 478-482, 1918, pp. 73-75, 97-99, 121-123, 145-157 y 169-171.)

1923
MARÍN Y LÓPEZ, N.: *La Academia del Trípode.* (En RJ, XIII, 1962, pp. 313-318. Rep. en *Poesía y poetas del setecientos.* Granada, 1971, pp. 179-209.)

1924
OROZCO DÍAZ, E.: *Para la biografía de Porcel y Salablanca. (Comentarios a unos documentos inéditos.)* (En HEAG, II, 1967, pp. 391-400.)

1925
OROZCO DÍAZ, E.: *Porcel y el barroquismo literario del siglo XVIII.* Oviedo, Universidad, 1969, 60 pp. (CCF, p. 21.)

Manuel José QUINTANA
(1772-1857)

Poeta madrileño, que fue discípulo de Meléndez Valdés en Salamanca, prolongando hasta bien entrado el siglo XIX las ideas neoclásicas que informaron la lírica de la «segunda escuela salmantina». Apenas cumplidos los 16 años, publicó su primer tomo de *Poesías* (Madrid, 1788), que sería seguido por un segundo años más tarde (Madrid, 1802). Su fama se popularizó con motivo de sus odas *Al combate de Trafalgar* (1805) y *A España después de la revolución de marzo* (1808), publicadas después con otras bajo el título de *Poesías patrióticas* (Madrid, 1808). Una nueva edición, corregida y aumentada, vio la luz en plena ocupación francesa (Madrid, 1813). Ediciones modernas de sus poesías son la de N. Alonso Cortés («Clásicos castellanos», núm. 78, 1958) y la de A. Dérozier (Ed. Castalia, 1969). Quintana ocupa lugar importante en la prensa española por la fundación del periódico *Variedades de literatura y arte* (1803) y del *Semanario patriótico* (1808). Por estos mismos años comenzó la publicación de sus *Vidas de españoles célebres* (1807) y su antología titulada *Poesías selectas castellanas* (1807), que superó a todas las existentes. Aparte otros trabajos, escribió dos obras teatrales: *El duque de Viseo* (1801) y *Pelayo* (1805), ambas de clara intencionalidad política. En la crisis nacional de 1808, Quintana se sumó al bando patriótico, convirtiéndose en la inflamada voz de la resistencia al invasor y participando activamente en las Cortes de Cádiz. A causa de su ideología liberal, sin embargo, fue privado de sus cargos y procesado por la Inquisición en 1814. Pero la firmeza en el mantenimiento de sus convicciones le convirtieron en héroe nacional con la llegada al trono de Isabel II (1833), que le nombró prócer del Reino y senador vitalicio. La propia reina, movida por el clamor popular, ciñó sus sienes con laurel de oro en 1855. Quintana dirigió personalmente la edición de sus *Obras completas* (Madrid, BAE, XIX, 1852), que fueron reeditadas, con escritos inéditos, en tres volúmenes (Madrid, 1897-1898).

ESTUDIOS

1926

ALARCÓN, P. A. DE: *A la memoria del gran Quintana.* (En Ep, 14 de marzo de 1857.)

1927

ALONSO CORTÉS, N.: *Poesías juveniles de Quintana.* (En RBAM, X, 1933, pp. 211-240.)

1928
Blanco Sánchez, R.: *Quintana. Sus ideas pedagógicas, su política y su significación filosófica.* Madrid, 1910, 142 pp.

1929
Bono y Serrano, G.: *Cristiana muerte de Quintana.* (En su *Miscelánea.* Madrid, 1870, pp. 1-21.)

1930
Calvo Asensio, P.: *La coronación de Quintana.* (En Ib, 25 de marzo de 1855.)

1930 bis
Calvo Asensio, G.: *Vindicación de Quintana.* (En Am, 28 de enero de 1868.)

1931
Cambronero, C.: *Coronación de Quintana.* (En *Isabel II, íntima.* Barcelona, 1908, pp. 196-200.)

1932
Cano, J. L.: *Quintana, poeta político.* (En Ins, núms. 284-285, 1970, pp. 22-23.)

1933
Castelar, E.: *Un discurso a la muerte de Quintana.* (En Dis, 14 de marzo de 1857.)

1934
Conde, P. J.: *Don Manuel José Quintana. Un epistolario suyo inédito.* (En RCEE, XIV, 1940, pp. 1-13.)

1935
Cotarelo, E.: *Quintana, censor de teatros.* (En RABM, IV, 1900, pp. 410-414.)

1936
Cueto, L. A. (Marqués de Valmar): *[Juicio de Quintana como poeta lírico.]* Discurso. Madrid, Real Academia Española, 1858, 67 pp.

1937
Demerson, G.: *Sur un certain Quintana.* (En BHi, LVIII, 1956, pp. 353-354.)

1938
Derozier, A.: *Les étapes de la vie officielle de Manuel José Quintana.* (En BHi, LXVI, 1964, pp. 363-390.)

1939
DEROZIER, A.: *Polemiques sur un passage de Quintana.* (En LNL, núm. 168, 1964, pp. 31-45.)

1940
DEROZIER, A.: *Manuel Josef Quintana et la naissance du libéralisme en Espagne.* Paris, 1968, 715 pp. (Annales Littéraires de l'Université de Besançon, vol. 95.)

1941
DÍAZ-JIMÉNEZ Y MOLLEDA, E.: *Epistolario inédito del poeta D. Manuel José Quintana.* Madrid, 1933, 182 pp.

1942
FERRER DEL RÍO, A.: *Don Manuel José Quintana.* (En su *Galería de la literatura española.* Madrid, 1846, pp. 1-12.)

1942 bis
FERRER DEL RÍO, A.: *Necrología. Don Manuel José Quintana.* (En Am, 24 de marzo de 1857.)

1943
FUCILLA, J. G.: *Una visita di Antonio Cazzaniga a José Manuel Quintana.* (En QIA, II, núm. 15, 1954, pp. 398-401.)

1944
GAUBIAC, E.: *Manuel Josef Quintana, son interprétation de l'histoire d'Espagne.* Paris, Fac. des Lettres, 1969, 91 pp. (Memoria para el Diploma de Estudios Superiores. Hay ejemplar mecanografiado en el Inst. d'Etudes Hispaniques de Paris.)

1945
LUIS, L. DE: *Don Manuel José Quintana a los doscientos años.* (En EL, núm. 499, 1972, pp. 6-7.)

1946
LUIS, L. DE: *La oda «Al panteón de El Escorial», de Quintana.* (En ROcc, núm. 117, 1972, pp. 363-377.)

1947
MENÉNDEZ PELAYO, M.: *Don Manuel José Quintana. La poesía lírica al principiar el siglo XIX.* (En *La España del siglo XIX,* III, 1887, pp. 249-287. Rep. en *Estudios de crítica literaria,* IV, 1942, pp. 229-260.)

1948
MERIMÉE, E.: *Les poésies lyriques de Quintana.* (En BHi, IV, 1902, pp. 119-153.)

1949
MILÁ Y FONTANALS, M.: *Obras literarias de Quintana.* (En sus *Obras completas,* IV, 1892, pp. 340-346.)

1950
MONGUIÓ, L.: *Don Manuel José Quintana y su oda «A la expedición española para propagar la vacuna en América».* (En BIRA, 1956-1957, pp. 175-184.)

1951
MONGUIÓ, L.: *El «loco» Quirós, Merino Ballesteros y Don Manuel José Quintana.* (En *Libro de homenaje a Luis Alberto Sánchez.* Lima, 1968, pp. 321-339.)

1952
O[CHOA], E.: *Don Manuel José Quintana.* (En Art, II, 1836, pp. 37-38.)

1953
OLMEDILLA Y PUIG, J.: *La coronación del poeta Quintana.* (En EMod, CCXL, 1908, pp. 5-30.)

1954
OSSORIO Y BERNARD, M.: *Monumento de Quintana.* (En *Papeles viejos e investigaciones literarias.* Madrid, 1890, pp. 159-164.)

1955
PAGEAUX, D. H.: *La genèse de l'oeuvre poétique de M. J. Quintana.* (En RLC, XXXVII, 1963, pp. 227-267.)

1956
PÉREZ DE GUZMÁN, J.: *Las mocedades de don Manuel Josef Quintana.* (En EMod, CLXXXV, 1904, pp. 116-139.)

1957
PÉREZ DE GUZMÁN, J.: *Documentos para la bibliografía de D. Manuel José Quintana.* (En BRAH, LVII, 1910, pp. 376-381.)

1958
PIÑEYRO, R.: *Manuel José Quintana (1772-1857). Ensayo crítico y biográfico.* Paris, 1892, 252 pp.

1959
PIRALA, A.: *Manuel José Quintana como historiador.* Discurso. Madrid, Academia de la Historia, 1892, 51 pp.

1960
RODRÍGUEZ-MOÑINO, A.: *El retrato de Quintana pintado por Ribelles.* Madrid, 1954, 16 pp.

1961
ROHDE, J. M.: *Quintana en un canto de Leopardi.* (En BAAL, XXXI, 1966, pp. 253-262.)

1962
SÁNCHEZ PÉREZ, A.: *Manuel José Quintana.* (En HM, 25 de enero de 1892.)

1963
SEBOLD, R. P.: *«Siempre formas en grande modeladas»: sobre la visión poética de Quintana.* (En HRM, II, 1966, pp. 177-184. Rep. en *El rapto de la mente.* Madrid, Ed. Prensa Española, 1970, pp. 221-223.)

1964
SERRANO Y SANZ, M.: *«Canción en alabanca de Guzmán el Bueno». ¿De Don Manuel José Quintana?* (En RABM, V, 1901, pp. 796-797.)

1965
TOMÉ, E.: *Manuel José Quintana. Ensayo crítico.* (En BF-M, VIII, 1959, pp. 59-106; IX, 1962, pp. 57-127.)

1966
TORRES RIOSECO, A.: *La huella de Quintana en la literatura hispanoamericana.* (En RIA, XXII, 1957, pp. 261-272.)

1967
VALERA, J.: *Carta a D. Emilio Castelar, defendiendo la poesía de Quintana.* (En Dis, 14 de abril de 1860.)

1968
VALERA, J.: *Don Manuel José Quintana.* (En *Crítica literaria.* Tomo XXXII de sus *Obras completas* [1912], pp. 270-276.)

1969
VILA SELMA, J.: *Ideario de Manuel José Quintana.* Madrid, C.S.I.C., 1961, 196 pp.

1970
VILDOSOLA, A. J.: *Quintana como poeta.* (En Ib, 20 de marzo de 1860.)

Ver, además, núms. 395, 602, 640 bis.

Félix José REINOSO
(1772-1841)

Sacerdote sevillano, amigo íntimo de Blanco y Lista, con los que colaboró en las tareas de la Academia de Letras Humanas. Fue acusado de afrancesamiento por simpatizar con el régimen bonapartista, actitud que hubo de defender con su famoso escrito *Examen de los delitos de infidelidad a la patria* (1816). Como poeta pertenece a la escuela neoclásica sevillana, siendo su poema más conocido *La inocencia perdida* (1799). Sus *Obras* fueron publicadas en dos volúmenes por A. Martín Villa (Sevilla, 1872-1879).

ESTUDIOS

1971
AGUILERA, I.: *Notas sobre el libro de Reinoso «Delitos de infidelidad a la patria»*. (En BBMP, 1931, pp. 319-386.)

1972
ARTIGAS, M.: *Reinoso y el purismo.* (En CyR, núm. 21, diciembre de 1934, pp. 42-44.)

1973
CORTINES Y MURUBE, F.: *Noticias sobre un afrancesado.* (En RABM, XXI, 1909, pp. 556-558.)

1974
CORTINES Y MURUBE, F.: *Noticias sobre Reinoso.* (En AHisp, núm. 86, 1957, pp. 209-213.)

1975
CUEVAS, J. DE LAS: *Félix José Reinoso y José Roldán: dos sevillanos ilustres. Aspectos inéditos de sus vidas.* (En AHisp, XIX, 1953, pp. 133-188.)

1976
PARDO CANALIS, E.: *Reinoso.* (En RIE, XXII, 1964, pp. 65-83.)

1977
PARDO CANALIS, E.: *Unos textos de Reinoso traspapelados.* (En RIE, XXIX, 1971, pp. 163-174.)

Fermín del REY

Actor y autor dramático de la época de Carlos III, del que se desconocen sus datos biográficos. Tradujo a Napoli-Signorelli *(La Faustina)* y a Goldoni *(La buena criada* y *El prisionero de guerra)*. Publicó, entre otras, algunas comedias originales, como *La viuda generosa* y *Caprichos de amor y celos,* y el diálogo pastoril *Anfriso y Belarda.*

Eugenio Antonio del RIEGO Y NUÑEZ (1748-1816)

Aunque natural de Canarias, vivió gran parte de su vida en Asturias, como administrador de correos en Oviedo, donde murió. Sus poemas de más notoriedad son *Los pastores del Narcea* (Madrid, 1784) y *Las ninfas del Tajo en Aranjuez* (Madrid, 1785). Varias *Poesías póstumas* fueron publicadas en una *Colección de obras poéticas españolas* (Londres, 1842). Escribió también poemas de circunstancias y discursos para la Sociedad Económica de Asturias, de la que era miembro. Fue padre del célebre General Riego, que se pronunció contra Fernando VII en 1820.

ESTUDIOS

1978
SUÁREZ, C.: *Eugenio Antonio del Riego y Núñez.* (En *Escritores y artistas asturianos.* Oviedo, VI, 1957, pp. 449-451.)

Vicente RODRIGUEZ DE ARELLANO

De origen navarro, se desconocen sus datos personales. Tradujo del francés *Las tardes de la Granja o las lecciones de un padre,* en cinco volúmenes (1804) y publicó *El Decamerón español, o colección de varios hechos históricos raros y divertidos,* en tres volúmenes (1805). Poco después vio la luz un tomo de sus *Poesías varias* (1806). Pero su labor más conocida es la de refundidor dramático: *Lo cierto por lo dudoso, La mujer de dos maridos, El celoso D. Lesmes, Armida y Reinaldo, Jerusalén conquistada* y otros muchos títulos, que cita Moratín, subieron a las tablas españolas a fines del siglo XVIII. Tradujo también a Kotzbue *(La reconciliación)* y a Florián *(Estela)*.

Pedro RODRIGUEZ DE CAMPOMANES
(1723-1802)

Jurista y político, natural de Santa Eulalia de Sorribas (Asturias). Aunque su labor no fue propiamente literaria, su condición de fiscal del Consejo de Castilla influyó decisivamente en las directrices reformistas de la época, incluida la renovación de las letras. Es figura clave de la Ilustración española. Ocupó cargos importantes en la Academia de la Historia y en la Sociedad Económica Matritense. Publicó en su juventud las *Disertaciones históricas del Orden de los Templarios* (1747). De sus escritos políticos cabe destacar: *Tratado de la regalía de amortización* (1765), *Discurso sobre el fomento de la industria popular* (1774) y *Discurso sobre la educación popular de los artesanos y su fomento* (1775). Hay reedición de estos dos últimos, por J. Reeder (Madrid, 1975) y del segundo, por F. Aguilar Piñal (Ed. Nacional, en prensa).

ESTUDIOS

1979
AGUILAR PIÑAL, F.: *La primera carta cruzada entre Campomanes y Feijoo.* (En BOCES XVIII, núm. 1, 1973, pp. 14-20.)

1980
ALVAREZ CABALLERO, P.: *Elogio fúnebre del Excmo. Sr. D. Pedro Rodríguez de Campomanes.* Oviedo, 1802, 15 pp.

1981
ALVAREZ REQUEJO, F.: *El Conde de Campomanes: su obra histórica.* Oviedo, Inst. de Estudios Asturianos, 1954, 262 pp.

1982
CANELLA SECADES, F.: *De Covadonga. El Conde de Campomanes y el arquitecto Rodríguez.* Madrid, 1918, 395 pp.

1983
CAVEDA, J.: *Las cartas de Campomanes.* (En Ep, 21 de agosto de 1878.)

1984
CAVEDA Y NAVA, J.: *Biografía del Conde de Campomanes y catálogo de sus obras.* (En RAst, núm. 12, 1882, pp. 179-183.)

1985
CEJUDO LÓPEZ, J.: *Catálogo del archivo del Conde de Campomanes (Fondos Carmen Dorado y Rafael Gasset).* Madrid, Fundación Universitaria Española, 1975, 450 pp.

1986
DEFOURNEAUX, M.: *Régalisme et Inquisition. Une campagne contre Campomanes.* (En MMJS, I, 1966, pp. 299-310.)

1987
DOMÍNGUEZ ORTIZ, A.: *Campomanes, los jesuitas y dos Hermandades madrileñas.* (En AIEM, III, 1968, pp. 219-224.)

1988
FERNÁNDEZ DE LA LLANA, J. A. [«JUAN SANTANA»]: *El Conde de Campomanes y los gitanos.* (En R, 1 de junio de 1975.)

1989
FRÍAS, L.: *El almacén de regalías de Campomanes.* (En RyF, LXIV, 1922, pp. 323-343 y 447-463.)

1990
GARCÍA DOMENECH, J.: *Elogio del Excmo. Sr. Conde de Campomanes.* Madrid, 1803, 86 pp.

1991
GARCÍA MORALES, J.: *Un informe de Campomanes sobre las bibliotecas españolas.* (En RABM, LXXV, 1968-1972, pp. 91-126.)

1992
GONZÁLEZ ARNAO, V.: *Elogio del Sr. Conde de Campomanes.* Madrid, 1804, 64 pp. (Rep. en MRAH, V, 1803.)

1993
GONZÁLEZ PALENCIA, A.: *Ideas de Campomanes acerca del teatro.* (En BRAE, XVIII, 1931, pp. 553-570. Rep. en *Entre dos mundos.* Madrid, 1943, pp. 79-101.)

1994
LASVENNES, L.: *Ejemplaridad del personaje y trascendencia de su obra para España.* (En *Sesión solemne celebrada en el Ayuntamiento.* Madrid, 1923, pp. 31-42.)

1995
MERINO, A.: *Campomanes, el más grande de nuestros economistas.* (En *Solemne sesión celebrada en el Ayuntamiento.* Madrid, 1923, pp. 1-29.)

1996
NAVARRO LATORRE, J.: *Dos asturianos frente a frente en los umbrales de la España contemporánea.* (En EL, núms. 402-404, 1968, pp. 98-99.)

1997
NOEL, C. C.: *Opposition on Enlightened Reform in Spain: Campomanes and the Clergy, 1765-1775.* (En Soc, vol. 3, 1973, pp. 21-43.)

1998
OLAECHEA, R.: *El concepto de «exequatur» en Campomanes.* (En MisCo, XV, 1966, p. 127.)

1999
ORTIZ VIVAS, R.: *El licenciado D. Pedro Rodríguez de Campomanes, asesor de la Renta de Correos.* (En BAIHP, núm. 9, 1949, pp. 7-16.)

2000
PEDREGAL Y CAÑEDO, M.: *Campomanes.* (En REsp, núm. 78, 1882, pp. 537-552.)

2001
PIERELLE, A.: *Campomanes, ministre du roi Charles III.* (En *Etudes d'Histoire Economique et Sociale du XVIIIe siècle.* Paris, P.U.F., 1966, pp. 95-148.)

2002
PRIETO PAZOS, F.: *Campomanes en la Sociedad Económica Matritense.* (En *Solemne sesión celebrada en el Ayuntamiento.* Madrid, 1923, pp. 63-71.)

2003
PUYOL, J.: *La Academia de la Historia y su director en 1782.* (En BRAH, XCII, 1928, pp. 647-653.)

2004
RODRÍGUEZ AMAYA, E.: *Viaje de Campomanes a Extremadura.* (En REE, IV, 1948, pp. 199-246.)

2005
RODRÍGUEZ DÍAZ, L.: *Reforma e Ilustración en la España del siglo XVIII: Campomanes.* Madrid, Fundación Universitaria Española, 1975, 352 pp.

2006
RODRÍGUEZ-MOÑINO, A.: *El manuscrito «Diversas curiosidades» de la biblioteca de Campomanes.* (En BRAE, XXXIV, 1954, pp. 353-385.)

2007
ROSELL, C.: *El Conde de Campomanes.* (En ELab, II, 1844, pp. 33-36.)

2008
SALCEDO RUIZ, A.: *Campomanes.* (En *Jurisconsultos españoles.* Madrid, I, 1911, pp. 113-130.)

2009
SUÁREZ, C.: *Conde de Campomanes.* (En *Escritores y artistas asturianos,* II, pp. 205-230.)

2010
SUÁREZ BARCENA, A.: *El Conde de Campomanes.* (En RIPLC, 1859.)

2011
WILCKENS, R. K.: *El pensamiento histórico, político y económico del Conde de Campomanes.* Santiago de Chile, Universidad, 1960, 288 pp.

2012
ZARDAIN, C.: *Remembranzas de antaño y hogaño de la villa de Tineo.* Salamanca, 1930, 274 pp.

Ver, además, núms. 153, 182, 611, 612, 1477, 1607, 1612.

José María ROLDAN
(1771-1828)

Sacerdote y poeta sevillano, que perteneció a la Academia de Letras Humanas, donde leyó sus poesías, casi todas de tema religioso, que han quedado inéditas, así como su drama pastoral *Danilo* y su *Comentario del Apocalipsis.*

ESTUDIOS

2013
CUEVAS, J. DE LAS: *El poeta sevillano José M.ª Roldán (1771-1828). El «Diario», su drama pastoral inédito.* (En AHisp, XXXI, 1959, pp. 245-305.)

2014
CUEVAS, J. DE LAS: *Miscelánea sobre el poeta sevillano José María Roldán.* (En AHisp, XLII, núms. 129-130, 1965, pp. 79-118.)

Ver, además, núm. 1975.

Francisco Gregorio de SALAS
(?-1808)

Sacerdote, natural de Jaraicego (Cáceres). En sus poesías exaltó la vida del campo, nada idealizado —como era moda en la poesía pastoril neoclásica— sino en versos de la más cruda y prosaica realidad. Así, el *Observatorio rústico* (1772-1774), la égloga amorosa *Dalmiro y Silvando* (1780), *Nuevas poesías serias y jocosas* (1775-1776) y *Poesías,* en dos volúmenes (1797). Es autor, entre obras de tema religioso, de una colección de epigramas a la que puso por título *La Castreida.* Su musa, punzante y festiva, le dio cierta popularidad en su época, incomprensible para el gusto de hoy.

ESTUDIOS

2015
COSSIO, J. M.: *Una casita y un carácter. Don Francisco Gregorio de Salas.* (En *Notas y estudios de crítica literaria. Poesía española. Notas de asedio.* Madrid, Espasa-Calpe, 1936, pp. 265-269.)

2016
LÓPEZ PRUDENCIO, J.: *Francisco Gregorio de Salas.* (En *Notas literarias de Extremadura.* Badajoz, 1932.)

2017
[MARTÍNEZ RUIZ, J.] AZORÍN: *Un amigo del campo.* (En *Clásicos y modernos,* 1919, pp. 107-112.)

Félix María SAMANIEGO
(1745-1801)

Nacido en La Guardia, en la Rioja alavesa, de noble familia, emparentada con los condes de Peñaflorida, participó desde los 20 años en los trabajos de la Sociedad Vascongada de Amigos del País, después de recibir esmerada educación con los jesuitas de Bayona. Fue director del Seminario de Nobles de Vergara, alcalde de Tolosa y diputado del País Vasco en Madrid. Es conocido, sobre todo, por sus *Fábulas* didácticas que, a imitación de Fedro, Esopo, La Fontaine y Gay, escribió en número considerable para los alumnos de Vergara. La primera colección se imprimió en Valencia (1781), a la que siguió otra en Madrid (1784), que se han venido reimprimiendo en forma total o parcial hasta nuestros días, con un total de más de doscientas ediciones, casi todas de carácter escolar. La más reciente, para uso de un público culto, es la de E. Jareño (Ed. Castalia, 1969). También puede consultarse la publicada por Espasa-Calpe (Col. «Austral», núm. 632; la última ed. es de 1970). Otro aspecto menos conocido de Samaniego es el de sus poesías eróticas que, como *El jardín de Venus,* no han sido dadas a la imprenta hasta comienzos de este siglo, en ediciones limitadas. Son de gran desenfado sexual y marcado acento anticlerical. No hay que olvidar tampoco su actividad como irónico polemista y crítico teatral en la prensa madrileña, donde confirma su adhesión a la más ortodoxa postura ilustrada, defendiendo la nueva comedia moratiniana.

ESTUDIOS

2018
[ANÓNIMO]: *Efemérides ilustres: Samaniego.* (En HM, 12 de octubre de 1894.)

2019
APRAIZ, E.: *Samaniego, Olaguibel, Salazar... y las carreteras de las Riojas.* (En BSEMI, núm. 62, 1962, pp. 5-8.)

2020
APRAIZ, E.: *Las siestas del fabulista.* (En BSEMI, núm. 63, 1962.)

2021
APRAIZ, J.: *Las fábulas consideradas como enseñanza moral.* (En At-V, 1876, pp. 306-316.)

2022
APRAIZ, J.: *Un opúsculo completamente desconocido de nuestro insigne Samaniego.* (En EuE, 1895, pp. 193-198, 225-231, 257-263 y 289-292.)

2023
APRAIZ, J.: *Obras críticas de Don Félix María de Samaniego. Precedidas de unos estudios preliminares.* Bilbao, 1898, 196 pp.

2024
BECERRO DE BENGOA, R.: *Casa nativa del insigne fabulista Samaniego.* (En EuE, VI, 1882, pp. 34-36.)

2025
BECERRO DE BENGOA, R.: *El centenario de Samaniego.* (En IEA, XLV, 1901, pp. 158-159.)

2026
BECERRO DE BENGOA, R.: *Fiesta en honor de Samaniego.* Discurso. (En EuE, 1901, pp. 515-526.)

2027
BERRUEZO, J.: *¿Cómo era Samaniego?* (En BSV, I, 1945, pp. 384-387.)

2028
FERNÁNDEZ DE NAVARRETE, E.: *Obras inéditas o poco conocidas del insigne fabulista don Félix María Samaniego, precedidas de una biografía del autor.* Vitoria, 1866.

2029
[GORTÁZAR, I.] CONDE DE SUPERBUNDA: *De la vida de Samaniego.* (En BSV, I, 1945, pp. 377-381.)

2030
J. G. R.: *Carta sobre el mérito del señor Samaniego, autor de las fábulas.* (En CM, VI, núm. 318, 1789, pp. 2555-2559.)

2031
LÓPEZ MENDIZÁBAL, I.: *El editor Francisco de Lama y la Inquisición.* (En BSV, 1952, pp. 516-520.)

2032
MARÍN, N.: *El fabulista Samaniego, maestrante de Granada.* (En Ber, XII, 1958, pp. 233-236.)

2033
MIGUELOA, J.: *Samaniego, diputado en corte de Alava.* (En HICAA, núm. 9, enero de 1946.)

2034
NIESS, R. J.: *The «pie quebrado» in Samaniego.* (En HR, IX, 1941, pp. 304-308.)

2035
NIESS, R. J.: *A Study of the influence of Jean de la Fontaine on the works of F. M. Samaniego.* (En UMS, III, 1943, pp. 158-162.)

2036
PALACIOS FERNÁNDEZ, E.: *Caracterización de los personajes en las fábulas de Samaniego.* (En BISS, XVI, 1972, pp. 169-189.)

2037
PALACIOS FERNÁNDEZ, E.: *Samaniego y el agro riojano-alavés del siglo XVIII.* (En VE-V, 1 de septiembre de 1973, p. 22.)

2038
PALACIOS FERNÁNDEZ, E.: *Samaniego y los caminos de la Rioja alavesa.* (En VE-V, 2 de septiembre de 1973.)

2039
PALACIOS FERNÁNDEZ, E.: *Vida y obra de Samaniego.* Madrid, Facultad de Letras, 1974, 38 pp.

2040
PALACIOS FERNÁNDEZ, E.: *Vida y obra de Samaniego.* Vitoria, Caja Municipal de Ahorros [1975], 482 pp.

2041
QUINCOCES, G.: *La religiosidad de D. Félix María de Samaniego.* (En HICAA, enero de 1946.)

2042
RUIZ DE LARRINAGA, F. J.: *Samaniego, vasco y vascófilo.* (En EuA, núm. 247, julio de 1924, pp. 245-255.)

2043
SANTOYO, J. C.: *John Gay: su influencia en las fábulas de Samaniego.* (En su obra *El Dr. Escoriaza en Inglaterra y otros ensayos británicos.* Vitoria, Instituto Sancho el Sabio, 1973, pp. 87-132.)
Ver, además, núm. 1341.

Tomás Antonio SANCHEZ
(1725-1802)

Erudito sacerdote, nacido en Ruiseñada (Santander). Fue Magistral de la Colegiata de Santillana hasta 1761, después de haber estudiado con los jesuitas en Sevilla y en la Universidad de Salamanca. Fue bibliotecario de la Real Biblioteca y académico de la Española y de la Historia. Colaboró con J. A. Pellicer en las adiciones de la *Biblioteca Nova* de Nicolás Antonio. Editó por priera vez el «Poema de Mio Cid», las obras de Berceo y del Arcipreste de Hita, el «Libro de Alexandre» y el «Rimado de Palacio» del canciller Ayala, en su *Colección de poesías castellanas anteriores al siglo XV* (1779-1790).

ESTUDIOS

2044
ESCAGEDO SALMÓN, M.: *D. Tomás Antonio Sánchez en Santillana.* (En *Homenaje a D. Tomás Antonio Sánchez en el segundo centenario de su nacimiento.* Santander, Diputación Provincial, 1926, pp. 21-24.)

2045

MAZA SOLANO, T.: *El catálogo de abades de Santillana que escribió D. Tomás Antonio Sánchez.* (En *Homenaje*... Santander, 1926, pp. 25-46.)

2046

MONTERO PADILLA, J.: *Algunos datos para la biografía de don Tomás Antonio Sánchez.* (En BBMP, XXXV, 1959, pp. 347-358.)

2047

RODRÍGUEZ ANICETO, C.: *Vida académica de Tomás Antonio Sánchez en la Universidad de Salamanca.* (En *Homenaje*... Santander, 1926, pp. 15-20.)

2048

SOLANA, M.: *D. Tomás Antonio Sánchez según sus cartas.* (En *Homenaje*... Santander, 1926, pp. 47-74.)

Ver, además, núms. 387, 1237.

Fray Martín SARMIENTO
(1695-1772)

Pedro José García Balboa —en religión Fray Martín Sarmiento— nació en Villafranca del Bierzo (León). Fue monje benedictino, introvertido, erudito y afable, que pasó la mayor parte de su vida en el convento madrileño de San Martín, a cuya celda acudían los más prestigiosos hombres de letras de su época. Escribió sobre los más variados temas miles de folios, pero dejó inédita toda su obra —que hoy se encuentra dispersa en originales y copias por diversas bibliotecas— a excepción de dos volúmenes en defensa de Feijoo, de quien fue amigo y colaborador. Después de su muerte se inició la publicación de sus escritos, pero sólo llegó a ver la luz entonces el primero de ellos, *Memorias para la historia de la poesía y poetas españoles* (1775), reeditado en Buenos Aires (1942). En el BRAE se han publicado algunos de sus *Escritos filológicos* (1928-1931); antes apareció el *Onomástico etimológico de la lengua gallega* (Tuy, 1923) y después el *Viaje a Galicia,* en el anejo III de los CEG (Santiago de Compostela, 1950), una *Colección de voces y frases gallegas* (Salamanca, Universidad, 1970) y sus escritos *Sobre el origen de la lengua gallega* (Vigo, 1974), además del *Dircurso apologético por el arte de rastrear las más oportunas etimologías de las voces vulgares* (en BRAG, 1972). Estas tres últimas obras con estudio preliminar del catedrático J. L. Pensado. Su voluminosa correspondencia, conservada en parte, da idea de lo extenso de sus conocimientos y de su evidente influencia en el movimiento cultural del siglo XVIII. Sus mayores preocupaciones fueron la lingüística, la historia, la educación y las ciencias naturales.

ESTUDIOS

2049
ALAMO, J.: *La educación de los niños. Folleto inédito del sabio benedictino Fr. Martín Sarmiento.* (En RABM, XXXV, 1931, pp. 281-301.)

2050
ALVAREZ BLÁZQUEZ, J. M.: *Una carta del P. Sarmiento.* (En CEG, XXIV, 1969, pp. 581-583.)

2051
ALVAREZ JIMÉNEZ, E.: *Biografía del R. P. Fray Martín Sarmiento y noticias de sus obras impresas y manuscritas.* Pontevedra, 1884, 48 pp.

2052
[ANÓNIMO]: *Guía bibliográfica para el estudio de Fray Martín Sarmiento.* (En CEG, XXVII, 1972, pp. 369-379.)

2053
BIHLER, H.: *Spanische Versdichtung des Mittelalters im Lichte der Kritik des P. Martín Sarmiento.* (En GAKS, XI, 1955, pp. 179-214.)

2054
BOUZA-BREY, F.: *Nótula ao «Onomastico» do P. Sarmiento: a voz «garala».* (En BRAG, XXXI, 1971-1972, pp. 136-142.)

2055
CARRÉ, L.: *Frei Martín Sarmiento e a fala galega.* (En BRAG, XXX, 1970, pp. 356-385.)

2056
CARRÉ, L.: *Fray Martín Sarmiento y la riqueza léxica del gallego.* (En BRAG, XXXI, 1971-1972, pp. 110-124.)

2057
CERVIÑO E CERVIÑO, X.: *Homilía pronunciada con motivo do segundo centenario da morte de Frei Martín Sarmiento.* (En CEG, XXVII, 1972, pp. 65-67.)

2058
CORDERO CARRETE, F. R.: *El Padre Sarmiento «Sobre el origen de Prisciliano».* (En CEG, 1953, pp. 121-130.)

2059
CRESPO DEL POZO, J.: *Apuntes para la genealogía del P. Sarmiento.* (En CEG, XXVII, 1972, pp. 343-352.)

2060
CHACÓN Y CALVO, J. M.: *El P. Sarmiento y el «Poema del Cid».* (En RFE, XXI, 1934, pp. 142-157.)

2061
DOMÍNGUEZ FONTENLA, J.: *Fray Martín Sarmiento. Su autobiografía.* (En BCPO, VII, 1925, 153.)

2062
DUBUIS, M.: *Fr. Martín Sarmiento, Torres de Villarroel et quelques autres: rencontres ou influences?* (En LNL, núms. 183-184, 1968, pp. 66-87.)

2063
DUBUIS, M.: *En torno a unas reflexiones de Fr. Martín Sarmiento acerca de la despoblación de España.* (En CEG, XXVII, 1972, pp. 122-148.)

2064
FILGUEIRA IGLESIAS DE URREA, M. A.: *Lengua materna y educación en Fray Martín Sarmiento.* (En CEG, XXVII, 1972, pp. 191-271.)

2065
FILGUEIRA VALVERDE, J.: *No centenario. O P. Sarmiento e a fala galega.* (En Gri, núm. 38, 1972, pp. 385-393.)

2066
FILGUEIRA VALVERDE, J.: *El P. Sarmiento en el Museo de Pontevedra.* (En CEG, XXVII, 1972, pp. 74-103.)

2067
FILGUEIRA VALVERDE, J.: *Sobre el paradero de los restos del P. Sarmiento.* (En CEG, XXVII, 1972, pp. 352-355.)

2068
FOULCHÉ-DELBOSC, R.: *Un opuscule faussement attribué au P. Sarmiento.* (En RHi, IV, 1897, pp. 235-239; VIII, 1901, pp. 516-517.)

2069
FRAGUAS FRAGUAS, A.: *Notas del Padre Sarmiento.* (En CEG, XXVII, 1972, pp. 355-369.)

2070
García Alen, A.: *Fray Martín Sarmiento: «costumbres, ethiquetas, ceremonias»*. (En CEG, XXVII, 1972, pp. 321-328.)

2071
Gayoso Carreira, G.: *El P. Sarmiento y el papel.* (En CEG, XXVII, 1972, pp. 163-190.)

2072
Gesta y Leceta, M.: *Indice de una colección manuscrita de obras del P. Sarmiento, seguido de varias noticias bio-bibliográficas del mismo.* Madrid, 1888, 184 pp.

2073
Gil Merino, A.: *El P. Sarmiento y los estudios paleográficos en España.* (En BRAG, XXXI, 1971-1972, pp. 96-109.)

2074
González García-Paz, S.: *El Padre Sarmiento, último cronista de Indias.* (En MPont, XIX, 1965, pp. 124-125.)

2075
I. M. G.: *«Castellanos de Orense», do P. M. Fr. Martín Sarmiento.* (En Gri, núm. 26, 1969, pp. 413-420.)

2076
I. M. G.: *Objetos «ad usum» del P. Sarmiento en 1772, año de su muerte.* (En CEG, XXVII, 1972, pp. 303-306.)

2077
López Peláez, A.: *El gran gallego Fr. Martín Sarmiento.* La Coruña, 1895, 268 pp.

2078
López Peláez, A.: *Sarmiento en defensa de Feijoo.* (En RCo, CV, 1897, pp. 225-246.)

2079
López Peláez, A.: *Un fraile escritor de medicina.* (En RCo, CIX, 1898, pp. 121-136.)

2080
López Peláez, A.: *Los escritos de Sarmiento y el siglo de Feijoo.* La Coruña, 1901, 341 pp.

2081
López Peláez, A.: *Elogio de Fray Martín Sarmiento por el obispo de Jaca.* Discurso. La Coruña, Academia Gallega, 1910, 30 pp.

2082
López de la Vega: *Gallegos ilustres. El sabio benedictino Fr. Martín Sarmiento.* (En RCo, XIII, 1878, pp. 164-179 y 288-320.)

2083
Lorenzana, S.: *El Padre Sarmiento y Galicia.* (En PSA, IV, 1957, pp. 30-52.)

2084
Odriozola, A.: *El P. Sarmiento, Arias Balboa, y el primer libro impreso de autor gallego (¿1474?).* (En CEG, XXVII, 1972, pp. 272-294.)

2085
Ortega Romero, M. S.: *Santa María de Pontevedra y Fray Martín Sarmiento.* (En CEG, XXVII, 1972, pp. 295-303.)

2086
Otero Pedrayo, R.: *O P. M. Sarmento: unha hipótesis sobre o íntemo da sua erudita adicación.* (En BRAG, XXXI, 1971-1972, pp. 125-135.)

2087
Otero Pedrayo, R.: *Sobre el P. Sarmiento. La defensa del «Teatro crítico».* (En CEG, XXVII, 1972, pp. 68-73.)

2088
Pensado, J. L.: *Fray Martín Sarmiento: sus ideas lingüísticas.* Oviedo, CCF, núm. 8, 133 pp.

2089
Pensado, J. L.: *Los «alquidons» de Fray Martín Sarmiento.* (En CEG, XXI, 1966, pp. 249-252.)

2090
Pensado, J. L.: *Fr. Martín Sarmiento, testigo de su siglo.* Discurso. Salamanca, Universidad, 1972, 84 pp.

2091
Pensado, J. L.: *Los estudios gallegos de Sarmiento: su estructura.* (En CEG, XXVII, 1972, pp. 149-162.)

2092
Pensado, J. L.: *Sobre la «Vida de San Ildefonso» y otras noticias literarias dieciochescas.* (En StLa, 1974, pp. 445-467.)

2093
Pérez de Urbel, Fr. J.: *Sarmiento.* (En *Semblanzas benedictinas,* II, 1926, pp. 309-317.)

2094
PIEL, J. M.: *A proposito de um «Onomastico» de F. R. Martín Sarmiento.* (En RPF, XV, 1969, pp. 103-118.)

2095
RODRIGUES LAPA, M.: *Fr. Martin Sarmiento e o vocabulo «caritel».* (En BF, I, 1933, pp. 185-188.)

2096
RODRÍGUEZ FRAIZ, A.: *Los ascendientes del P. Martín Sarmiento en Cercedo.* (En CEG, XXVII, 1972, pp. 6-43.)

2097
SÁNCHEZ CANTÓN, F. J.: *Pontevedra. Artículo inédito del P. Sarmiento.* (En MPont, XV, 1952, pp. 9-20.)

2098
SÁNCHEZ CANTÓN, F. J.: *Un miliario descubierto y estudiado por el P. Sarmiento.* (En CEG, pp. 607-619. Rep. en MPont, XXV, 1971, pp. 161-164.)

2099
SÁNCHEZ CANTÓN, F. J.: *El P. Sarmiento, los gigantones del Corpus... y Pontevedra al fondo.* (En MPont, XXV, 1971, pp. 165-168.)

2100
SÁNCHEZ CANTÓN, F. J.: *Anticipaciones del P. Sarmiento en materia de enseñanza.* (En CEG, XXVII, 1972, pp. 44-64.)

2101
SIMÓN DÍAZ, J.: *Cartas del P. Sarmiento a su hermano Javier.* (En CEG, 1948, pp. 400-421.)

2102
SIMÓN DÍAZ, J.: *Cartas del P. Sarmiento al librero Mena.* (En CEG, 1948, pp. 310-321.)

2103
SIMÓN DÍAZ, J.: *El P. Sarmiento en los archivos de Campomanes y de Silos: seis cartas más.* (En CEG, XXVII, 1972, pp. 306-321.)

2104
TOBIO FERNÁNDEZ, J.: *Martín Sarmiento, bibliógrafo.* (En BRAG, XXXI, 1971-1972, pp. 148-168.)

2105
TORRES RODRÍGUEZ, C.: *El P. Sarmiento como archivero y diplomático.* (En CEG, XXVII, 1972, pp. 104-121.)

2106
VALGOMA Y DÍAZ VARELA, D.: *El inédito catálogo de la biblioteca del P. Sarmiento, don Vicente Vázquez Queipo y un singular exlibris de Fray Martín.* (En BRAG, XXXI, 1971-1972, pp. 143-147.)

2107
VARÓN VALLEJO, E.: *Los proyectos del P. Sarmiento sobre la decoración escultórica del Real Palacio Nuevo de Madrid y estatuas de la balaustrada exterior.* (En RABM, XXXV, 1931, pp. 101-119.)

2108
VESTEIRO TORRES, T.: *El Padre Sarmiento.* (En HG, IV, 1876, pp. 57-59.)

2109
VICINI, S. R.: *Humboldt y Sarmiento.* (En Fil, VII, 1961, pp. 179-185.)

2110
YELA, J. F.: *Un aparato diplomático inédito y un recuerdo del P. Sarmiento.* (En RABM, XX, 1916, pp. 220-245.)

Ver, además, núms. 108, 399, 885, 922, 944, 955, 969.

Dionisio SOLIS
(1774-1834)

Natural de Córdoba, Dionisio Villanueva y Ochoa, más conocido por Dionisio Solís, estudió latín y humanidades en Sevilla con Justino Matute, quien le inició en la poesía. Pero atraído por el teatro, siguió la vida de la farándula, primero como apuntador, después como autor, traductor y refundidor de piezas dramáticas. Se dio a conocer en Madrid con una traducción de Kotzbue, *Misantropía y arrepentimiento* (1800) y otra de *Romeo y Julieta,* de Shakespeare (1803). Casado con la actriz María Rivera, tradujo a Voltaire *(La sevillana),* a Ducis *(La familia árabe),* a Alfieri *(Orestes* y *Virginia).* Entre sus refundiciones neoclásicas destacan: *La villana de Vallecas, El alcalde de Zalamea, La dama duende, La dama boba, La segunda Celestina, El pastelero de Madrigal, Marta la piadosa* y varias más de nuestro Siglo de Oro. Sus comedias originales quedaron inéditas: *Tello de Neira, Blanca de Borbón, Las literatas, La pupila.*

ESTUDIOS

2111
BALLEW, H. L.: *The Life and Works of Dionisio Solís.* North Carolina, 1957. N. C. Record, núm. 590, p. 264.

2112
COTARELO, E.: *Sobre las primeras versiones españolas de «Romeo y Julieta», tragedia de Shakespeare.* (En RBAM, IX, 1932, pp. 353-356.)

2113
HARTZENBUSCH, J. E.: *Noticias sobre la vida y escritos de D. Dionisio Solís.* (En RMad, segunda serie, I, 1839, pp. 488-508.)

2114
SAINZ DE ROBLES, F. C.: *Los manuscritos de versiones de Shakespeare en la Biblioteca Municipal de Madrid.* (En RBAM, VIII, 1931, pp. 420-432; IX, 1934, pp. 19-37.)

2115
STOUDEMIRE, S. A.: *Dionisio Solís's «refundiciones» of plays.* (En HR, VIII, 1940, pp. 305-310.)

2116
VALERA, J.: *Don Dionisio Solís.* (En *Crítica literaria,* tomo XXXII, de las obras completas, 1912, pp. 282-284.)

Diego de TORRES VILLARROEL
(1694-1770)

Nació en Salamanca, ciudad a la que está vinculado su nombre y de cuya Universidad fue catedrático de matemáticas. Después de una juventud desenfadada y aventurera, comenzó a publicar, bajo el seudónimo de «El Piscator de Salamanca», sus famosos *Almanaques y Pronósticos,* anuales (1718). A los 22 años se ordenó de subdiácono y a los 52 de sacerdote. A tal punto llegó su fama que la primera edición de sus *Obras completas* (1752) se hizo por suscripción pública, encabezada por los Reyes y seguida por la nobleza, las Universidades —excepto la de Salamanca— y las comunidades religiosas. Quizá sea Torres el primer escritor español que ha podido vivir desahogadamente con el producto de sus escritos: tal es la abundancia y pública aceptación de sus obras, que hicieron trabajar sin descanso a las prensas en la primera mitad del siglo, principalmente en Salamanca, Madrid y Sevilla. Resulta imposible aquí una enumeración exhaustiva de sus títulos, pero bastará el éxito de sus «sueños morales»: *Visiones y visitas de Torres con don Francisco de Quevedo por la Corte* (1727). [Hay ed. moderna de E. Arnaud, Toulouse, 1962, y de R. P. Sebold, «Clásicos castellanos», núm. 161, 1966]; *La barca de Aqueronte* (1743) [Hay ed. de Espasa-Calpe, 1968, y crítica de G. Mercadier, París, 1969]; *El correo del otro mundo,* etc. Sus poesías de juventud quedaron recogidas en *Ocios políticos* (1726), y reeditadas algunas por el marqués de Valmar (BAE, LXI, 1869). Su obra más conocida es la autobigrafía, que titula *Vida, ascendencia, nacimiento, crianza y aventuras del Dr. D. Diego de Torres Villarroel* (Valencia, 1745), editada y prologada modernamente por F. de Onis («Clásicos castellanos», núm. 7), por A. Cardona y F. Coderch (Ed. Bruguera, 1968) y por G. Mercadier (Ed. Castalia, 1972). También han sido recogidos algunos de sus *Sainetes* por J. Hesse (Ed. Taurus, 1969). Es, sin duda, el escritor del siglo XVIII que mejor dominio tiene del idioma castellano.

ESTUDIOS

2117
AZEMA, M.: *L'art du récit et des tableaux dans la «Vida» de Torres Villarroel.* Paris, Fac. des Lettres [s. a.], 96 pp. (Memoria para el Diploma de Estudios Superiores. Hay ejemplar mecanografiado en el Inst. d'Etudes Hispaniques de Paris.)

2118
BARRAS Y ARAGÓN, F. DE LAS: *Don Diego de Torres Villarroel, iniciador del renacimiento de los estudios científicos en nuestras Universidades.* (En LC, XVI, 1951, pp. 708-722.)

2119
BERENGUER CARISOMO, A.: *El Doctor Diego de Torres Villarroel, o el pícaro universitario.* Buenos Aires [1965], 89 pp.

2120
BOUZA BREY, F.: *Don Diego de Torres y Villarroel, peregrino en Compostela.* (En CEG, 1942, pp. 441-442.)

2121
BUSSY, D.: *Torres Villarroel, peintre de son temps.* Paris, Fac. des Lettres [s. a.], 156 pp. (Memoria para el Diploma de Estudios Superiores. Hay ejemplar mecanografiado en el Inst. d'Etudes Hispaniques de Paris.)

2122
CARILLA, E.: *Un quevedista español: Torres de Villarroel.* (En *Estudios de literatura española.* Rosario (Argentina), 1958, pp. 179-191.)

2123

DI PINTO, M.: *Il diavolo a Madrid (Scienza e superstizione in Torres Villarroel)*. (En FL, XXX, 1962, pp. 198-224. Rep. en *Cultura spagnola nel Settecento.* Napoli, 1974, pp. 77-113.)

2124

DI STEFANO, G.: *Mito e realtà nell'autobiografia di D. de Torres Villarroel.* (En MSI, núm. 10, 1965, pp. 165-202.)

2125

ENTRAMBASAGUAS, J.: *Un memorial autobiográfico de Don Diego de Torres y Villarroel.* (En BRAE, XVIII, 1931, pp. 395-417. Rep. en *Estudios y ensayos de investigación y crítica.* Madrid, C.S.I.C., 1973, pp. 435-460.)

2126

ENTRAMBASAGUAS, J.: *Puntualizando un dato en la biografía de Torres Villarroel.* (En *Miscelánea erudita.* Madrid, 1957, pp. 35-37.)

2127

ESPINA, A.: *Diego de Torres Villarroel, el «Gran Piscator».* (En *Seis vidas españolas.* Madrid, Ed. Taurus, 1967, pp. 37-54.)

2128

GARCÍA BOIZA, A.: *Don Diego de Torres Villarroel. Ensayo biográfico.* Salamanca, 1911, 202 pp. (2.ª ed. Madrid, Editora Nacional, 1949, 297 pp.)

2129

GARCÍA BOIZA, A.: *Nuevos Datos sobre Torres Villarroel.* (En BTer, IV, 1918, pp. 15-21 y 33-37.)

2130

GUIRAL, J.: *El olvidado «Gran Piscator de Salamanca» y su homenaje a Cervantes.* (En Tem, núm. 6, 1966, pp. 33-53.)

2131

HALLONQUIST, S. B.: *Diego de Torres Villarroel Spanish Eighteenth Century Universal Satirist,* New York University, 1949, 24 pp.

2132

ILIE, P.: *Grotesque Portraits in Torres Villarroel.* (En BHS, XLV, 1968, pp. 16-37.)

2133

ILIE, P.: *Franklin and Villarroel: Social Consciousness in two Aautobiographies.* (En *Eighteenth-Century Studies,* VII 1974, pp. 321-342.)

2134
Lamano y Beneite, J.: *El ascetismo de D. Diego de Torres Villarroel.* (En CT, 1912, pp. 22-47 y 195-227.)

2135
Lira Urquieta, P.: *Diego de Torres Villarroel.* (En *Sobre Quevedo y otros clásicos.* Madrid, 1958, pp. 87-100.)

2136
López Molina, L.: *Torres Villarroel, poeta gongorino.* (En RFE, LIV, 1971, pp. 123-143.)

2137
Marcos Rodríguez, F.: *Las huellas de Torres Villarroel en el archivo universitario de Salamanca.* (En *Una figura salmantina: D. Diego de Torres y Villarroel.* Salamanca, 1971, pp. 29-37.)

2138
Marichal, J.: *Torres Villarroel: autobiografía burguesa al hispánico modo.* (En PSA, XXXVI, 1965, pp. 297-306.)

2139
Mathias, J.: *Torres Villarroel. Su vida, su obra, su tiempo.* Madrid, Publicaciones Españolas, 1971, 47 pp.

2140
Marcadier, G.: *A propos du «Quinto trozo» de la «Vida» de Diego de Torres Villarroel: Notes bibliographiques.* (En MMB, 1962, pp. 551-558.)

2141
Mercadier, G.: *¿Cuándo nació Diego de Torres Villarroel?* (En Ins, núm. 197, 1963, p. 14.)

2142
Mercadier, G.: *Joseph de Villarroel et Diego de Torres Villarroel.* (En MMJS, II, 1966, pp. 147-159.)

2143
Mercadier, G.: *Diego de Torres Villarroel, animateur d'une joute poétique (Présentation d'un autographe inédit).* (En HJR, 1974, pp. 139-145.)

2144
Mercadier, G.: *Diego de Torres Villarroel aux prises avec l'Inquisition (1743).* (En MMJR, 1975.)

2145
MESA, C. E.: *Torres Villarroel, vértice de la picaresca.* (En Abs, XXXII, 1962, pp. 211-217.)

2146
MOULE, A.: *Torres Villarroel, imitateur de Quevedo. Etude stylistique.* Paris, Fac. des Lettres, 1968, 136 pp. (Memoria para el Diploma de Estudios Superiores. Hay ejemplar mecanografiado en el Inst. d'Etudes Hispaniques de Paris.)

2147
NAVARRO GONZÁLEZ, A.: *«Reglas para torear» de don Diego de Torres Villarroel.* (En EL, núm. 421, 1969, pp. 4-7.)

2148
NAVARRO GONZÁLEZ, A.: *Don Diego de Torres Villarroel, poeta catedrático de la Universidad de Salamanca.* (En *Una figura salmantina. D. Diego de Torres y Villarroel.* Salamanca, 1971, pp. 15-28.)

2149
PEÑUELAS, M.: *La «Vida» de Torres Villarroel. Acotaciones al margen.* (En CA, 1961, pp. 165-176.)

2150
PÉREZ GOYENA, A.: *Estudios recientes sobre el Doctor Torres Villarroel.* (En RyF, XXXV, 1913, pp. 194-211.)

2151
PESET, M. y J. L.: *Un buen negocio de Torres Villarroel.* (En CHa, núm. 179, 1973, pp. 514-536.)

2152
PLACER, G.: *Honras fúnebres de Torres Villarroel.* (En Estud, XX, 1964, pp. 91-98.)

2153
RUIZ CAMPOS, A.: *El adivino salmantino.* (En Rev, núm. 246, 1957, p. 6.)

2154
S[ÁNCHEZ] GRANJEL, L.: *La medicina y los médicos en las obras de Torres Villarroel.* Salamanca, Universidad, 1952, 83 pp.

2155
S[ÁNCHEZ] GRANJEL, L.: *La obra médica de Torres Villarroel.* (En *Una figura salmantina. Don Diego de Torres y Villarroel.* Salamanca, 1971, pp. 7-13.)

2156
SÁNCHEZ GRANJEL, L.: *Dos tratados de hidrología de Torres Villarroel.* (En *Capítulos de la Medicina española.* Salamanca, 1971, pp. 327-341.)

2157
S[ÁNCHEZ] GRANJEL, L.: *El doctor Camacho, psiquiatra.* (En *Capítulos de la Medicina española.* Salamanca, Universidad, 1971, pp. 381-385.)

2158
SEBOLD, R. P.: *Torres Villarroel y las vanidades del mundo.* (En Arch, VII, 1975, pp. 115-146.)

2159
SEBOLD, R. P.: *Torres Villarroel, Quevedo y el Bosco.* (En Ins, núm. 159, febrero de 1960, p. 3.)

2160
SEBOLD, R. P.: *Mixtificación y estructura picaresca en la «Vida» de Torres Villarroel.* (En Ins, núm. 204, 1963, p. 7.)

2161
SEBOLD, R. P.: *Sobre la anotación de las «Visiones» de Torres Villarroel.* (En NRFH, XXI, 1972, pp. 94-100.)

2162
SEBOLD, R. P.: *Novela y autobiografía en la «Vida» de Torres Villarroel.* Barcelona, Ed. Ariel [1975], 198 pp.

2163
SEGURA COVARSI, E.: *Ensayo crítico de la obra de Torres Villarroel.* (En CLit, VIII, 1950, pp. 125-164.)

2164
SUÁREZ-GALBÁN, E.: *Voluntad antinovelesca, intensidad autobiográfica de la «Vida» de Torres Villarroel.* (En LT, núm. 73, 1971, pp. 27-74.)

2165
SUÁREZ-GALBÁN, E.: *La estructura autobiográfica de la «Vida» de Torres Villarroel.* (En Hispa, núm. 41, 1971, pp. 23-54.)

2166
SUÁREZ-GALBÁN, E.: *La «Vida» de Torres Villarroel y la autobiografía moderna (de Villarroel a Rousseau).* (En NRFH, XXII, 1973, pp. 39-60.)

2167
SUÁREZ-GALBÁN, E.: *Torres Villarroel y los yo empíricos de William James.* (En RNo, XV, 1973, pp. 274-278.)

2168
SUÁREZ-GALBÁN, E.: *La «Vida» de Torres Villarroel: literatura antipicaresca, autobiografía burguesa,* University of North Carolina, Dept. of Romance Languages [1975], 174 pp. («Estudios de Hispanófila», vol. 33.)

Ver, además, núms. 178, 2062.

Cándido María TRIGUEROS
(1736-1798)

Nacido en Orgaz (Toledo). Fue hombre de amplia cultura, autodidacto, consagrado enteramente a las letras. Después de ordenarse de subdiácono y de obtener un par de beneficios eclesiásticos que le permitieran vivir modestamente, se retiró a Carmona (Sevilla) donde residió durante casi treinta años, dedicado al estudio y a la poesía, hasta que obtuvo una plaza de bibliotecario en los Reales Estudios de Madrid (1784), donde falleció. Fue miembro activo de la Real Academia Sevillana de Buenas Letras, a la que presentó eruditas disertaciones históricas, filológicas, epigráficas y literarias. Sus obras poéticas impresas más destacables, son: *Poesías filosóficas,* en trece cantos (Sevilla, 1774-1778), *Poesías de Melchor Díaz de Toledo, poeta del siglo XVI hasta ahora no conocido* (Sevilla, 1776), *El viaje al cielo del poeta filósofo* (Sevilla, 1777), y *La Riada* (Sevilla, 1784), que fue duramente satirizada por Forner. Cultivó también el teatro: *Los menestrales* (Madrid, 1784), obra premiada por la Academia Española, *El precipitado, El Viting* (que fue prohibida por la Inquisición) y *La Necepsis,* entre otras obras originales y traducidas. Tuvo particular éxito como refundidor de Lope de Vega *(La buscona, La melindrosa, La moza de cántaro, Sancho Ortiz de las Roelas).* En prosa, es autor de una continuación de *La Galatea* de Cervantes, que tituló *Los enamorados* (Madrid, 1798), de una colección de cuentos, a la que puso por título *Mis pasatiempos* (Madrid, 1804) y de una obra de crítica, *Teatro español burlesco o Quijote de los teatros* (Madrid, 1802). Colaboró en la prensa madrileña, intentando, incluso, la publicación de una «Gaceta literaria», que no fue autorizada, y mantuvo correspondencia con los más destacados miembros del movimiento ilustrado español. Muchas de sus obras han quedado inéditas y su nombre más olvidado de lo que merece.

ESTUDIOS

2169
AGUILAR PIÑAL, F.: *Un comentario inédito del Quijote en el siglo XVIII.* (En ACer, VIII, 1960, pp. 307-319.)

2170
AGUILAR PIÑAL, F.: *Manuscritos de Trigueros conservados en la biblioteca de Menéndez Pelayo.* (En BBMP, XXXIX, 1963, pp. 367-380.)

2171
AGUILAR PIÑAL, F.: *Trigueros, apologista de España.* (En BBMP, XLI, 1965, pp. 63-85.)

2172
AGUILAR PIÑAL, F.: *La obra «ilustrada» de don Cándido María Trigueros.* (En RLit, XXXIV, 1968, pp. 31-55.)

2173
AGUILAR PIÑAL, F.: *Trigueros y su proyecto de una «Gaceta literaria de Madrid».* (En AIEM, IV, 1969, pp. 233-240.)

2174
ALONSO CORTÉS, N.: *Un renovador.* (En RCa, V, 1919, pp. 129-133. Rep. en *Jornadas.* Valladolid, 1920, pp. 135-141.)

2175
CANTERA BURGOS, F.: *Gramática hebrea manuscrita de Cándido M. Trigueros.* (En Sef, XXIII, 1963, pp. 116-119.)

2176
DEFOURNEAUX, M.: *Une adaptation inédite du «Tartuffe»: «El Gazmoño» ou «Juan de Buen alma», de Cándido M. Trigueros.* (En BHi, LXIV, 1962, pp. 43-60.)

2177
GASPARINI, M.: *Cándido María Trigueros y una refundición de la «Angélica» de Metastasio.* (En BRAE, XXVI, 1947, pp. 137-146.)

2178
PABÓN, C. T.: *D. Cándido María Trigueros y su tragedia inédita «Ciane de Siracusa».* (En EClás, XVI, 1972, pp. 229-245.)

2179
QUALIA: *The date of «Sancho Ortiz de las Roelas».* (En BI, I, p. 337.)

2180
SEBOLD, R. P.: *El incesto, el suicidio y el primer romanticismo español.* (En HR, XLI, 1973, pp. 669-692.)
Ver, además, núm. 1850.

Gutierre VACA DE GUZMÁN
(1733-1804)

Nació en Marchena (Sevilla). Después de doctorarse en derecho, fue nombrado alcalde del crimen en la Chancillería de Granada y, posteriormente, alcalde de Casa y Corte (1790). Escribió algunas poesías y una novela, en cuatro tomos, traducidos del italiano los dos primeros y originales los otros dos, *Viajes de Enrique Wanton a las tierras desconocidas australes y al país de las monas* (1769-1778), en los que satiriza con gran ingenio las costumbres españolas.

ESTUDIOS

2180 bis
MENDIGUTIA, T.: *Don Gutierre Vaca de Guzmán. Biografía, bibliografía y estudio crítico con algunas composiciones inéditas.* (En RABM, X, 1904, pp. 268-278; XI, pp. 111-125, 265-276 y 369-379; 1905, pp. 429-437.)

José María VACA DE GUZMAN
(1744-1803)

Hermano del anterior, nació también en Marchena. Fue doctor en ambos derechos, rector de la Universidad de Alcalá, magistrado en Granada y en la Audiencia de Cataluña. Sus obras principales son los poemas *Las naves de Cortés destruidas* (1778) y *Granada rendida* (1779), premiados ambos por la Academia Española, en competencia con los dos Moratines, padre e hijo. Además de otros impresos de circunstancias y polémicas, publicó la égloga *Columbano* (1784). Sus *Obras completas* se publicaron en 1789. El marqués de Valmar lo incluye en su antología.

ESTUDIOS

2181
GONZÁLEZ PALENCIA, A.: *Don José María Vaca de Guzmán, el primer poeta premiado por la Academia Española.* (En BRAE, XVIII, 1931, pp. 293-347.)
Ver, además, núm. 182.

Antonio VALLADARES Y SOTOMAYOR

Uno de los más activos y peor conocidos literatos españoles de la centuria. Tiene interés como periodista por su *Semanario erudito* (1787-1791), donde dio a conocer numerosas obras inéditas de autores españoles. Como prosista, además de traducciones y obras de divulgación histórica, publicó una colección de novelas, en nueve tomos, que tituló: *La Leandra* (1797-1807). Pero su más constante tarea fue la de traductor, adaptador y autor original de muchas comedias, conservadas en su mayoría en la sección de manuscritos de la Biblioteca Nacional de Madrid. Vieron la luz, entre otras: *Magdalena cautiva, El vinatero de Madrid, A suegro irritado, nuera prudente, El carbonero de Londres, El católico Recaredo, El marido de su hija,* etc.

José VARGAS PONCE
(1760-1821)

Ilustre marino y literato, diputado a Cortes y académico, natural de Cádiz. Como prosista, fue premiado en su juventud por su *Elogio de Alfonso el Sabio* (1782) y es autor de varios discursos académicos, de entre los que merece destacar: *Declamación contra los abusos introducidos en el castellano* (1793) y *La Instrucción pública, único y seguro medio de la prosperidad del Estado* (Madrid, 1808). Es autor de una tragedia, *Abdalaziz y Egilona* (1804), y de varias obras históricas, como la *Descripción de las Islas Pithiusas y Baleares* (1787). Entre sus poesías festivas tiene justa fama su *Proclama de un solterón a las que aspiren a su mano* (1827). Su *Disertación sobre las corridas de toros* ha sido editada por F. Guillén Tato (tomo XVIII del *Archivo Documental Español,* 1961, 489 pp.).

ESTUDIOS

2182
[ANÓNIMO]: *Efemérides ilustres: Vargas Ponce.* (En HM, 6 de febrero de 1894.)

2183
BARAUT, D. C.: *Viatge de Josep Vargas Ponce a Monserrat l'any 1799.* (En MB, VI, 1968, pp. 7-37.)

2184
GUILLÉN Y TATO, J.: *La «depuración» de don José de Vargas y Ponce en 1813.* (En BRAH, CXXX, 1952, pp. 391-406.)

2185
GUILLÉN Y TATO, J.: *El Capitán de fragata don José Vargas Ponce (1760-1821)*. (En RGM, 1961, pp. 11-30.)

2186
GUILLÉN Y TATO, J.: *Perfil humano del Capitán de fragata de la Real Armada D. José de Vargas y Ponce, de las RR. Academias Española, de Bellas Artes y de la Historia, y director de ésta, a través de su correspondencia epistolar (1760-1821)*. Discurso. Instituto de España. Madrid, Ed. Magisterio Español [1961], 61 pp.

2187
LORENTE RODRÍGUEZ, L. M.: *Notas inéditas del archivo de la Marina (sobre recogida de lápidas para la colección de antigüedades de D. José de Vargas Ponce)*. (En BASEE, I, 1945, pp. 87-89.)

2188
SEOANE, MARQUÉS DE: *Correspondencia epistolar entre D. José Vargas Ponce y D. Juan Antonio Moguel sobre etimologías vascongadas.* (En EuE, LXV, 1911, p. 322.)

2189
SIMÓN DÍAZ, J.: *Un voto de Vargas Ponce.* (En RevBN, VI, 1945, pp. 101-103.)

2190
SIMÓN DÍAZ, J.: *Vargas Ponce, erudito a la violeta.* (En *Aportación documental para la erudición española.* Madrid, 3.ª serie, 1948, pp. 1-18.)

2191
TORO Y QUARTIELCERS, J.: *Un gaditano ilustre. Elogio de D. José de Vargas y Ponce.* Cádiz, 1882.

2192
VALERA, J.: *Don José de Vargas y Ponce.* (En *Crítica literaria.* Tomo XXXII de las *Obras completas,* 1912, pp. 253-256.)

Alonso VERDUGO DE CASTILLA
(1706-1767)

Conde Torrepalma. Nació en Alcalá la Real (Jaén). Militar y diplomático. Fue presidente de la Academia del Trípode, en Granada, y perteneció a la del Buen Gusto de Madrid, a la de Bellas Artes de San Fernando, a la Española, de la que fue director, y a la de la Historia, en cuya fundación intervino. El marqués de Valmar, ha dado a conocer algunas de sus poesías (BAE, LXI, 1854) entre las que cabe destacar el poema mitológico *Decaulión.*

ESTUDIOS

2193
MARÍN LÓPEZ, N.: *El conde de Torrepalma, ministro plenipotenciario en Viena (1755-1760)*. (En CHD, IV, 1958, pp. 155-175.)

2194
MARÍN LÓPEZ, N.: *Un barroco en el siglo XVIII. El Conde de Torrepalma.* (En Ins, núm. 150, 1959, p. 5.)

2195
MARÍN LÓPEZ, N.: *El Conde de Torrepalma, la Academia de la Historia y el «Diario de los literatos de España»*. (En BRAE, XLII, 1962, pp. 91-120.)

2196
MARÍN LÓPEZ, N.: *La obra poética del Conde de Torrepalma.* Oviedo, CCF, núm. 15, 1963, 56 pp.

Ver, además, núm. 240.

José de VIERA Y CLAVIJO
(1731-1813)

Nació en el Realejo Alto (Isla de Tenerife). Estudió teología y ganó fama por su predicación sagrada en La Laguna, donde formó parte de la tertulia del marqués de Villanueva del Prado. Vivió catorce años en Madrid (1770-1784) al servicio del marqués de Santa Cruz, con quien realizó varios viajes: el *Viaje a la Mancha* fue publicado por A. Morel-Fatio, en el apéndice VI de sus *Etudes sur l'Espagne* (Paris, 1890). Al fallecer, era arcediano de la catedral de Las Palmas. Su obra principal es la titulada *Noticias de la historia general de las Islas Canarias,* en cuatro tomos (1772-1783). Entre sus poesías destacan los poemas didácticos *Los aires fijos* (1780) y *La elocuencia* (1788). En prosa, su *Elogio de Felipe V* (1779) y *Elogio de don Alonso Tostado* (1782), premiados ambos por la Academia Española. Muchos de sus escritos, especialmente poéticos, se conservan manuscritos en el Museo Canario de Las Palmas y en la Sociedad Económica de Tenerife.

ESTUDIOS

2197
BLANCO MONTESDOCA, J.: *Los últimos años laguneros del arcediano Viera y Clavijo.* (En HMC, II, 1975, pp. 255-268.)

2198
CIORANESCU, A.: *José Viera y Clavijo y la cultura francesa.* (En RH-LL, núm. 15, 1949, pp. 293-329. Rep. en *Estudios de Literatura española y comparada.* La Laguna, 1954, pp. 205-248.)

2199
CIORANESCU, A.: *Viera y Clavijo, escritor.* (En *Estudios de Literatura española y comparada.* La Laguna, 1954, pp. 249-268.)

2200
CIORANESCU, A.: *D. José de Viera y Clavijo.* (En la Introducción a la *Historia de Canarias.* Santa Cruz de Tenerife, XI-LI, 1967.)

2201
M[ILLARES] C[ARLO], A.: *Cuatro cartas inéditas. 1773-1774.* (En MCan, III, 1935, pp. 84-93.)

2202
MILLARES CARLO, A.: *José de Viera y Clavijo.* (En *Ensayo de una bibliografía de escritores naturales de las Islas Canarias.* Madrid, 1932, pp. 515-569.)

Gaspar ZAVALA Y ZAMORA

(?-1813)

Nacido en Denia (Alicante). Prolífico autor dramático, muy representado a finales de siglo, con obras como: *La Justina, Las víctimas del amor, Ana y Sindham, El perfecto amigo, El Amor perseguido y la Virtud triunfante, El confidente casual, El amante honrado, El amante generoso,* etc. Muchas de sus obras, sin poder precisarlas por falta de estudios comparativos, son adaptaciones de comedias extranjeras. Sí sabemos que proceden del francés *Los exteriores engañosos* y *El imperio de las costumbres.* Tradujo también a Metastasio *(Adriano en Siria* y *Semíramis)* y las *Novelas* de Florián.

ESTUDIOS

2203
MARTÍN, F. C.: *The Dramatic Works of Gaspar de Zavala y Zamora.* North Carolina, 1959. (En DA, XX, p. 3746.)

Antonio ZAMORA
(1670?-1728)

Nació en Madrid y fue oficial de la Secretaría de Nueva España, destacando como dramaturgo durante el reinado de Felipe V, cuya causa defendió ardorosamente. Además de comedias originales, como *Judas Iscariote, Todo lo vence el amor, Ser fino y no parecerlo,* en las que sigue la técnica calderoniana, es conocido como hábil refundidor de piezas barrocas, tales como *Lo que puede el oír misa* (Mira de Amescua), *Las famosas asturianas* (Lope), *No hay mal que por bien no venga* (Ruiz de Alarcón) y, sobre todo, *No hay plazo que no se cumpla ni deuda que no se pague y Convidado de piedra,* versión de *El burlador de Sevilla,* de Tirso de Molina, en la que recrea el tema de don Juan y que servirá de modelo a la obra romántica de Zorrilla. Publicó una colección de *Comedias nuevas* (1726), algunas de las cuales han sido reeditadas (BAE, XLIX), así como otras piezas cortas lo han sido por Cotarelo, en su *Colección de entremeses* (Madrid, 1911).

ESTUDIOS

2204
BARLOW, J. W.: *Zorrilla's Indebtedness to Zamora.* (En RR, XVII, 1926, pp. 303-318.)

Ver, además, núm. 770.

INDICE DE SIGLAS UTILIZADAS

AA	*Anthologica Annua* (Roma).
AAl	*Annali Alfieriani.*
Abs	*Abside* (México).
AC	*Acento Cultural* (Madrid).
ACCV	*Anales del Centro de Cultura Valencia* (Valencia).
ACer	*Anales Cervantinos* (Madrid).
ACIP	*Actas del Congreso Internacional de Pedagogía* (Madrid, 1950).
ACME	*Annali della Facoltà di Filosofia e Lettere* (Milano).
Aco	*Aconcagua.*
ADP	*Anuario del Derecho Penal* (Madrid).
ADP-G	*Anuario de Derecho Público* (Granada).
AEA	*Anuario de Estudios Americanos* (Sevilla).
AEAr	*Archivo Español de Arte* (Madrid).
AEAtl	*Anuario de Estudios Atlánticos* (Las Palmas).
AEM	*Anuario de Estudios Medievales* (Barcelona).
AFA	*Archivo de Filología Aragonesa* (Zaragoza).
AF-B	*Anuario de Filología* (Barcelona).
AFE	*Amitié Franco-Espagnole* (Madrid-París).
AFLLS	*Annali della Facoltà di Lingue e Letterature Straniere* (Bari).
AFLM	Véase ACME.
AHDE	*Anuario de Historia del Derecho Español* (Madrid).
AHES	*Anuario de Historia Económica y Social* (Madrid).
AHisp	*Archivo Hispalense* (Sevilla).
AHSI	*Archivum Historicum Societatis Iesu* (Roma).
AIEM	*Anales del Instituto de Estudios Madrileños* (Madrid).

AIUO-R	*Annali. Istituto Universitario Orientale-Sezione Romanza* (Napoli).
AKG	*Archiv für Kulturgeschichte* (Leipzig-Berlin).
Al-An	*Al-Andalus* (Madrid).
Alc	*Alcántara* (Cáceres).
Alh	*Alhambra* (Granada).
Am	*La América.*
AMu	*Anuario Musical* (Barcelona).
ANCHF	*Actes du IX Congrès des Hispanistes Français* (Dijon).
ANL	*Accademia Nazionale dei Lincei.*
AP	*Almanaque de las Provincias.*
APCIH	*Actas del Primer Congreso Internacional de Hispanistas* (Oxford).
AQCAILC	*Actes du IV Congrès de l'Association Internacionale de Litterature Comparée* (Friburg).
ArA	*Archivo Agustiniano* (Madrid).
Arb	*Arbor* (Madrid).
Arch	*Archivum* (Oviedo).
Arg	*Argensola* (Huesca).
Art	*El Artista* (Madrid).
Asc	*Asclepio* (Madrid).
ASI	*Archivio Storico Italiano* (Firenze).
ASCIH	*Actas del Segundo Congreso Internacional de Hispanistas* (Nimega).
AST	*Analecta Sacra Tarraconensia* (Barcelona).
ASV	*Anales del Seminario de Valencia.*
At	*Atenea* (Puerto Rico).
ATCIH	*Actas del Tercer Congreso Internacional de Hispanistas* (México).
Atl	*Atlántida* (Madrid).
At-V	*Ateneo* (Vitoria).
AUCh	*Anales de la Universidad de Chile* (Santiago de Chile).
AUH	*Anales de la Universidad Hispalense* (Sevilla).
AULLA	*Australasian Universities Language and Literature Association* (Melbourne).
AUM	*Anales de la Universidad de Madrid.*
AUMur	*Anales de la Universidad de Murcia.*
AUT	*Annales de l'Université de Toulouse.*
AUV	*Anales de la Universidad de Valencia.*

AyL	*Artes y Letras.*
AyLet	*Armas y Letras* (Monterrey. México).
BAAL	*Boletín de la Academia Argentina de Letras* (Buenos Aires).
BABL	*Boletín de la Academia de Buenas Letras* (Barcelona).
BACB	*Boletín de la Asociación Cubana de Bibliotecarios* (La Habana).
BAIHP	*Boletín de la Academia Iberoamericana de Historia Postal* (Madrid).
BANHC	*Boletín de la Academia Nacional de la Historia* (Caracas).
BASEC	*Boletín Arqueológico del SE español* (Cartagena).
BAu	*Bracara Augusta* (Braga. Portugal).
BBB	*Boletín de Bibliotecas y Bibliografía* (Madrid).
BBMP	*Boletín de la Biblioteca de Menéndez Pelayo* (Santander).
BBU	*Boletín Bibliográfico da Biblioteca da Universidade* (Coimbra).
BCB	*Boletín Cultural y Bibliográfico* (Bogotá).
BCEC	*Bulletí del Centre Excursionista de Catalunya* (Barcelona).
BCNE	*Boletín del Colegio Nacional de Economistas* (Madrid).
BCOCN-PM	*Boletín de la Cámara Oficial de Comercio y Navegación* (Palma de Mallorca).
BCPO	*Boletín de la Comisión Provincial de Monumentos de Orense.*
Ber	*Berceo* (Logroño).
BF	*Boletín de Filología* (Lisboa).
BF-Ch	*Boletín de Filología* (Santiago de Chile).
BF-M	*Boletín de Filología* (Montevideo).
BH	*Bibliografía Hispánica* (Madrid).
BHi	*Bulletin Hispanique* (Bordeaux).
BHS	*Bulletin of Hispanic Studies* (Liverpool).
BIEA	*Boletín del Instituto de Estudios Asturianos* (Oviedo).
BIEG	*Boletín del Instituto de Estudios Gienenses* (Jaén).
BIRA	*Boletín del Instituto Riva-Agüero* (Perú).
BISD-P	*Boletín Informativo del Seminario de Derecho Político* (Princeton).
BISD-S	*Boletín Informativo del Seminario de Derecho Político* (Salamanca).

BISS	*Boletín de la Institución Sancho el Sabio* (Vitoria).
BMAO	*Boletín del Museo Arqueológico de Orense.*
BOCES XVIII	*Boletín del Centro de Estudios del Siglo XVIII* (Oviedo).
Bol	*Bolívar* (Bogotá).
BRAC	*Boletín de la Real Academia de Ciencias, Bellas Letras y Nobles Artes* (Córdoba).
BRAE	*Boletín de la Real Academia Española* (Madrid).
BRAG	*Boletín de la Real Academia Gallega* (La Coruña).
BRAH	*Boletín de la Real Academia de la Historia* (Madrid).
BRAS	*Boletín de la Real Academia Sevillana de Buenas Letras* (Sevilla).
BSAL	*Boletín de la Sociedad Arqueológica Luliana* (Palma de Mallorca).
BSCC	*Boletín de la Sociedad Castellonense de Cultura* (Castellón).
BSEE	*Boletín de la Sociedad Española de Excursiones* (Madrid).
BSEMI	*Boletín de la Sociedad Excursionista Manuel Iradier* (Vitoria).
BSHM	*Boletín de la Sociedad Española de Historia de la Medicina* (Madrid).
BSS	*Bulletin of Spanish Studies* (Liverpool). Véase BHS.
BSSvIt	*Bolletino Storico della Svizzera Italiana* (Belliuzona).
BSV	*Boletín de la Real Sociedad Vascongada de Amigos del País* (San Sebastián).
BUG	*Boletín de la Universidad de Granada.*
Burg	*Burgense* (Burgos).
BUSC	*Boletín de la Universidad de Santiago de Compostela.*
BTer	*La Basílica Teresiana* (Salamanca).
CA	*Cuadernos Americanos* (México).
Carav	*Caravelle* (Toulouse).
Cast	*Castilla* (Valladolid).
CBib	*Cuadernos Bibliográficos* (Madrid).
CC	*La Civiltà Cattolica* (Roma).
CCF	*Cuadernos de la Cátedra Feijoo* (Oviedo).
CCLC	*Cuadernos del Congreso por la Cultura* (París).
CD	*La Ciudad de Dios* (El Escorial).
CE	*Correo Erudito* (Madrid).
CEA	*Colección de estudios... ofrecidos a R. Altamira* (Madrid, 1936).

CEG	*Cuadernos de Estudios Gallegos* (Santiago de Compostela).
CEsp	*La Correspondencia de España* (Madrid).
CH	*Cuadernos de Historia.*
CHa	*Cuadernos Hispanoamericanos* (Madrid).
CHD	*Cuadernos de Historia Diplomática* (Madrid).
CHJZ	*Cuadernos de Historia Jerónimo Zurita* (Zaragoza).
CHME	*Cuadernos de Historia de la Medicina Española* (Salamanca).
CI	*Cuadernos del Idioma* (Buenos Aires).
Cl	*El Clamor* (Madrid).
CL	*Comparative Literature* (Eugene. Oregón).
Clav	*Clavileño* (Madrid).
CLit	*Cuadernos de Literatura* (Madrid).
CM	*Correo de Madrid.*
CollFranc	*Collectanea Franciscana* (Asis. Italia).
Cons	*Consigna* (Madrid).
Conv	*Convivium* (Torino).
CP	*El Clamor Público* (Madrid).
CRI	*Cuadernos del Ruedo Ibérico* (París).
CSAC	*Collected Studies in Honor of Americo Castro's Eigtieth Year.*
CT	*Ciencia Tomista* (Salamanca).
CTHA	*Cuadernos de Trabajo de la Escuela Española de Historia y Arqueología* (Roma).
CuD	*Cuadernos para el Diálogo* (Madrid).
CyL	*Clínica y Laboratorio* (Zaragoza).
CyR	*Cruz y Raya* (Madrid).
DA	*Dissertation Abstracts* (Ann Arbor. Michigan).
Dis	*La Discusión* (Madrid).
EA	*Estudio Agustiniano* (Véase Archivo Agustiniano).
EAm	*Estudios Americanos* (Sevilla).
ECan	*Estudios Canarios* (La Laguna).
ECar	*El Carbayón* (Oviedo).
Ecc	*Ecclesia* (Madrid).
EClas	*Estudios Clásicos* (Madrid).
ECom	*El Comercio* (Gijón).
EDMP	*Estudios dedicados a Menéndez Pidal* (Madrid).

EE	*Estudios Escénicos* (Barcelona).
EEsp-L	*El Español* (Londres).
EEsp-M	*El Español* (Madrid).
EFil	*Estudios Filológicos* (Santiago de Chile).
EG	*Estudios Geográficos* (Madrid).
EH	*Estudios Hispánicos* (Wellesley).
EHR	*The English Historical Review* (London).
EIU	*Erudición Ibero-Ultramarina* (Madrid).
EL	*La Estafeta Literaria* (Madrid).
ELab	*El Laberinto.*
ELitt	*Etudes Litteraires* (Quebec).
EM	*Ephemerides Mariologicae* (Madrid).
Em	*Emerita* (Madrid).
EMod	*La España Moderna* (Madrid).
Ep	*La Epoca* (Madrid).
Esc	*Escorial* (Madrid).
ERB	*Estudis oferts a Jordi Rubio i Balaguer* (Barcelona).
ESeg	*Estudios Segovianos* (Segovia).
EstFr	*Estudios Franciscanos* (Barcelona).
EstL	*Estudios Lulianos* (Palma de Mallorca).
Estud	*Estudios* (Madrid).
EuA	*Euskalerriaren Alde.*
EuE	*Euskal-Erría* (Bilbao).
Eusk	*Eukera* (Bilbao).
EyA	*España y América* (Madrid).
FH	*Folia Humanística* (Barcelona).
Fil	*Filología* (Buenos Aires).
FinM	*Finisterre* (Madrid).
FL	*Filologia e Litteratura.*
FM	*Filología Moderna* (Madrid).
FR	*Filología Romanza* (Torino).
FyCH	*Filología y Crítica Hispánica. Homenaje al Prof. Federico Sánchez Escribano* (Emory University).
FyL-M	*Filosofía y Letras* (Madrid).
GAKS	*Gesammelte Aufsätze zur Kudturgeschichte Spaniens* (Münster).
GLA	*Gaceta de las Letras y de las Artes.*

Gri	*Grial* (Vigo).
GSLI	*Giornale Storico della Letteratura Italiana* (Torino).
H	*El Heraldo* (Madrid).
HCa	*Homenaje a Casalduero* (Madrid).
HEAG	*Homenaje a Emilio Alarcos García* (Valladolid).
HFK	*Homenaje a Fitz Krüger* (Cuyo).
HG	*El Heraldo Gallego* (Orense).
HGLH	*Historia General de las Literaturas Hispánicas* (Barcelona).
HICAA	*Hoja Informativa de la Caja Provincial de Ahorros de Alava* (Vitoria).
Hisp	*Hispania* (Madrid).
Hispa	*Hispanófila* (Chapel Hill).
HispCal	*Hispania* (California).
HispW	*Hispania* (Wallingford. Conneticut).
HJ	*The Historical Journal* (London).
HJH	*Homage to John M. Hill* (Indiana University).
HJR	*Hommage a André Joucla-Rouan* (Aix-en-Provence).
HJUI	*Homenaje a Julio Urquijo e Ibarra.*
HJV	*Homenaje a Johannes Vincke* (Madrid).
HM	*El Heraldo de Madrid.*
HMC	*Homenaje a Millares Carlo* (Las Palmas).
HMP	*Homenaje a Menéndez Pidal* (Madrid, 1925).
HMPel	*Homenaje a Menéndez Pelayo* (Madrid, 1899).
HMRM	*Homenaje a la Memoria de Rodríguez-Moñino* (Madrid, 1975).
HR	*Hispanic Review* (Philadelphia).
HRC	*Homenaje a Ramón Carande* (Madrid).
HRM	*Homenaje a Rodríguez-Moñino* (Madrid, 1966).
HS	*Hispania Sacra* (Madrid).
HuC	*Humanidades* (Comillas).
HVP	*Homenaje a Van Praag.*
HWF	*Homenaje a William Fichter* (Madrid).
HWS	*Homenaje a Walter Starkie* (Barcelona).
HyV	*Historia y Vida* (Madrid).
Ib	*La Iberia* (Madrid).
ICE	*Información Comercial Española* (Madrid).
IEA	*La Ilustración Española y Americana* (Madrid).

IGA — *La Ilustración de Galicia y Asturias.*
Il — *Ilerda* (Lérida).
Ilu — *La Ilustración* (Madrid).
Imp — *El Imparcial* (Madrid).
Ins — *Insula* (Madrid).
IP — *Investigación y Progreso* (Madrid).
IR — *Ibero-Romania* (München).

JAAC — *The Journal of Aesthetics and Art Criticism* (Cleveland. Ohio).
JWCI — *Journal of the Warburg and Courtauld Institutes* (London).

KFLQ — *Kentucky Foreing Language Quarterly* (Lexington).
KRQ — *Kentucky Romance Quarterly* (Lexington).

LASM — *Liver Amicorum Salvador de Madariaga* (Brujas).
LC — *Las Ciencias* (Madrid).
LD — *Letras de Deusto* (Bilbao).
LI — *Lettere Italiane* (Firenze).
LMer — *Les Langues Méridionales* (Paris).
LNE — *La Nueva España* (Oviedo).
LNL — *Les Langues Neo-Latines* (Paris).
LR — *Les Lettres Romanes* (Lovaine).
LT — *La Torre* (Puerto Rico).

M — *Mediterráneo* (Valencia).
Map — *Mapocho* (Santiago de Chile).
MASBL — *Memorias de la Real Academia Sevillana de Buenas Letras* (Sevilla).
MASTor — *Memorie della R. Accademia delle Scienze di Torino.*
MB — *Miscelanea Barcinonensia* (Barcelona).
MCV — *Mélanges de la Casa de Velázquez* (Madrid).
MCan — *Museo Canario* (Las Palmas).
Med — *Medicamenta* (Madrid).
MEJC — *Miscelanea de Estudos a Joaquim de Carvalho* (Figueira da Foz).
MEPLG — *Mélanges d'Etudes portugaises offerts a M. George Le Gentil.*
MHisp — *Mundo Hispánico* (Madrid).

Min	*Minerva* (Madrid).
MisCo	*Miscelánea Comillas* (Santander).
MJML	*Miscelánea ofrecida a J. M. Lacarra* (Zaragoza).
ML	*Memorial Literario* (Madrid).
MLN	*Modern Language Notes* (Baltimore).
MLR	*The Modern Language Review* (Cambridge).
MMB	*Mélanges offerts à Marcel Bataillon* (Bordeaux).
MMGC	*Mélanges dediés à la Mémoire de Georges Cirot* (Bordeaux).
MMJR	*Mélanges à la Mémoire d'André Joucla-Ruau* (Aix-en-Provence).
MMJS	*Mélanges à la Mémoire de Jean Sarrailh.*
Mont	*Monteagudo* (Murcia).
MP	*El Mercurio Peruano* (Lima).
MPhil	*Modern Philology* (Chicago).
MPont	*El Museo de Pontevedra.*
MRAE	*Memorias de la Real Academia Española* (Madrid).
MRAH	*Memorias de la Real Academia de la Historia* (Madrid).
MSI	*Miscelanea di Studi Ispanici* (Pisa).
MVA	*Mélanges offerts à Charles Vincent Aubrun* (Paris).
MyC	*Moneda y Crédito* (Madrid).
N	*Neophilologus* (Groningen).
Nac	*La Nación* (Buenos Aires).
Neo	*Neohelicon* (Akademiai Kiadó).
No	*Nos* (Orense).
NRFH	*Nueva Revista de Filología Hispánica* (México).
NT	*Nuestro Tiempo* (Madrid).
OI	*O Instituto* (Lisboa).
PA	*Primer Acto* (Madrid).
Pad	*Padova* (Padua).
PEsp	*Poesía Española* (Madrid).
PhQ	*Philological Quarterly* (Iowa).
PIstr	*Pagine Istriane* (Capodistria).
Pla	*Platero* (Cádiz).
PMA	*Papers of the Michigan Academy.*
PMLA	*Publications of the Modern Language Association of America* (Baltimore).

PRLR	*Papers on Romance Literary Relations* (University of Georgia).
Proh	*Prohemio* (Barcelona).
PSA	*Papeles de Son Armadans* (Palma de Mallorca).
PV	*Príncipe de Viana* (Pamplona).
QIA	*Quadreni Ibero-Americani* (Torino).
QR	*The Quarterly Review* (London).
R	*Región* (Oviedo).
RA	*Revista de Aragón* (Zaragoza).
RABM	*Revista de Archivos, Bibliotecas y Museos* (Madrid).
RAf	*Revue Africaine* (Alger).
RAM	*Revue d'Ascetique et de Mystique* (Toulouse).
RAst	*Revista de Asturias* (Oviedo).
RAuv	*Revue d'Auvergne* (Pau).
RBAM	*Revista de la Biblioteca, Archivo y Museo del Ayuntamiento de Madrid.*
RByD	*Revista Bibliográfica y Documental* (Madrid).
RCa	*Revista Castellana* (Valladolid).
RCat	*Revista de Catalunya* (Barcelona).
RCEE	*Revista del Centro de Estudios Extremeños* (Badajoz).
RCHA	*Revista Crítica Hispano-Americana* (Madrid).
RChHG	*Revista Chilena de Historia y Geografía* (Santiago de Chile).
RCLA	*Revista de Ciencias, Literatura y Artes* (Sevilla).
RCo	*Revista Contemporánea.*
RDF	*Revista de Derecho Financiero* (Madrid).
RDTP	*Revista de Dialectología y Tradiciones Populares* (Madrid).
RE	*Revista de España* (Madrid).
REcP	*Revista de Economía Política.*
REE	*Revista de Estudios Extremeños* (Badajoz).
REH-A	*Revista de Estudios Hispánicos* (Alabama).
REH-M	*Revista de Estudios Hispánicos* (Madrid).
REP	*Revista de Estudios Políticos* (Madrid).
REPed	*Revista Española de Pedagogía* (Madrid).
REsp	*Revista Española* (Madrid).
Rev	*La Revista* (Barcelona).
RevBN	*Revista de Bibliografía Nacional* (Madrid).

RF	*Romanische Forschungen* (Köln).
RFE	*Revista de Filología Española* (Madrid).
RFH	*Revista de Filología Hispánica* (Buenos Aires).
RFr-Esp	*Revue FrancoEspagnole* (Madrid-Paris).
RGM	*Revista General de Marina* (Madrid).
RHA	*Revista Hispano-Americana* (Madrid).
RHi	*Revue Hispanique* (Paris).
RHLF	*Revue d'Histoire Littéraire de la France* (Paris).
RH-LL	*Revista de Historia* (La Laguna).
RHLP	*Revista de Historia Literaria de Portugal* (Coimbra).
RHM	*Revista Hispánica Moderna* (New York).
RIA	*Revista Ibero-Americana* (Iowa).
RIE	*Revista de Ideas Estéticas* (Madrid).
RIHPC	*Revue Internationale d'Histoire Politique et Constitutionelle.*
RILRC	*Revista del Instituto Liberador Ramón de Castilla* (Lima).
RInd	*Revista de Indias* (Madrid).
RIPLC	*Revista de Instrucción Pública, Literatura y Ciencias.*
RIT	*Revista de la Institución Teresiana* (Madrid).
RLit	*Revista de Literatura* (Madrid).
RJ	*Romanistiche Jahrbuch* (Hamburg).
RLC	*Revue de Littérature Comparée* (Paris).
RLM	*Revue des Langues Modernes.*
RLMC	*Rivista di Letterature Moderne e Comparate* (Firenze).
RLNL	*Revue des Langues Neo-Latines.*
RLR	*Revue des Langues Romanes* (Montpellier).
RMad	*Revista de Madrid.*
RMed	*Revue de la Méditerranée* (Alger-Paris).
RMus	*Rivista Musicale Italiana* (Torino).
RNC	*Revista Nacional de Cultura* (Caracas).
RNE	*Revista Nacional de Educación* (Madrid).
RNo	*Romance Notes* (Chapel Hill).
ROcc	*Revista de Occidente* (Madrid).
RPF	*Revista Portuguesa de Filología* (Coimbra).
RR	*The Romanic Review* (New York).
RRAJL	*Revista de la Real Academia de Jurisprudencia y Legislación* (Madrid).
RUM	*Revista de la Universidad de Madrid.*

RUO	*Revista de la Universidad de Oviedo.*
RVF	*Revista Valenciana de Filología* (Valencia).
RyC	*Religión y Cultura* (Madrid).
Salm	*Salmanticensis* (Salamanca).
SCB	*The South Central Bulletin* (Tulsa).
Sef	*Sefarad* (Madrid).
Seg	*Segismundo* (Madrid).
SEsp	*Semanario Español* (Madrid).
SemM	*Seminario de Mataró.*
SF	*El Siglo Futuro* (Madrid).
SFG	*Spanische Forschungen der Görresgesellschaft* (München).
Si	*Sí* (Madrid).
SI	*Studi Ispanici* (Milano).
SLS	*Studi di Letteratura Spagnola* (Roma).
SML	*Stimmen am Maria-Laach* (Friburg in Brisgau).
SMod	*Spicilegio Moderno.*
SO	*Studium Ovetense* (Oviedo).
Soc	*Societas* (Wisconsin).
SOFLC	*Studi Storici in Onore di Francesco Loddo Canepa* (Firenze).
Sol	*El Sol* (Madrid).
SOM	*Studi in Onore di A. Monteverdi* (Módena).
SPE	*Semanario Pintoresco Español* (Madrid).
SPh	*Studies in Philology* (Chapel Hill).
StF-HDA	*Studia Filologica. Homenaje a Dámaso Alonso* (Madrid).
StG	*Studi Goldoniani* (Venezia).
StLa	*Studia in honorem Rafael Lapesa* (Madrid).
Tam	*Tamuda* (Tetuán).
TAPS	*Transaction of the American Philosophical Society* (Philadelphia).
Tem	*Temas* (Montevideo).
Th	*Thesaurus* (Bogotá).
Theo	*Theoria* (Madrid).
UISLL	*University of Illinois Studies in Language and Literature.*

UMS	*University of Minnesota Summaries.*
Univ-Z	*Universidad* (Zaragoza).
VA	*La Voz de Asturias* (Oviedo).
VCu	*La Voz de Cuenca.*
VE	*La Vanguardia Española* (Barcelona).
VE-V	*La Voz de España* (Vitoria).
VG	*Vida Gallega* (Vigo).
VM	*Villa de Madrid.*
Yer	*Yermo* (Madrid).
Zeph	*Zephyrus* (Salamanca).

INDICE ONOMASTICO

Adam, A., 1.
Adams, N. B., 253.
Adaro Ruiz-Falcó, L., 1404.
Adellac, M., p. 177.
Adinolfi, G., 694.
Agramonte, R., 1405.
Aguado, E., 695.
Aguilar Piñal, F., 101, 102, 103, 104, 112, 119, 215, 216, 325, 368, 636, 784, 1289, 1666, 1668, 1669, 1734, 1742, 1868, 1869, 1870, 1910, 1979, 2169, 2170, 2171, 2172, 2173, p. 202, p. 232, p. 246.
Aguilera, I., 1971.
Aguilera Camacho, D., 595.
Aguirre, J. L., p. 95.
Alamo, J., 2049.
Alarcón, P. A., 1926.
Alarcos García, E., 559, 1715, 1779.
Alarcos Llorach, E., 1838, 1839.
Alberti, J., 1406.
Alborg, J. L., 164.
Alcalá Galiano, A., 165, 601, 1780.
Alcázar Molina, C., 1871, 1872.
Alcover González, R., 1407.
Alcover Higueras, J. J., 841.
Alda Tesán, J. M., p. 121.
Aldea, Q., 136.
Aldecoa, S., 98.
Alemán Sáinz, F., 1852.
Alfaro Lapuerta, E., 335.
Almandoz, N., 217.
Almuiña Fernández, C., 334.
Alonso, M. R., 1338, 1339.
Alonso Bonet, J., 1408, 1409.
Alonso Cortés, N., 510, 873, 1219, 1290, 1291, 1362, 1689, 1847, 1927, 2174, p. 239.
Alonso Montero, J., 874.
Altamira y Crevea, R., 34.
Alvar, M., 218, 219, 1690, p. 229.
Alvarez, E., 1410.
Alvarez, N., 1411.
Alvarez Blázquez, J. M., 220, 2050.
Alvarez Caballero, P., 1980.
Alvarez Gendín, S., 875, 876, 1412, 1413.
Alvarez Gómez, J., 1260.
Alvarez Jiménez, E., 2051.
Alvarez Junco, J., 771.
Alvarez de Morales, A., 105.
Alvarez Nazario, M., 877.
Alvarez Requejo, F., 1981.
Alvarez Santullano, L., 1414.
Alvarez Soler-Quintes, N., 308, 309.
Alvarez Villar, A., 878.
Alventosa, J., 1743, 1744.
Allorto, R., 619.
Allué y Morer, F., 1340.
Ambrosio de Valencina, F., 842.
Ambruzzi, L., 1061.
Amor, C., 879.

Anchóriz, J., 880.
Anderson, M. S., 2.
Anderson Imbert, E., 1873.
Andioc, R., 170, 310, 1062, 1063, 1064, 1065, 1066, 1067, 1068, 1069, 1292, p. 138, p. 162.
Anes Alvarez, G., 35, 137, 610, 1415.
Angeles, J., 166.
Antequera, J. A., 789.
Antillón, I., 1416.
Antolín, G., 1239.
Apraiz, J., 1341, 2020, 2021, 2022, 2023.
Aranguren, J. L., 1417.
Araujo Costa, L., 1261, 1782.
Arce Fernández, J., 170, 221, 222, 434, 520, 521, 522, 523, 1418, 1419, p. 96.
Arce Monzón, B., 1363.
Arco, R., 1420, 1691, 1853, 1922.
Ardao, A., 881, 882.
Areal, J. E., p. 121.
Arenal, C., 883.
Argumosa y Valdés, J. A., 884.
Arias, M. A., 1421.
Arias de Miranda, J., 1783.
Armas Ayala, A., 192.
Armesto, V., 885.
Armistead, S., 223.
Arnaud, E., p. 262.
Arolas, J., 1070.
Arribas Arranz, F., 1232.
Artigas, M., 638, 1421, 1784, 1972.
Artiñano y Galdácano, G., 1423.
Artola, M., 69, 1424, p. 177.
Asenjo Barbieri, F., p. 120.
Asensio, J., 602, 1071, 1293.
Atkinson, G., 23.
Atkinson, W., 397.
Aubrun, Ch. V., 1072.
Avalle-Arce, J. B., 886.
Avilés Fernández, M., 44. 54.
Ayala, F., 1425.
Azema, M., 2117.
Azpitarte Almagro, J. M., 254.
Baader, H., 696.
Bacallar y Sanna, V., 45.
Bahner, W., 887.
Baig Baños, A., 1282, 1283.
Balbín, R., 412.
Balil Illana, A., 1427.
Ballesteros Gaibrois, M., 1428.
Ballew, H. L., 2111.
Banda, A., 1073.
Baquero, G., 1875.
Baquero Goyanes, M., 697, 772, 888.
Baraut, D. C., 2183.
Barceló Jiménez, J., 322.
Barcia, R., p. 112.
Barcia Trelles, A., 1429, 1430.
Barcño, F., 1431.
Barja, C., 167.
Barlow, J. W., 2204.
Barrantes, V., 1876.
Barras Aragón, F., 1671, 2118.
Barrau-Dihigo, L., 802.
Barreiro, A., 1240.
Barrière, P., 477.
Baselga y Ramírez, M., 378.
Batcave, L., 560.
Batlle, J. B., 224.
Batllori, M., 169, 446, 524, 525, 526, 582, 583, 584, 585, 620, 621, 622, 623, 624, 625, 626, 627, 670, 1315, 1316, 1317, 1736, p. 85.
Battistesa, A., 383, 889.
Baudiot, M., 1432.
Baumgartner, A., 1364.
Beccatini, F., 55.
Becerra, B., 369.
Becerro de Bengoa, R., 2024, 2025, 2026.
Becker, J., 1433.
Bedarida, H., 36.
Belda, J., 351.
Beltrán y Rózpide, R., 1318.
Bellini, G., 430.
Bello, A., 561.
Benavent, C., 1074.
Beneyto Pérez, J., 868.

Benítez Claros, R., 193, 255, 256, 1075.
Berault, M., 890.
Berenguer Carisomo, A., 2119.
Bergua, J., p. 169.
Berkob, P., 586.
Bermejo, I., 1785.
Bernstein, H., 445.
Berruezo, J., 2027.
Bertaux, A., 805.
Besso, H. V., 505.
Bethencourt Massieu, A., 46.
Beverley, J., 1434.
Bihler, H., 384, 2053.
Blanco Aguinaga, C., 697 bis.
Blanco Asenjo, R., 1076.
Blanco Montesdoca, J., 2197.
Blanco Sánchez, R., 1928.
Blanco Trías, P., 1745.
Blancheton, M., 447.
Blasco Garzón, M., 1436.
Blayau, N., 7.
Blecua, J. M., 413, 1365.
Bluche, F., 4.
Bonet, J., 1437.
Bonilla, L. D., 402.
Bono Serrano, G., 1716, 1854, 1911, 1929.
Booy, J., 1877.
Borao, J., 1077.
Borghini, V., 176, 628.
Botterau, G., 1366.
Bottoni, G., 1078.
Boussagol, G., 1848.
Bouza-Brey, F., 2054, 2120.
Bremer, K., 698.
Brey Mariño, M., p. 221.
Brines, F., 1746.
Brown, R. F., 370, 371.
Browning, J., 891.
Brüggemann, W., 257.
Buceta, E., 639.
Buchanam, M. A., 120.
Bueno Martínez, G., 892.
Bussy, D., 2121.
Buylla, J. B., 1438.
Cabal, C., 893.
Caballero, F., 699, 1319.
Cabañas, P., 352, 700, 796, 1079, 1080, 1081, 1082, 1083.
Cabezas, J. A., 1439.
Cabot, J., 1440.
Cabré Monserrat, D., 106, 894.
Calabro, G., 93, 543.
Calvo Asensio, P., 1930, 1930 bis.
Calvo Revilla, J., 1786.
Camacho y Perea, A. M., 1441.
Cambronero, C., 258, 797, 1931.
Campos, J., 259.
Canella Secades, F., 895, 1442, 1982.
Cano, J., 1692.
Cano, J. L., 225, 558, 562, 563, 564, 565, 566, 567, 568, 640, 701, 1084, 1085, 1932, p. 75.
Cano, L., p. 165.
Cánovas del Castillo, A., 1086.
Cantera Burgos, F., 2175.
Canto Blasco, F., 1912, 1913.
Cañedo, R. M., 1443, p. 177.
Capel Margarito, M., 1878, 1879.
Capote, H., 414, 1672.
Carbonell, J., 489.
Cardenal Iracheta, M., 144, 1445.
Cardona, A., p. 96, p. 262.
Carilla, E., 2122.
Carmena Millán, L., 336.
Carnero, G., 415.
Caro Baroja, J., 226, 260, 896, 897, 1880.
Carrasco, M. S., 208.
Carré, L., 2055, 2056.
Carreras Artau, J., 898, 899.
Carreres, F., 227.
Carrizo, J. A., 169.
Carvalho, J. A., 1367.
Casalduero, J., 261, 1087.
Casariego, J. E., 1446, 1447.
Casas Fernández, M., 900.
Casielles, R., 1448.
Caso González, J., 170, 194, 262, 263, 1449, 1450, 1451, 1452, 1453, 1454, 1455, 1456, 1457, 1458, 1459, 1460, 1461, 1462, 1463,

1464, 1465, 1466, p. 84, p. 177, p. 178.
Cassirer, E., 5.
Castagnino, R. H., 901.
Castañeda y Alcover, V., 328, 1747, 1748, 1749, 1881.
Castañón, J., 902, 903.
Castañón, L., 1467.
Castañón Díaz, J., 121, 122, 123.
Castelar, E., 1933.
Castells i Altarriba, J., 300.
Castillejo, J. L., 1468.
Castillo de Lucas, A., 904, 905, 906.
Castro, A., 177, 1469, 1717, p. 165.
Castro y Calvo, J. M., p. 112.
Catanzaro, T., 1882.
Catena, E., 170, 424, 511, 1840.
Caveda, J., 1983, 1984.
Cayetano de Igualada, F., 843.
Cazenave, J., 1294.
Ceán Bermúdez, A., 1470.
Cejudo López, J., 1985.
Ceñal, R., 907, 908.
Cerra, S., 909, 910.
Cerreta, F. V., 1693.
Cerviño, M., 1750.
Cerviño Cerviño, X., 2057.
Cervone, A., 587.
Cian, V., 527, 528.
Cid Rumbao, A., 911.
Cid de Sirgado, I. M., 264, 1088, p. 207.
Cidade, H., 138.
Cienfuegos, F., 1471.
Cimorra, C., 1472.
Cioranescu, A., 1342, 2198, 2199, 2200, p. 169.
Ciplijauskaite, B., 435.
Cirot, G., 806.
Clarke, D. C., 228, 1343, 1673.
Cobban, A., 6.
Cobo Barquera, J. J., 912.
Cobo de la Torre, J. M., 1751.
Coderch, F., p. 262.
Coe, A. M., 264 bis, 311, 470, 516.
Coester, A., 548.
Coletes Blanco, A., 913.
Colford, W. E., 1787.
Colmeiro, M., 611.
Coloma, L., 1368.
Colombas, G. M., 914.
Conde, C., 807.
Conde, P. J., 1934.
Conesa Cánovas, L., 1089.
Consiglio, C., 1090.
Contreras Carrión, M., 229, 1788.
Contreras Pérez, J., 671.
Cook, J. A., 265.
Cordero Carrete, F. R., 2058.
Corona, C., 65.
Correa Calderón, E., 169, 372.
Cortázar, A. R., 169.
Cortines Murube, F., 230, 326, 1973, 1974.
Cosmo, U., 1369.
Cossio, J. M., 518, 569, 702, 915, 916, 1220, 1302, 1344, 1674, 1789, 1790, 1791, 1792, 2015, p. 203.
Costa Pimpao, A. J., 553.
Cotarelo y Mori, E., 337, 338, 353, 354, 355, 473, 516 bis, 703, 808, 1345, 1935, 2112, p. 112, p. 274.
Cotarelo Valledor, A., 113, 917.
Cotton, E., 704.
Coughlin, E. V., 266, 416, 1688.
Courgey, P., 809.
Courtines, P., 448.
Cox, R. M., 705, 1347, 1348, 1349, 1793.
Coxe, W., 37.
Crespo del Pozo, J., 2059.
Cros, E., 1794.
Crusafont, M., 918.
Cruz, S., 919, 920.
Cruzado, J., 1752.
Cueto, L. A., Marqués de Valmar, 231, 417, 1936, p. 75, p. 81, p. 83, p. 88, p. 89, p. 96, p. 159, p. 164, p. 169, p. 203, p. 211, p. 262, p. 269, p. 272.
Cuevas, J., 1975, 2013, 2014.
Curet, F., 301.

Chacón y Calvo, J. M., 2060.
Chamorro, B., 1473.

Chao Espina, E., 921, 922.
Chaves, M., 1675.
Chiareno, O., 178, 1091, 1092.

Damonte, M., 1708.
Daniel, J., 1370.
Danvila, A., 50, 51.
Danvila y Collado, M., 56, 1093.
Deacon, P., 706.
Defourneaux, M., 131, 474, 478, 490, 1474, 1883, 1884, 1885, 1886, 1887, 1888, 1889, 1986, 2176.
Delito y Piñuela, J., 1795.
Delgado, J., 1475.
Delpy, G., 923, 924.
Demerson, G., 119, 865, 1303, 1476, 1477, 1718, 1796, 1797, 1798, 1799, 1800, 1801, 1802, 1803, 1804, 1805, 1806, 1807, 1937, p. 220.
Demerson, P., 119, 161, 306.
Dendle, B. J., 640 bis.
Denis, M., 7.
Dérozier, A., 195, 1938, 1939, 1940, p. 239.
Desdevises du Dezert, G., 70, 94, 106 bis, 612.
Devaux, Y., 925.
Devèze, M., 8.
Di Filippo, L., 811, 1694, p. 112, p. 207.
Di Pinto, M., 95, 168, 2123.
Di Stefano, G., 2124.
Díaz de Escovar, N., 267, 356.
Díaz-Jiménez y Molleda, E., 1478, 1941.
Díaz-Plaja, F., 71.
Díaz-Plaja, G., 169, 403, 404, 405, 707.
Díaz-Regañón, J., 763.
Diego, G., 1479, 1480, 1481.
Diego de Valencina, F., 844, 845, 846, 847.
Díez Borque, J. M., 170, 406.
Díez Tejerina, S., 687.
Doering, J. A., 1482.
Domergue, L., 482, 1483, 1484, 1485, 1486, 1719.
Domingo, J., 570.
Domínguez Caparrós, J., 232.
Domínguez Fontenla, J., 926, 2061.
Domínguez Ortiz, A., 73, 85, 927, 1094, 1987.
Domínguez del Val, U., 1241.
Doreste, V., 791.
D'Ors, M., 323, 324.
Dotor, A., 1487.
Dowdle, H. L., 1488.
Dowling, J., 1095, 1096, 1097, 1098, 1099, 1100, 1101, 1102, 1221, p. 138.
Dubuis, M., 708, 2062, 2063.
Dufour, G., 810, 1890, 1891.
Dupuis, L., 449, p. 96.
Duqueroix, F., 450.
Durán, A., 385, p. 112.
Durán, M., 1103.

Ebersole, A. V., 764, 765.
Echánove Tuero, A., 672, 673.
Edwards, J. K., 709.
Effross, S. H., 436, 506, 515, 1104.
Egido López, T., 74, 124.
Eguía Ruiz, C., 1105, 1106, 1371, 1372, 1373, 1374, 1375, 1376.
Eguiagaray, F., 928, 929, 930.
Eiján, S., 931.
Elorza, A., 75, 139, 613, 684, 932, p. 84, p. 211.
Elvira-Hernández, J. F., 614.
Enciso Recio, M., 125, 1863.
Entrambasaguas, J., 179, 399, 400, 517, 933, 934, 1107, 1108, 1109, 1110, 1111, 1112, 1489, 1667, 1808, 1864, 2125, 2126.
Escagedo Salmón, M., 2044.
Escosura, P., 1113.
Espadas Burgos, M., 52.
Esperanza y Sola, J. M., 629.
Espina, A., 2127.
Espinosa, A., 792.
Esquer Torres, R., 268, 1114.
Estrada, R., 603.
Etiènvre, F., 451.
Eulogio de la Virgen, F., 935.
Ezquerra Abadía, R., 1377.

Fabre, E., 452.
Fabri, M., 1295, 1841.
Falzone, G., 529.
Faraudo, L., 114.
Farinelli, A., 440, 441.
Faure-Soulet, J. F., 10.
Fernán-Coronas, F., 642.
Fernández, L., 1378, p. 172.
Fernández Almagro, M., 1809.
Fernández Alonso, B., 936.
Fernández Avello, M., 1491, 1492, 1493.
Fernández Espino, J., 379.
Fernández Galiano, M., 499.
Fernández y González, A. R., 321, 386, 937, 938.
Fernández y González, M., 939, 940.
Fernández-Guerra y Orbe, A., 1222.
Fernández Larrain, S., 643.
Fernández Luanco, J. F., 1494.
Fernández de la Llana, J. A., 1988.
Fernández Martín, P., 1233.
Fernández Montesinos, J., 710.
Fernández de Navarrete, E., 1304, 2028.
Fernández Nieto, M., 1115, 1116.
Fernández Pajares, J. M., 1117.
Fernández Shaw, C., 812.
Fernández Villegas, F., 1495.
Ferrari, A., 711.
Ferrer Benimeli, J. A., 76.
Ferrer del Río, A., 57, 380, 1676, 1942, 1942 bis.
Ferreras, V. M., 407.
Ferreres, R., 1118, p. 138.
Fess, G. M., 1810.
Figueiredo, F., 269.
Figuera, G., 1379.
Filgueira Iglesias, M. A., 2064.
Filgueira Valverde, J., 941, 2065, 2066, 2067.
Fillol, D., 793.
Fita, F., 674.
Fitzmaurice-Kelley, J., 507, 1862.
Flecniakoskа, J. L., 491, 492, 1309.
Font Rius, J. M., p. 104.
Forcione, A., 1811.
Ford, F., 9.
Foresta, G., 1119.
Forteza Valentín, G., 773.
Foulché-Delbosc, R., 594, 712, 1350, 2068, p. 153, p. 169, p. 220.
Fraga Torrejón, E., 943.
Fraguas Fraguas, A., 2069.
Fraile Miguélez, M., 1234, 1242, 1496, 1497.
Francés, J., 1498.
Franquet, W., 1499.
Freiro, E., 1380.
Frías, L., 1989.
Froldi. R., 571, 1720, 1812.
Fucilla, J. G., 549, 1943, p. 162.
Fuente, P., 1120.
Fuente, V., 107.

Galindo García, F., 1500.
Galino Carrillo, M. A., 108, 944.
Gallerani, A., 531.
Gamallo Fierros, D., 945.
Gaos, V., 180.
Gárate, J., 1284, 1501.
García, F., 1243.
García, M., 1320.
García Abad, A., 1381.
García Alén, A., 2070.
García Boiza, A., 2128, 2129.
García Domenech, J., 1990.
García de la Fuente, A., 813.
García Goldáraz, C., 1321.
García M. Colombas, M. B., 946.
García Miñor, A., 947.
García Morales, J., 418, 1991.
García Osma, A. M., 688, 689, 690, 691.
García Pérez, G., 77.
García Prado, J., 1502, 1503, 1504, 1505.
García Puertas, M., 1506.
García Rendueles, E., 1507.
García Sáez, S., 1842.
García Salinero, F., 1235.
Garelli, P., 1351.
Garnica, A., 644, p. 89.
Garrido, R., 1236.

Gascón, D., 1865.
Gasparini, M., 2177.
Gatti, J. F., 816, 817, 818, 1121, 1122, 1312, p. 112, p. 138.
Gambiac, E., 1944.
Gaudeau, B., 1382.
Gay, P., 11.
Gayoso Carreira, G., 2071.
Genovés, V., 774.
Germain, G., 472.
Gesta Leceta, M., 2072.
Gianturco, E., 630.
Gibson, M. C., 1709.
Gies, D. T., 232 bis.
Gigas, E., 675.
Gil, I. M., 1855, 1856, 1857, 1858, 1859, p. 229.
Gil Merino, A., 2073.
Gil Novales, A., 685, 1860.
Gil y Zárate, A., 109.
Gili Gaya, S., 1383.
Giménez de Aguilar, J., 819.
Giménez Caballero, E., 1508.
Giner de los Ríos, F., 588.
Giordano, J., 949.
Giralt i Raventós, E., 775.
Gladstone, W., 645.
Glascock, C. C., 950.
Glaser, E., 766.
Glendinning, O. N. V., 171, 395 bis, 508, 604, 713, 714, 715, 716, 717, 718, 719, 720, 721, 776, 951, 1123, 1124, 1509, p. 96.
Glick, T., 952.
Godechot, J., 12.
Godoy, M., 66.
Goenaga, A., 1125.
Goetz, W., 13.
Golburn, G. B., 503.
Gómez, I. M., 953, 1510.
Gómez, M., 1511.
Gómez Aceves, A., 1126, 1305.
Gómez Aparicio, P., 126.
Gómez Arboleya, E., 78.
Gómez Centurión, J., 1512, 1513, 1514, 1515, 1516, 1517.
Gómez Hermosilla, J., 233.
Gómez Imaz, M., 646, 1721.
Gómez Marín, J. A., 1518.
Gómez del Prado, C., 722.
Gómez de la Serna, G., 79, 140, 1223, 1519, 1520, 1521.
Gómez de la Serna, R., 723.
Góngora, A., 676.
González, C., 453.
González, J. V., 1522.
González, V., 954.
González Antuña, C., 1523.
González Arnao, M., 647, 1992.
González Blanco, A., 1262.
González Blanco, E., 1524.
González Deleito, N., 724, 725, 1813.
González García, F., 1525.
González García-Paz, S., 2074.
González López, E., 172.
González Olmedo, F., 381.
González Palencia, A., 181, 182, 631, 786, 787, 1127, 1322, 1323, 1526, 1527, 1814, 1815, 1843, 1993, 2181.
González Prieto, F., 1528.
González Ruiz, N., 357, 820, 1310, 1311.
González Suárez, C., p. 178.
González-Valdés Granda, J., 1529.
González Valls, M., 1753.
Gorlier, C., 479.
Gortázar, I., 2029.
Goulemont, J. M., 14.
Gouzien, C., 1530.
Govantes, A. C., 1737.
Goytisolo, J., 648, p. 89.
Grimberg, C., 15.
Groethuysen, B., 16.
Grudzinska, G., 407.
Guadalupe de la Noval, M. B., 955.
Guarner, L., 412, 1677, 1754, 1755.
Guastavino Gallent, G., 209.
Guazzelli, F., 1722.
Guenoun, P., 1128, 1678.
Guigou y Costa, D. M., 1352.
Guillaut, J., 234.
Guillén Tato, J., 2184, 2185, 2186, p. 270.

Guillou, A., 956.
Guinard, P. J., 127, 128, 235, 483, 492, 1866.
Guiral, J., 2130.
Gullón, R., 726.
Güntzel, A., 727.
Gutiérrez Abascal, R., 821, 848.
Gutiérrez Alonso, M. P., 1531.
Gutiérrez Macías, V., 1263.
Gutiérrez de los Ríos, C., 58, 59.
Gutiérrez Sesma, J., 1384.

H.V.B., 1385.
Hafter, M. J., 396, 398, 728.
Hallonquist, S. B., 2131.
Hamilton, A., 80, 130, 822, 823, 824, 825.
Hannan, D., 1313.
Harrod, G. R., 649.
Hart, T. R., 437.
Hartzenbusch, J. E., 767, 2113.
Hauben, P. J., 1892.
Havard, R. G., 1816.
Hazard, P., 17, 18.
Hazfeld, H., 19, 196.
Heitner, P. R., 270.
Helman, E. F., 183, 729, 730, 731, 732, 1129, 1130, 1131, 1132, 1224, 1225, 1229, 1386, 1533, 1534, 1535, 1536, p. 96.
Henríquez Ureña, M., 169.
Hergueta, D., 1230.
Hernández Parrales, A., 849.
Herr, R., 141, 142.
Herrán, L., 210.
Herrero, J., 81.
Herrero García, M., 850.
Herrero Salgado, F., 382.
Hesse, J., p. 262.
Hieblot, M., 236.
Higashitani, H., 1133, 1134.
Hompanera, B., 500, 501, 502.
Hoyo, A., 419.
Hoyos Ruiz, A., 1756, 1757.
Huarte, A., 237, 1695.
Huarte, J. M., 1135.
Hueso Chércoles, R., 957, 1537.
Hughes, J. B., 733, 733 bis, 734.
Huici Miranda, V., 1538.
Huidobro, L. S., 572.
Huszar, G., 475.

I.M.G., 2075, 2076.
Iacuzzi, A., 826.
Ilie, P., 2132, 2133.
Infiesta, R., 1539.
Insausti, S., 1540.
Iriarte, J., 484.
Iza Zamácola, A., 605.

J.G.R., 2030.
Jagot-Lachaume, M., 827.
Janini, J., 677.
Jareño, E., p. 251.
Jiménez, C., 271.
Jiménez Salas, M., 1264, 1265.
Johnson, J. L., 426, 1296.
Johnson, R., 650, 1136.
Jones, T. B., 386 bis.
Jover, J. M., 1679.
Juan y García, L., 1914, 1915.
Juderías, J., 1541.
Judicini, J. V., 1137.
Juliá Martínez, E., 329, 358, 1758.
Junceda Avello, E., 958.
Junco, A., 959, 960.
Jurado, J., 1266, 1696, p. 158.
Juretschke, H., 197, 438, 454, 735, 1680, 1681.

Kamen, H., 47, 1711.
Kany, C. E., 82, 312, 313, 373, p. 112.
Kenwood, A., 1817.
Kerson, P. R., 1138.
Knowlton, J. F., 1542.
Koch, H., 444.
Kohler, E., 961.
Krauss, W., 129, 144, 211, 455, 456, 962.
Krömer, W., 198.

Laborde, P., 736, 1139.
Labrousse, E., 23.
Ladra, D., 1140.
Lafarga, F., 492 bis.
Lafuente Ferrari, E., 1543.
Laín Entralgo, P., p. 177.
Lama y Leña, R., 1544.
Lamano y Beneite, J., 2134.
Lamarca, L., 330.
Lamarque, M. P., 1818.
Landeira y Sánchez de Movellán, F., 1545.
Lanuza, C., 596.
Lapesa, R., 145, 963.
Lara, J., 169.
Lara, M. V., 651.
Larrañaga, V., 851.
Lasso de la Vega, A., 238, p. 213.
Lasvennes, L., 1994.
Latour, A., 1723, p. 112.
Laughrin, M. F., 1267.
Laulhé y Tisné, J. M., 1916.
Launay, M., 14, 20.
Lavalle, J. A., 1893.
Laverde Ruiz, G., 1844.
Lázaro Carreter, F., 169, 184, 964, 965, 1141, 1142, 1143, 1226, 1697, 1819, p. 138.
Legarda, A., 1144, 1387.
Legendre, M. R., 1145.
Leirós Fernández, S., 966.
Lentzen, M., 1353.
León y Domínguez, J. M., 852.
Levène, R., 485.
Levi, C., 1146.
Lhéritier, M., 737.
Lira Urquieta, P., 1546, 2135.
Livermore, A. L., 967.
Lohman Villena, G., 169, 1894, 1895.
Loisey, F. D., 853.
Lope, H. J., 738.
López, F., 146, 615, 616, 1268, 1724, p. 159.
López de Ayala, J., 1547.
López Cuesta, T., 1548.
López Marcial, A., 1759.
López Marichal, J., 968.
López Mendizábal, I., 2031.
López Molina, L., 2136.
López Peláez, A., 969, 970, 2077, 2078, 2079, 2080, 2081.
López Prudencio, J., 2016.
López de Toro, J., 788.
López de la Vega, G., 2082.
Lorente Rodríguez, L. M., 2187.
Lorenzana, S., 2083.
Lorenzo, E., 443.
Loumagne, B., 971.
Loca, F., 1549.
Luis, L. de, 1945, 1946.
Luis Antonio de Sevilla, F., 854.
Lunardi, E., 739.

Llabrés Bernal, J., 1550.
Llanos y Torriglia, F., 1147.
Llevaneras, J., 855.
Llinares, A., 972.
Lloréns, V., 115, 239, 652, 653, 654, 655, 656, 657, 658, 659, 660, 1148, 1149, p. 89.

M.S.S., 1551.
M.V., 1552.
McClelland, I. L., 199, 272, 273, 274, 275, 276, 798, 973, 1698, p. 80, p. 87.
Machado, M., 769.
Macri, O., 200.
Maddalena, E., 544, 1150.
Maddens-Menelon, C., 1553.
Madol, H. R., 67.
Madrazo, P., 1151.
Makowiecka, G., 1699, 1700, 1701.
Mailhos, G., 20.
Maldonado, F. C. R., 1152.
Maldonado de Guevara, F., 1712, p. 210.
Maldonado Macanaz, J., 48, p. 210.
Mancini, G., 277, 1153, 1297.
Mantoux, P., 21.
Manzanares de Cirre, M., 803.
Mapelli López, L., 1896.
Marañón, G., 147, 975, 976, 977, 1554, 1897.

Maravall, J. A., 148, 149, 617, 686, 740, 978, 1269, p. 94.
Marco, J., 374, 1820, p. 83.
Marcos, F., 606.
Marcos Rodríguez, F., 2137.
Marenduzzo, E., 741.
Marías, J., 150, 1154, 1155, 1555, p. 104, p. 177, p. 178.
Marichal, J., 742, 1556, 2138.
Marín López, N., 116, 185, 186, 240, 1923, 2032, 2193, 2194, 2195, 2196.
Mariscal de Gante, J., 278.
Mariutti de Sánchez Rivero, A., 279, 545, 1156.
Marqués, J. M., 677.
Marrast, R., 1682.
Martín, F. C., 2203.
Martín Gaite, C., 83, 1712, 1714, p. 121.
Martín Villa, A., p. 244.
Martínez, B., 1557.
Martínez Albiach, A., 84.
Martínez Barbeito, C., 1388.
Martínez Cabello, G., 1244.
Martínez Cachero, J. M., 1558, 1559, 1639.
Martínez Campos, C., 38.
Martínez Elorza, J., 1560.
Martínez Fernández, J., 1561, 1562, 1563, 1564, 1565, 1566.
Martínez Kleiser, L., 1567.
Martínez López, E., 979.
Martínez Risco, M. S., 980.
Martínez Ruiz, J., 983.
Martínez Ruiz, J. «Azorín», 573, 743, 981, 982, 1157, 1158, 1159, 1568, 1569, 1570, 1702, 1725, 1861, 2017.
Martínez Sarrión, A., 1738.
Martínez Valverde, C., 856.
Marzilla, M. T., 1845.
Mas, A., 574.
Massanes, N., 280.
Mateu Llopis, F., 1918.
Mathias, J., 1160, 2139.
Mathorez, J., 1821.
Matus, E., 744.
Mauzi, R., 22.
Maza Solano, T., 2045.
Mazzei, A., 1336.
Mazzeo, G. E., 281, 589.
Mele, E., 1161.
Melón de Gordejuela, S., 1162.
Menarini, P., 1572.
Méndez, F., 1245.
Méndez Bejarano, M., 661.
Méndez Calzada, L., 1573.
Méndez Rodríguez, M. I., 1574.
Mendigutia, T., 2180 bis.
Mendoza, F., 1389.
Mendoza, J., 1163.
Menéndez Pelayo, M., 532, 632, 663, 1237, 1575, 1726, 1947.
Menéndez Pidal, R., 431.
Mercader, J., 85, 1760.
Mercadier, G., 457, 2140, 2141, 2142, 2143, 2144, p. 96, p. 262.
Meregalli, F., 393, 533, 534, 828.
Merimée, E., 1576, 1822, 1948.
Merimée, P., 282, 283, 458, 1164.
Merino, A., 1995.
Merry Colón, M., 1683.
Mesa, C. E., 2145.
Mesonero Romanos, R., 284, 1165, 1298, 1823, 1898.
Mestre Sanchís, A., 551, 984, 1761, 1762, 1763, 1764, p. 216.
Metford, J. C. J., 1684.
Micó Buchón, J. L., 633, 985.
Mier, A., 1246.
Migueloa, J., 2033.
Milá y Fontanals, M., 776 bis, 1949.
Millares Carlo, A., 678, 986, 987, 2201, 2202, p. 121.
Miramón, A., 1577, 1578.
Molas, J., 241.
Moldenhauer, G., 493, 494.
Monguió, L., 1306, 1950, 1951.
Monterde, F., 169.
Montero Díaz, S., 988.
Montero Padilla, J., 1166, 1167, 1168, 2046, p. 138.
Montero Pérez, A., 1846.
Montero de la Puente, L., 327.
Montgomery, C. M., 375.

Montiel, I., 512, 513, 1727, 1765.
Montoliu, M., 777.
Moral, B., 1231.
Morales de Setién, F., 285.
Morán Bravo, J., 1579.
Morayta, M., 989.
Morby, E. S., 864.
Morel-Fatio, A., 1728, 1729, 1766, 1899.
Moreno, E. E., 829.
Moreno Báez, E., 420, 1169.
Morgan, R., 1170.
Moro, V., 575.
Moro Velasco, R., 1390.
Morros Sardá, J., 990.
Moule, A., 2146.
Mousnier, R., 23.
Mudry, M., 745.
Muiños Sáez, C., 1247.
Mulas Sánchez, J., 1580.
Mulert, W., 746.
Munsuri, F., 1824.
Muñiz Vigo, A., 1581.
Muñoz Alonso, A., 991.
Murciano, C., 1324.
Muriel, A., 68.

Navarro Adriansens, J. M., 992.
Navarro Brotons, V., 1767.
Navarro González, A., 993, 1354, 2147, 2148, p. 169.
Navarro Latorre, J., 1996.
Nerlich, M., 201.
Nicolson, H., 24.
Niess, R. V., 515 bis, 2034.
Nocedal, C., 1582, 1825, p. 177.
Noel, C. C., 1997.
Novoa, Z., 1248.
Nowicki, J., 242.
Nozick, M., 174, 830.
Núñez, E., 1900, 1901, p. 232.
Núñez Arenas, M., 1171, 1172, 1731.

Obregón, A., 1173.
Ochoa, E., 421, 427, 432, 1685, 1952.
Odriozola, A., 994, 1174, 2084.
Ogando Vázquez, J. F., 1249.
Ogg, D., 25.
Olaechea, R., 1998.
Olarra, J., 1325.
Olguin, M., 634.
Oliver, A., 1175.
Oliver, M. S., 1176, 1583.
Olmedilla y Puig, J., 1953.
Onís, F., p. 262.
Onís, J., 1285.
Orozco Díaz, E., 1924, 1925.
Ortega Costa, A., 687, 688, 689, 690, 691, 1902.
Ortega Romero, M. S., 2085.
Ortega Rubio, J., 1177.
Ortiz Armengol, P., 1178, 1179.
Ortiz de Pineda, A., 831.
Ortiz Vivas, 1999.
Osorio y Gallardo, A., 1584.
Ossorio y Bernard, M., 1826, 1954.
Otaño, N., 869.
Otazu, A., 995.
Otero Núñez, R., 996.
Otero Pedrayo, R., 997, 998, 999, 1000, 1001, 2086, 2087.
Ovejero y Maury, E., p. 177.
Ozanam, D., 304, 1703, 1903.

P. de A., 1585.
Pabón, C., 2178.
Pacaud, J., 459.
Padilla, A., 1586.
Pageard, R., 460, 1858.
Pageaux, D. H., 187, 287, 461, 462, 463, 495, 496, 1002, 1955.
Palacín Iglesias, G. B., 188, 189.
Palacio Atard, V., 86, 87, 151, 1003, 1004, 1180, 1904, 1905.
Palacios, J. M., 1587.
Palacios Fernández, E., 2036, 2037, 2038, 2039, 2040.
Palau Casamitjana, F., 832.
Palencia, C., 664.
Palmer, J. L., 1391, 1392.
Palomo, P., 747, 1181.
Papell, A., 169, 1182.

Par, A., 302.
Pardo Bazán, E., 1005.
Pardo Canalís, E., 1588, 1976, 1977.
Parducci, A., 541.
Parker, A. A., 376.
Patac, I., 1589.
Patt, B., 174, 408.
Paulsen, R., 1590.
Pedregal Cañedo, M., 2000.
Pedrell, F., 870.
Peers, E. A., 513 bis, 514, 519, 542.
Pelaz Francia, C., 1006.
Pellisier, R. E., 202.
Pemán, J. M., 1591.
Pensado, J. L., 2088, 2089, 2090, 2091, 2092, p. 254.
Penzol, P., 1592, 1593, 1594.
Peñalver Simó, P., 1595, p. 177.
Peñuelas, M., 152, 1183, 1270, 2149.
Pérez, N., 1739.
Pérez Bustamante, C., 53, 1007, 1008.
Pérez de Castro, J. L., 1393, 1596, 1597.
Pérez Embid, F., 1598.
Pérez Galdós, B., 833.
Pérez y González, F., 834.
Pérez Goyena, A., 1394, 2150.
Pérez de Guzmán, J., 866, 1184, 1185, 1186, 1227, 1956, 1957.
Pérez del Hoyo, A., p. 159.
Pérez Picón, 1395.
Pérez Rioja, J. A., 1009, 1010.
Pérez Ruiz, P., 871.
Pérez de Urbel, J., 2093.
Pescador del Hoyo, C., 243.
Peset, J. L., 88, 110, 554, 1770, 2151.
Peset, M., 88, 110, 1768, 1769, 1770, 2151, p. 216.
Peset, V., 1011, 1771, 1772, 1773, p. 216.
Petersen, H., 794.
Petrie, C., 60.
Picón, J. O., 1732.
Piel, J. M., 2094.
Pierce, F., 244.
Pierelle, A., 2001.
Pinta Llorente, M., 96, 971, 1906, 1907.
Piñeyro, E., 576, 665, 1958.
Pirala, A., 1959.
Pirenne, J., 26.
Pitollet, C., 1238, 1599.
Place, E. B., 288.
Placer, G., 2152.
Plebe, A., 27.
Pollin, A. M., 872.
Polt, J. R., 422, 1271, 1272, 1600, 1601, 1602, 1603, 1604, 1605, p. 158, p. 220.
Porqueras Mayo, A., 377.
Portillo, E., 1326.
Poullain, C., 555.
Prado Vázquez, J., 1013.
Prados Arrarte, J., 1606.
Prat, I., 271, 469, p. 89.
Preclin, E., 28.
Prieto Bances, R., 1607.
Prieto Pazos, F., 2002.
Puente Candamo, J. A., 1908.
Puppo, M., 552, 1704.
Puy, F., 89.
Puyol, J., 2003.

Qualia, C. B., 464, 465, 471, 480, 497, 2179.
Quincoces, G., 2041.
Quintana, M., 1014.

Raimondi, M., 748.
Ramírez Araujo, A., 749.
Ramírez de Arellano, R., 305.
Ramírez de las Casas Deza, L., 597.
Rancoeur, R., 1015.
Randolph, D. A., 212.
Raoux, M., 1307.
Reading, K., 750.
Real de la Riva, C., 245, 394, 1608.
Reau, L., 29.
Redick, P. C., 1187.

Redondo, E., 1609.
Redonet, L., p. 155.
Redonnet, M. L., 1016.
Reeder, J., p. 246.
Reglá, J., 98.
Reig Salvá, C., 1188.
Revilla, J., 359, 1189.
Reyes, R., p. 96.
Ricard, R., 153, 751, 1017, 1018, 1019, 1020, 1021, 1022, 1612, 1613, 1614, 1615.
Rincón, C., 154, 155.
Río, A. del, 169, 173, 409, 486, 1616, 1617, p. 177.
Río Alonso, F., 1618.
Ríos, J. A., 1619.
Riquer, M., 117.
Risco, M., 1250.
Risco, V., 169.
Riva-Agüero, J., 546.
Rivera, G., 795.
Robertson, J. G., 1705.
Roca, P., 804.
Roca y Cornet, J., 1023, 1190.
Ródenas, P. G., 1919.
Rodrigues Carpa, M., 2095.
Rodríguez, J. C., 289.
Rodríguez Amaya, E., 2004.
Rodríguez Aniceto, C., 2047.
Rodríguez Aranda, C., 509.
Rodríguez Carracido, J., 1620.
Rodríguez Casado, V., 61, 90, 156, 1909.
Rodríguez Cepeda, E., 362, 1191.
Rodríguez Díaz, L., 2005.
Rodríguez Fraiz, A., 2096.
Rodríguez Méndez, J. M., 1396.
Rodríguez-Moñino, A., 1251, 1828, 1960, 2006, p. 221.
Rodríguez de la Mora, C., 1327.
Rodríguez Vilanova, E., p. 96.
Rodrigo, A., 360, 361.
Rof Carballo, J., 1024, 1025.
Rogers, P. P., 203, 290, 547.
Rohde, J. M., 1961.
Roisin, C., 1397.
Romero Murube, J., 1192.
Rooney, S. S. D., 1193.
Ros García, J., 1026.
Rosales, L., 1621.
Rosell, C., 2007.
Rossi, G. C., 391, 392, 535, 536, 537, 556, 1027, 1028, 1194, 1273, 1355, 1622, 1623.
Rousseau, F., 62, 666.
Rubio, A., 466.
Rubió Balaguer, J., 169, 1687.
Rubio García, L., 1029.
Rubió y Lluch, A., 504.
Rubió y Ors, J., 1624.
Rudat, E. M., 635.
Rudé, G., 30.
Ruiz Alvarez, A., 1356.
Ruiz Campos, A., 2153.
Ruiz Crespo, M., 1686.
Ruiz Lagos, M., 157, 307.
Ruiz de Larrinaga, F. J., 2042.
Ruiz Morcuende, F., 1195, 1196, 1197, 1198, p. 138.
Ruiz Peña, J., 577.
Ruiz Veintemilla, J., 118.
Rumeu de Armas, A., 132, 1199.
Ruskar, U., 133.

Sagredo Fernández, F., 1252.
Saint-Lu, A., 752.
Sainz de Robles, F. C., 314, 428, 2114.
Sainz Rodríguez, P., 679, 1274, p. 159.
Sala, J. M., 835, 1314.
Sala, T., p. 177.
Sala Balust, L., 111, 1030, 1920.
Salas, X., 1625.
Salcedo Ruiz, A., 39, 2008.
Salillas, R., 246.
Salinas, P., 1031, 1829, 1830, página 220.
Salvador, G., 1831.
Salvador Barrera, J. M., 1253.
Salvio, A., 498.
Samoná, C., 1032.
Sampol y Ripoll, P., 1626.
San Emeterio y Cobo, M., 1033.
San José, D., 363.
Sánchez, X. X., 1627.

Sánchez Agesta, L., 158, 618, 1034, 1035, 1036, 1200, 1628, 1629, p. 104, p. 121.
Sánchez Albornoz, C., 1630, 1631.
Sánchez Alonso, J. B., 1632.
Sánchez Cantón, F. J., 1037, 1201, 1398, 2097, 2098, 2099, 2100.
Sánchez Castañer, F., 667.
Sánchez Diana, J. M., 159, 1038, 1774.
Sánchez Estevan, I., 364.
Sánchez Granjel, L., 692, 1039, 1328, 1329, 2154, 2155, 2156, 2157.
Sánchez Pérez, J. A., 1330, 1962.
Sanjuán, P. A., 433.
Santelices, L., 753.
Santoyo, J. C., 2043.
Sarrailh, J., 99, 160, 1202, 1633.
Sarralbo Aguareles, E., 538.
Saugnieux, J., 91 bis.
Savelon, J. L., 1634.
Saz, A. del, 169, 1203.
Sciacca, F., 539, 590.
Schevill, R., 1733.
Schnabel, F., 13.
Schneider, F., 442.
Scotti, A. A., 591.
Sebastián de Ubrique, F., 857, 858.
Sebaoun, C., 1399.
Sebold, R. P., 204, 205, 206, 247, 580, 754, 755, 756, 1275, 1299, 1337, 1357, 1400, 1401, 1706, 1707, 1832, 1963, 2159, 2160, 2161, 2162, 2180, p. 172, p. 206, p. 262.
Seco, C., 1635.
Segura Covarsi, E., 1300, 1833, 2163.
Sempere y Guarinos, J., 162.
Sepúlveda, R., 315, 1204.
Serafín de Ausejo, F., 859, 860, p. 116.
Serafín de Hardales, F., 861.
Serrano, E., 836.
Serrano Castilla, F., 387, 1040, 1041.
Serrano y Sanz, M., 134, 1964, p. 221.
Shergold, N. D., 316.
Sidró Villaroig, J. F., 1921.
Siegwart, J. T., 388.
Sierra, L., 1740.
Sierra, R., 1636.
Sierra Corella, A., 135.
Silva Melero, V., 1042, 1637.
Silvela, M., 291, 1205, 1206.
Silverman, J. H., 223, 248.
Simmons, M. E., 668.
Simón Díaz, J., 163, 213, 578, 579, 581, 607, 608, 680, 681, 682, 778, 779, 799, 837, 838, 867, 1043, 1044, 1228, 1276, 1277, 1301, 1331, 1358, 1638, 1639, 1775, 1834, 2101, 2102, 2103, 2189, 2190.
Smith, R. S., 1286, 1287.
Solís, R., p. 96.
Solana, M., 2048.
Somoza, J., 1640, 1641, 1642, 1643, 1644, 1645, 1646, p. 177.
Sorrento, L., 190, 439, 467, 540, 1278.
Soubeyroux, J., 1647.
Spaulding, R. K., 1207.
Spell, J. R., 487, 488, 1288.
Staubach, Ch. N., 1045, 1046, 1047, 1048.
Stoudemire, S. A., 550, 2115.
Strong, L. F., 468.
Suárez, C., 1648, 1978, 2009.
Suárez Bárcena, A., 2010.
Suárez Galbán, E., 2164, 2165, 2166, 2167, 2168.
Subirá, J., 169, 214, 292, 293, 294, 295, 296, 317, 318, 339, 340, 341, 342, 343, 344, 345, 346, 347, 348, 349, 350, 366, 389, 800, 801, 1359, 1360, 1361.
Sureda Blanes, J., 1649.

Tamayo, J. A., 758, 1650, 1776, 1777.
Tamayo y Rubio, J., 757, p. 96.
Tapia Ozcáriz, E., 63.
Tardieu, G., 1651.

Tarragó Pleyán, J. A., 862, 863.
Taxonera, L., 49.
Tejerina, B., 1208.
Telenti, A., 1049.
Tellechea Idígoras, J. I., 1402.
Téllez, T., 1652.
Terrón de la Gándara, R., 1835.
Tobío Fernández, J., 2104.
Tolívar Alas, A. C., 481.
Tolrá, J. J., 1403.
Tomé, E., 1965.
Tomsich, M. G., 91.
Toro y Durán, R., 1653.
Toro Quartielcers, J., 2191.
Torre, G., 1209.
Torres Rioseco, A., 1654, 1966.
Torres Rodríguez, C., 2105.
Tort Mitjans, F., 600.
Trifilo, S. S., 770.
Trousson, R., 1050.
Trusso, F. E., 1655.
Tucker, D. W., 759.
Tudisco, A., 1051, 1052.
Tunie, D. A., 297.
Turkevich, L. B., 557.

U.M., 1710.
Uhagón, F., 1851.
Ulloa Cisneros, L., 40.
Uría, V. L., 1656.
Uriarte, J. E., 683.
Uribe, F., 1332.

Valdés, M., 1657.
Valera, J., 100, 249, 598, 609, 839, 1210, 1658, 1836, 1967, 1968, 2116, 2192.
Válgoma, D., 2106.
Valin, G., 1053.
Valjavec, F., 31.
Valverde Madrid, J., 599.
Vallejo, I., 250.
Valls y Bonet, P., 780.
Varela, J. L., 1054, 1055, 1056, 1211.
Varela Herviás, E., 1212.
Varela Jácome, B., 169, 1057.
Varey, J. E., 298, 299, 316, 319, 320.
Varón Vallejo, E., 2107.
Vasco, A., 592, 1213.
Vázquez Acuña, I., 1058.
Vázquez Ruiz, J., 1741.
Vega, A. C., 1254, 1255, 1256.
Vega, J., 367, 840.
Vela, F., 1659.
Vela, G., 1257, 1308.
Velasco Díaz, F., 1660.
Ventura Agudiez, J., 402.
Vera Camacho, J. P., 1279.
Verger, L., p. 164.
Vesteiro Torres, T., 2108.
Vézinet, F., 476, 1214.
Vian, C., 175.
Vicini, S. R., 2109.
Vidart, L., 395, 1778.
Vignau, V., 1215.
Vila Selma, J., 1969, p. 121.
Vilanova, M., 1216.
Vilar, P., 92, 781, 782, 783.
Vildósola, A. J., 1970.
Villar Granjel, D., 1661.
Villegas Morales, J., 1217.
Villota Elejalde, J. L., 1662.
Viñas, C., 1333.
Viollet, A., 41.
Virella y Cassañes, F., 303.
Vivanco, L. F., 1218.
Voltes Bou, P., 64.

Walzel, O., 13.
Wardropper, B. W., 760.
Wallek, R., 207, 390.
Wiese, B., 32.
Wilckens, R. K., 2011.
Williams, E. N., 33.

Ximénez de Sandoval, F., 761, 762, 1837.

Yaben Yaben, H., 1663, 1664.
Yela Utrilla, F., 593, 1334, 2110.

Yelo Templado, A., 1059.
Yndurain, F., 410.

Zabala, A., 331, 332, 333, 401.
Zabala y Lera, P., 42.
Zamora Vicente, A., 1280, 1281, p. 159.
Zarco Cuevas, J., 1335.
Zardain, C., 2012.
Zavala, I. M., 191, 251, 669, 693, 1060, 1665.
Zuleta, E., 252.
Zúmel, G., 1258.
Zunzunegui, J., 1259.